سعید کی پُراسرار زندگی

(سعید بدقسمت قنوطی)

مصنف

ایمل حبیبی

انگریزی مترجم

سلمیٰ خضری جیوسی اور ٹریور لی گاسک

اردو ترجمہ

انتظار حسین

سنگِ میل پبلی کیشنز، لاہور

891.4393 Imli Habibi
        Saeed Ki Purisrar Zindagi/ Imli
        Habibi, tr. by Intizar Hussain.- Lahore :
        Sang-e-Meel Publications, 2013.
        208pp.
            1. Literature - Novel.
        I. Title.

اس کتاب کا کوئی بھی حصہ سنگ میل پبلی کیشنز/ مصنف سے با قاعدہ
تحریری اجازت کے بغیر کہیں بھی شائع نہیں کیا جاسکتا۔ اگر اس قسم کی
کوئی بھی صورتحال ظہور پذ یر ہوتی ہے تو قانونی کارروائی کا حق محفوظ ہے۔

2013ء

نیاز احمد نے
سنگ میل پبلی کیشنز لاہور
سے شائع کی

ISBN-10: 969-35-2673-2
ISBN-13: 978-969-35-2673-8

Sang-e-Meel Publications

25 Shahrah-e-Pakistan (Lower Mall), Lahore-54000 PAKISTAN
Phones: 92-423-722-0100 / 92-423-722-8143 Fax: 92-423-724-5101
http://www.sang-e-meel.com e-mail: smp@sang-e-meel.com

حاجی حنیف اینڈ سنز پرنٹرز، لاہور

فہرست

تعارف

اس انوکھے ناول کا مصنف ایملی حبیبی 1919ء میں پیدا ہوا۔ بڑے ہو کر اس نے اولاً ایک صحافی کی حیثیت سے نام پیدا کیا۔ اسرائیل سے نکلنے والے سہ روزہ پرچہ ''الاتحاد'' کا جو عربوں کا نمائندہ پرچہ سمجھا جاتا ہے چیف ایڈیٹر رہا ہے۔ اسرائیلی کمیونسٹ پارٹی کے ٹکٹ پر اسرائیلی پارلیمنٹ کا رکن بھی منتخب ہوا۔ صحافی کی حیثیت سے بہت کچھ لکھا مگر ادیب کی حیثیت سے اسے شہرت اس وقت میسر آئی جب 1969ء میں اس کے افسانوں کا مجموعہ ''چھ دنوں کی کہانیاں'' کے نام سے شائع ہوا۔ 1967ء کی عرب اسرائیل جنگ کے بعد اسرائیل میں زندگی کے جو نقشے سامنے آئے وہ ان کہانیوں کا موضوع ہیں۔ لیکن سب سے زیادہ مقبولیت اس کے اس ناول کو حاصل ہوئی جو 1974ء میں حیفہ سے شائع ہوا تھا۔

مقبولیت کی پہلی سیدھی سادھی وجہ تو یہ ہے کہ فلسطین کے لوگ جس اذیت بھرے تجربے سے گزرے ہیں اور گزر رہے ہیں اس تجربے کا بیان یہاں بہت مؤثر انداز میں ہوا ہے۔ ویسے تو اس تجربے کے بیان میں اور ناول بھی شائع ہوئے ہیں۔ مگر یہ ناول منفرد رنگ کا حامل ہے اور ادبی اعتبار سے اس کا درجہ بہت بلند مانا گیا ہے۔

ایک امتیاز اس ناول کا یہی ہے کہ فلسطینیوں کو جن حالات سے دوچار ہونا پڑا ہے وہ ایملی حبیبی کے لیے آپ بیتی ہے پھر اس نے اسے بیان کرنے کے لیے جو پیرایہ اختیار کیا ہے وہ عربی فکشن میں ابھی تک مشکل ہی سے برتا گیا ہے۔ یہ استہزائی پیرایۂ بیان ہے۔ اصل میں استہزائی طرز اظہار کچے پکے لکھنے والوں کے بس کا کام نہیں ہے۔ ادبی اظہار میں پختگی حاصل کرنے کے بعد ہی اس طرزِ اظہار کو برتنا ممکن ہے۔

جدید عربی فکشن میں دو ہی لکھنے والے ایسے ہوئے ہیں جنہوں نے اس پیرائے کو

اپنایا ہے، عبدالقادر المانی اور توفیق الحکیم۔ ان کے بعد حبیبی نے اس طرز کو برتا ہے اور اسے برتتے ہوئے اس نے اتنے کمالات دکھائے ہیں کہ چاروں طرف سے اسے بے تحاشا داد ملی اور ناول کو ایسی مقبولیت حاصل ہوئی کہ اولین تین سالوں میں آگے پیچھے اس کے تین آڈیشن شائع ہوئے۔

حبیبی نے ایک جبر کی داستان کو جس استہزائی پیرائے میں ڈھال کر بیان کیا ہے اور صورت حال کے تضادات کو جس طرح اجاگر کیا ہے اس نے بیانیہ کو کہیں سے کہیں پہنچا دیا ہے اور اس ناول میں بڑے ناول کی شان پیدا کر دی ہے۔

انتظار حسین

●♦●♦●

پیشِ لفظ

ناول عربی ادب میں ایک نئی صنف ہے۔ یوں سمجھیے کہ اسی صدی میں اُس نے رواج پایا ہے اور اگر وہ عربی ادب میں پوری طرح جڑ نہیں پکڑ سکی ہے تو اس کی وجہ عربی ادب کی تاریخ کے مخصوص حالات ہیں۔ چھٹی صدی عیسوی سے پندرہویں صدی عیسوی تک کے طویل زمانے میں عربی ادب میں بہت فکری اور فنی کمالات دکھائے گئے۔ اس کے بعد وہ لمبے عرصے کے لیے جمود کا شکار ہو گیا اور یہ عین وہی زمانہ تھا جب یورپی ادب ترقی کے مدارج طے کر رہا تھا اور اس کی آغوش میں ناول کی صنف پروان چڑھ رہی تھی۔ جب انیسویں صدی میں عربی ادب میں نشاۃ الثانیہ کا آغاز ہوا تو شاعروں کو اپنی پرانی روایت سے ایسا بہت سا سرمایہ میسر آیا جس کی مدد سے وہ نئی عمارت کھڑی کر سکتے تھے۔ فنی نقطۂ نظر سے دیکھیے تو دورِ جمود سے ورثے میں ملی ہوئی پامال اور فرسودہ نظم کو زبان و بیان کی ایک نئی توانائی اسی صورت بخشی جا سکتی تھی کہ پھر سے قدیم شاعری سے رجوع کیا جاتا، اس لیے کہ توانائی تو اپنی ہی زبان کے بہترین نمونوں سے استفادہ کر کے حاصل کی جا سکتی ہے۔

اس کے برخلاف ناول میں دلچسپی نے اس صدی میں ایک سنجیدہ صورت اختیار کی ہے اور صورت یہ تھی کہ اس عرصے میں مغربی فکشن کی اصناف بہت منجھ چکی تھیں اور اپنے موضوع اپنے طرزِ بیاں اور اپنی روح کے اعتبار سے نئے زمانے کے مزاج سے مطابقت رکھتی تھیں۔ ان کی ان صفات نے ان میں عرب ادیبوں کے لیے ایک کشش پیدا کر دی تھی۔ جدید ادبی طریق کار تک پہنچنے کے لیے انھوں نے ان اصناف کو ایک شارٹ کٹ تصور کیا جو لکھنے والے ادب میں نئی روح کے جویا تھے۔ انھوں نے سوچا کہ زمانۂ وسطیٰ کا داستانی ادب اپنے زمانے کی حد تک تو خوب تھا لیکن اب اس کی بنیاد پر اپنے فکشن کی عمارت کھڑی کرنا بے سود ہے۔ بہتر یہ ہے کہ براہِ راست فکشن کی نئی اصناف سے رسائی حاصل کی جائے۔ اس خیال کو کچھ اس واقعے سے بھی تقویت پہنچی

کہ عربی فکشن کی مختلف اصناف اپنے ادب کی روایت میں اس طرح رچی بسی نہیں تھیں جس طرح شاعری رچی بسی تھی۔ الف لیلہ کو بے شک بہت شہرت ومقبولیت حاصل ہوئی۔ وسیع پیمانے پر اس کی ترسیل واشاعت ہوئی مگر اس کی زبان میں عامی محاورے نے بھی راہ پائی تھی۔ اس لیے اسے فنِ لطیف کا درجہ حاصل نہ ہوسکا اور زبان کی شستگی اور لہجہ کی نفاست کی سند نہ مل سکی۔ فکشن کی کچھ دوسری اصناف بھی عربی ادب میں موجود تھیں مثلاً تمثالی کہانی، کلیلہ ودمنہ اسی قسم کی کہانی ہے یا یوں کہیے کہ دلچسپ کہانیوں کا ایک سلسلہ ہے جسے ابن المقفیٰ نے آٹھویں صدی میں ترتیب دیا تھا یا کہانی کی وہ قسم جسے Picaresque کہتے ہیں۔ الہمدانی (متوفی:1008ء) اور الحریری (متوفی:1123ء) اس صنف کے نمائندے ہیں۔ الہمدانی کی تصنیف ''مقامات'' میں ایک عیار کے کارنامے مزاحیہ رنگ میں بیان کیے گئے ہیں مگر نئے لکھنے والوں نے ان اصناف سے بھی استفادنہیں کیا اور یہ سمجھنے کی کوشش نہیں کی کہ کیا وہ نئے عربی فکشن کے لیے بنیاد کا کام دے سکتی ہیں۔ واقعہ یہ ہے کہ نثر کے تخلیق کاروں کو اس صدی میں کئی دہائیوں میں یہ اعتماد نصیب ہوا کہ وہ اپنے کلاسیکی نثری ادب سے کہ دنیا کے بہترین ادب میں اس کا شمار ہوتا ہے، رجوع کریں اور اس کے آفاقی اور دائمی اوصاف سے فیض حاصل کریں۔

چند مستثنیات سے قطع نظر جدید عربی ادیبوں نے اپنے اظہار کے لیے ایک ہی لہجہ اور ایک ہی طرز کو اپنایا ہے، خواہ رومانی رنگ میں لکھ رہے ہوں یا حقیقت نگاری کے رنگ میں، المیہ رنگ ہو یا ہیروئنک انہوں نے ہرصورت ایک سنجیدہ لہجہ کو اپنایا اور سیدھے سچے اظہار کو اختیار کیا۔ تجربے کا مزاح کے رنگ میں ادراک، ظریفانہ اظہار، پیروڈی، ذومعنویت، طنز، ان اسالیبِ اظہار کی طرف عربی ادیب جلدی نہیں آئے۔ عربی کے کلاسیکی ادب اور مغربی ادب دونوں میں ان اسالیب اظہار کی جو صورت تھی، ان سے شاذ ونادر ہی استفادہ کیا گیا۔ بس چند ایک کا استثنیٰ ہے۔ عبدالقادر المانی (متوفی:1949ء) اور توفیق الحکیم ان کے بعد اب ایملی حبیبی نے اس ناول میں اس طرز کو برتا ہے۔

ایسا معلوم ہوتا ہے کہ بڑے سیاسی اور سماجی انقلابات کے زمانے میں جب عربی کے لکھنے والے انسانی تجربے کو بیان کرنے کے لیے بیٹھے تو کوئی ایسی رکاوٹ درمیان میں حائل تھی جس نے انہیں ادب میں استہزا کی معنویت کو سمجھنے سے قاصر رکھا۔ اس کی ایک توجیہہ یہ ہوسکتی ہے کہ عربی میں یہ صنف چونکہ نئی نئی آئی تھی اس لیے وہ کئی دہائیوں تک ان کمزوریوں کا شکار رہی جن

سے کسی زبان میں ایک صنف کو نوآمدہ ہونے کی بنا پر سابقہ پڑتا ہے۔ مزاحیہ اسلوب میں کمال حاصل کرنا مشکل ہوتا ہے۔ جب تک عربی میں فکشن کی صنف اچھی طرح راسخ نہیں ہوگئی اس وقت تک استہزائی اسلوب اس میں راہ نہیں پاسکا۔

یہ وجہ بھی ہوسکتی ہے کہ تجربے کا استہزا کی سطح پر ادراک ترقی یافتہ زمانے میں ہوتا ہے کہ اس وقت لکھنے والوں کے یہاں انسانی حالات کا زیادہ واضح شعور ہوتا ہے۔ زندگی کا ایک فلسفیانہ تصور پرورش پاچکا ہوتا ہے اور لایعنی اور متضاد انسانی صورت احوال سے آگاہی میسر ہوتی ہے۔ مثلاً کلاسیکی عربی میں ماقبل اسلام کی پانچویں اور چھٹی صدیوں میں ایسی مثالیں بہت کم نظر آئیں گی جہاں انسانی صورتحال کا استہزائی رنگ میں ادراک کیا گیا ہو۔ ہاں جب امویوں کی اسلامی سلطنت (661ء سے 750ء) معرضِ وجود میں آئی اور عرب قبائل نئے نئے آباد ہونے والے شہروں میں آکر بسے تو شاعروں نے استہزائی رنگ میں اپنے بہت جوہر دکھائے جن ہجویات کو اس عہد میں شہرت و مقبولیت حاصل ہوئی ان میں طنز و مزاح کے وہ نشتر ہوتے تھے کہ سننے والوں کی طبیعت پھڑک جاتی تھی۔ تاہم یہ صحیح ہے کہ عربی ادب کے وسیع منظر پر نظر ڈالی جائے تو عربوں کے المیہ کا احساس غالب نظر آتا ہے۔ اسی کے ساتھ رزمیہ کا رنگ ہے جو جدید مغربی ادب میں بہت دبا دبا ہے لیکن ان عربوں کے یہاں المیہ کے احساس سے بھی بڑھ کر زندہ و تابندہ نظر آتا ہے۔

''قنوط رجائی'' (Pessoptimist) کی کہانی بیس برسوں سے اوپر کا احاطہ کرتی ہے اور ان دو جنگوں (1948ء اور 1967ء) کا جن کی قیمت مملکت اسرائیل میں رہ جانے والی عرب فلسطینی آبادی کو اس طرح ادا کرنی پڑی کہ ہر جنگ کے بعد بڑے پیمانے پر انہیں وہاں سے نکلنا پڑا۔ سو مصنف نے عصری تاریخ کے بعض گوشوں کے بیان کے لیے فکشن کا اسلوب اپنایا ہے۔ ناول سے ظاہر ہے کہ ناول نگار کا مقصد یہ ہے کہ اسرائیل میں رہنے والے عربوں کے مصائب، جدوجہد اور ذلت کی زندگی کو خشک واقعاتی انداز میں پیش کرنے کے بجائے فکشن کے اسلوب میں جس میں زیادہ دلگدازی ہوتی ہے، بیان کیا جائے۔ اس نے چند خاص تاریخی واقعات کو اور عمومی حالات کو سامنے رکھ کر ان کے گرد کچھ نجی رنگ دے کر فکشن کا ایک جال بُنا ہے۔

اس مقصد کے لیے اگر فکشن کے اسلوب کو برتا گیا ہے تو اس سے یہ نہیں سمجھنا چاہیے کہ تاریخی معاملات کے بیان کو جتنا سنجیدہ اور معتبر رنگ کا حامل ہونا چاہیے، اس کا یہ اسلوب متحمل نہیں

ہو سکتا۔ صحیح ہے کہ ادب میں اختراع، برجستگی، مبالغہ آرائی اور اشخاص قصہ کو بڑھا چڑھا کر پیش کرنے کی اصولاً کھلی چھٹی ہوتی ہے لیکن اس سب کا انحصار خود مصنف پر ہوتا ہے کہ اس کے پیش نظر کیا مقصد ہے اور بیان کا کون سا طریقہ وہ اپنے لیے منتخب کرتا ہے۔ پھر فکشن لکھنے والے کو یہ استحقاق بھی ہوتا ہے کہ وہ تجربے کے بعض خاص گوشوں کو بے شک زیادہ اجاگر کرے اس پر یہ شک نہیں کیا جائے گا کہ تجربے کی باقی تفصیلات کو دانستہ گول کرنے کی کوشش کی ہے۔ اس لیے کہ فنی کمال کا تو تقاضا ہی یہ ہے کہ غیر متعلق مواد سے دامن بچایا جائے اور غیر ضروری تفصیلات سے پرہیز کیا جائے۔ تجربے کے تمام گوشوں سے یکساں شغف آئین فن کے خلاف ہے۔ ادب میں یہ نہیں ہوتا کہ خالی واقعات کو ان کے تسلسل میں بیان کر دیا جائے۔ یہاں تو یہ دکھایا جاتا ہے کہ یہ واقعات ان کرداروں پر جو فرضی ہوتے ہیں، کس طرح اثر انداز ہوئے۔ آرٹ کی دنیا میں دستور یہ ہے کہ ساری توجہ اس پر صرف کی جاتی ہے کہ ایک مخصوص ادب پارے میں جو گنے چنے افراد ہیں، ان پر کیا بیت رہی ہے۔ حافظہ کی طرح آرٹ بھی سب کچھ سمیٹنے کا قائل نہیں ہوتا، انتخاب کا قائل ہوتا ہے۔ جب واقعی زندگی کا کوئی تجربہ دماغ میں گھر کر جاتا ہے تو پھر اس کے بعد حافظ کاٹ چھانٹ شروع کرتا ہے۔ بس چند ایک تفصیلات بچا کر رکھ لیتا ہے۔ باقی کاٹ چھانٹ ڈالتا ہے۔ فکشن لکھنے والا بھی یہی کچھ کرتا ہے۔ ایک تجربے کے صرف ان اجزا کو جو اسے وقیع نظر آتے ہیں، چُن لیتا ہے اور انہیں کو نمایاں کرتا ہے۔

لیکن صرف ادب اور آرٹ ہی میں انتخاب کا عمل نہیں چلتا۔ تاریخ نگاری میں بھی یہی انتخاب کا عمل ملتا ہے۔ ہیڈن وائٹ نے ایک مقالہ لکھا ہے جس کا عنوان ہے ''تاریخی متون میں ادبی صناعی'' اس میں اس نے یہ دکھانے کی کوشش کی ہے کہ ایک ہی واقعہ کو جب مختلف لوگوں نے بیان کیا تو ایک مورخ کا بیان دوسرے مورخ کے بیان سے کتنا مختلف نظر آتا ہے۔ اس کی دانست میں تاریخ نگاری کا قصہ بھی کچھ کہانی سنانے کا سا ہے۔ کہانی بیان کرنے والے ایک ہی کہانی کو اپنے اپنے رنگ سے بیان کرتے ہیں۔ تاریخ نگار بھی یہی کچھ کرتا ہے۔ ایک تاریخی واقعہ کو بیان کرنے کے لیے وہ جس قسم کی زبان استعمال کرتا ہے، جس استعارہ و تشبیہ سے کام لیتا ہے، جو لہجہ اپناتا ہے وغیرہ وغیرہ ان سے اس بیان کی حیثیت متعین ہوتی ہے۔

حبیبی نے یہ جو تاریخی طرز کا ناول لکھا ہے اس میں اسے فائدہ یہ حاصل ہے کہ وہ اندر کا احوال جانتا ہے۔ جس عہد کو بیان کر رہا ہے، وہ عہد خود اس پر بیتا ہے۔ فلسطینی، عربوں کو جن

حالات سے دوچار ہونا پڑا ہے، جن میں وہ گزر بسر کرتے رہے ہیں وہ اس کے لیے آپ بیتی ہے۔ جیبی 1919ء میں پیدا ہوا۔ عرب صحافیوں میں ممتاز حیثیت کا مالک ہے۔ اسرائیلی کمیونسٹ پارٹی کے بانیوں میں گنا جاتا ہے۔ کمیونسٹ پارٹی کے ٹکٹ پر تین مرتبہ اسرائیلی پارلیمنٹ کا رکن منتخب ہوا۔ اسرائیل سے نکلنے والا نیم ہفت روزہ پرچہ ''الاتحاد'' کا جو ایک سربرآوردہ عرب آرگن سمجھا جاتا ہے، وہ چیف ایڈیٹر رہا ہے اور اس نے سیاسی اور معاشرتی مسائل پر بے شمار اداریے لکھے ہیں لیکن فکشن لکھنے والے کی حیثیت سے جیبی کو دنیائے عرب میں شہرت اس وقت حاصل ہوئی جب 1969ء میں اس کے افسانوں کا مجموعہ ''چھ دنوں کی کہانیاں'' کے نام سے شائع ہوا۔ 1967ء کی عرب اسرائیل جنگ کے بعد اسرائیل میں زندگی کے جو نقشے سامنے آئے، وہ ان کہانیوں کا موضوع ہیں لیکن سب سے زیادہ مقبولیت اس کے ناول کو حاصل ہوئی جو 1974ء میں حیفہ سے شائع ہوا تھا۔ اپنے پہلے تین سالوں میں اس کے تین ایڈیشن شائع ہوئے۔ اسرائیل میں اور اسرائیل سے باہر عرب ممالک میں مختلف رسالوں میں اس پر تبصرے ہوئے اور بہت تعریفیں ہوئیں۔

اس قبولِ عام کا سبب کیا تھا۔ وجہ صرف اتنی نہیں تھی کہ اس ناول میں اسرائیل میں بسنے والے عربوں کا آنکھوں دیکھا حال بیان کیا گیا تھا اور نہ صرف یہ تھی کہ فلسطین کے پیچیدہ مسئلہ کے بارے میں اور فلسطین کے لوگوں کے تکلیف دہ تجربے کے بارے میں اب تک جتنے ناول چھپے تھے، یہ ان سب سے بڑھ کر تھا۔ ان وجوہات سے بڑھ کر وجہ یہ تھی کہ فنی اعتبار سے یہ ناول اپنی الگ طرز رکھتا تھا۔ اس میں تازگی اور ندرت تھی۔ اسے طنز و مزاح کے ایک ایسے سانچہ میں ڈھالا گیا تھا کہ دنیائے عرب میں اس وقت فکشن کی جو طرزیں مروج تھیں ان کے لیے وہ چیلنج بن گیا۔ یہ ناول ایک نئی وضع کی طرف اشارہ کرتا نظر آتا تھا۔ ایک طرح سے یہ خبر دے رہا تھا کہ جدید عربی کے فن افسانہ نگاری میں ایک نئی پختگی کا دور شروع ہے۔ ٹریور لی گاسک نے اپنے مقالے میں (جو مڈل ایسٹ جرنل کی 34ویں جلد کے دوسرے شمارے میں چھپا ہے) صحیح لکھا ہے کہ ''بدنصیب فلسطینی پختہ ذہن کا آدمی ہے اور برسوں کے تجربے سے تپ کر نکلا ہے۔''

اس ناول میں جیبی بنے بنائے رستوں پر نہیں چلا ہے۔ ابھی تک وہ یکتا ہی نظر آتا ہے۔ یہ فلسطینی مزاحمتی شاعری سے الگ صورتحال ہے۔ اس شاعری میں رویئے بن چکے ہیں۔ موضوعات طے ہو چکے ہیں اور ایک مجموعی لہجہ بھی قائم ہو چکا ہے۔ یہ لہجہ یا تو سورمائی مزاحمت کا

ہے یا اس روایت کے جدید ترین شاعروں مثلاً محمود درویش کے یہاں جو مزاحمتی روایت کا نمائندہ شاعر ہے، ہم دیکھتے ہیں کہ سورمائی لہجہ اور المیہ لہجہ کا ایک امتزاج ہے۔ طنزیہ لہجہ اس شاعری میں کہیں نظر نہیں آئے گا۔ مثلاً شامی شاعر محمد المغوث ہے۔ اس شاعر نے عربوں کے آج کے سارے تجربے کو جس میں فلسطین کا تجربہ بھی شامل ہے، ایک طنزیہ طرزِ احساس کے ساتھ دیکھا ہے۔

ناول کا مرکزی کردار بدنصیب سعید ایک استہزائی رنگ کا ہیرو (Comic Hero) ہے بلکہ احمق آدمی ہے جو اپنے کسی دوست کو جس کا نام نہیں بتایا گیا، خط لکھتا ہے اور اس خط میں وہ اسرائیل میں اپنی گزاری ہوئی زندگی کے خفیہ گوشوں کو بے نقاب کرتا ہے۔ یہ خط اس نے اس وقت لکھا ہے جب وہ ایک غیر زمینی مخلوق کی مدد سے عالمِ بالا میں پہنچ گیا ہے اور اب وہاں کسی محفوظ گوشے میں بیٹھا ہے۔ یہ غیبی مخلوق اس نازک وقت میں اس کی امداد کو پہنچی تھی جب وہ ایک بلی کی نوک پر ٹنگا بیٹھا تھا۔ اس طرح کہ ہل جل بھی نہیں سکتا تھا۔ اب وہ ایک محفوظ گوشے میں بیٹھا ہے اور پہلی مرتبہ اسے آزادانہ بات کرنے کا موقع میسر آیا ہے۔ جو داستان وہ سناتا ہے، وہ بہت دلخراش ہے۔ یہ داستان ہے شکست کی اور بغاوت کی مرنے اور مرکر جی اٹھنے کی، خوف و دہشت کی اور ہمت و جرأت کی، جارحیت کی اور مزاحمت کی، افراد کی غداری کی اور جماعتی وفاداری کی۔ مختصر یہ کہ ایک مسلسل بحران میں بسر ہوتی زندگی کے متنوع پہلو اس میں سمٹ کر آ گئے ہیں۔ یہ ایک ایسی صورتحال ہے جس میں متضاد رویئے پل رہے ہیں۔ اس کی ترجمانی قنوط رجائی اصطلاح سے ہوتی ہے جو قنوطیت اور رجائیت کی اصطلاحوں کو خلط ملط کر کے وضع کی گئی ہے۔ حبیبی نے ایک طرف تو المیہ اور سورمائی عناصر کے ساتھ استہزائی عناصر کا امتزاج کیا ہے، دوسری طرف کوشش یہ کی ہے کہ صہیونی نو آبادکاری اور فلسطینی مزاحمت کی دو انتہاؤں کے مابین جو طرح طرح کی متضاد صورتیں پل بڑھ رہی ہیں انہیں سامنے لایا جائے۔ ناول میں سیاسی صورتحال اور اسی سے پیدا ہونے والی جو معاشرتی پیچیدگیوں کا جو ایک جال بچھا ہوا ہے اسی میں سعید کے نجی تجربے بھی گتھے ہوئے نظر آتے ہیں۔ وہ صہیونی مملکت کا مخبر ہے لیکن اپنی حماقت، اپنی بے تکی جرأت اور اپنی بزدلی کی وجہ سے ولن کے بجائے مظلوم کی حیثیت اختیار کر لیتا ہے۔ حکام کی مستقل چاپلوسی کے باوجود اسے صہیونی خفیہ ایجنسی میں کوئی اہم عہدہ نہیں مل پاتا۔ جو خدمات وہ انجام دیتا ہے، اس کا اسے کوئی اجر بھی نہیں ملتا۔ وہ چھوٹا آدمی ہی رہتا ہے۔ زندگی کے دھارے سے کٹی ہوئی ایک خوفزدہ روح۔

جس افسر کا وہ براہِ راست ماتحت ہے، اس کا نام جیکب ہے اور وہ مشرقی یہودی ہے۔ سعید کی اس کے ساتھ اس قسم کی دوستی ہے جسے عمر بھر کا رشتہ کہنا چاہیے۔ جیکب خود مظلوم ہے۔ وہ جس افسر کے ماتحت ہے وہ مغربی یہودی ہے۔ ناول میں اسے بڑے آدمی کے لقب سے یاد کیا گیا ہے۔

ناول کے پہلے دو تہائی حصے میں ہمارے استہزائی ہیرو (Comic Hero) کا زندگی سے بھرا تجربہ دو محبتوں سے عبارت ہے۔ ایک محبت پہلی یعاد کے ساتھ۔ کتاب کا پہلا حصہ اسی محبوبہ کے نام سے منسوب کیا گیا ہے۔ دوسری محبت باقیہ کے ساتھ جس کے نام سے کتاب کا دوسرا حصہ منسوب کیا گیا ہے۔ پہلی یعاد یا یعاد اول سے محبت اس کی زندگی میں پہلی محبت ہے۔ یعاد کے لغوی معنی ہیں ''جو پلٹ کر آئے'' اس لڑکی سے سعید کی شناسائی اس زمانے میں ہوئی تھی جب فلسطین کو ابھی انتداب کا درجہ حاصل تھا۔ سعید اس زمانے کے بعد بھی اس سے محبت کرتا رہا اور ایک دکھ کے ساتھ اُسے یاد کرتا رہا۔ جب 1948ء میں اسرائیل کی مملکت قائم ہوئی تھی تو اسرائیلی سپاہیوں نے یعاد کو فلسطین سے زبردستی نکال باہر کیا اور سرحد سے پرے دھکیل دیا۔ پھر اس کی ساری زندگی جلاوطنی میں بسر ہوتی ہے۔ اسی عالم میں وہ ماں بنتی ہے اور ایک بیٹی اور بیٹے کو جنم دیتی ہے۔ بیٹی یعاد ثانی ہے جس کے نام پر کتاب کے دوسرے اور آخری حصے کا نام رکھا گیا ہے۔ بیٹا مزاحمتی تحریک کا غازی ہے۔ اس کا نام بھی سعید ہی رکھا ہے۔ قنوط رجائی سعید کی اس سے ملاقات 1967ء کے بعد اسرائیل کی ایک جیل میں ہوتی ہے۔

باقیہ کا مطلب ہے باقی رہنے والی۔ باقیہ ان عربوں میں شامل ہے جو 1948ء کے بعد اسرائیل ہی میں رہتے تھے۔ اس کی سعید سے شادی ہوئی۔ سعید کی بیوی بن کر اس نے ایک بیٹا جنا جس کا نام والعہ ہے۔ باقیہ کے سینے میں ایک راز چھپا ہوا ہے۔ یہ راز ایک خزانے سے متعلق ہے جسے اس کے باپ نے سمندر کے کسی غار میں چھپایا تھا۔ سعید اس خزانے کی تلاش میں ایک عمر صرف کرتا ہے لیکن خزانہ اسے نہیں اس کے بیٹے والعہ کو ملتا ہے۔ عربوں پر اسرائیلیوں کے مظالم کو دیکھ کر والعہ ان کے خلاف بغاوت کرتا ہے اور فدائیوں میں شامل ہو جاتا ہے۔ اس خزانے کو وہ ان کے خلاف لڑائی میں صرف کرتا ہے۔ اس ناول میں ایک بہت اثر انگیز منظر وہ ہے کہ ساحلِ سمندر کے ایک اجڑے مکان میں والعہ محصور ہے، اسرائیلی سپاہیوں نے گھر کا محاصرہ کر رکھا ہے۔ حکام اس کے باپ کو موقع واردات پر طلب کرتے ہیں۔ وہ غریب ایک چٹان پر گٹھر بنا بیٹھا ہے۔ ماں بیٹے کو ہتھیار ڈالنے پر آمادہ کرتی ہے۔ بیٹا جس غصے سے ماں کی التجا کو رد کرتا ہے، اس سے ایک

رستم رسیدہ باغی روح کے کرب کا اندازہ ہوتا ہے۔ باقیہ پر اس کا بہت اثر ہوتا ہے۔ وہ بھی بیٹے کے ساتھ مل جاتی ہے۔ وہ ایک دوسرے سے بغل گیر ہوتے ہیں اور سمندر میں اتر جاتے ہیں۔ اس کے بعد ان کا کوئی پتہ نشان نہیں ملتا۔

مگر سعید کی قلب ماہیت کسی دوسرے موقع پر ہوتی ہے۔ اس موقع پر جب وہ اپنے ہم نام سعید سے ملتا ہے۔ 1967ء کی جنگ کے موقع پر وہ محض اس وجہ سے کہ احمق ہے اور ڈرا ہوا آدمی ہے، ایک حماقت کر بیٹھتا ہے۔ اس کا نتیجہ یہ نکلتا ہے کہ ''بڑا آدمی'' اسے اٹھا کر جیل میں ڈال دیتا ہے۔ ''بڑا آدمی'' اسے جیل میں ڈال کر اس سے ایک اور کام لینا چاہتا ہے۔ یہ کہ وہ قیدیوں پر نظر رکھے۔ یہاں قید میں پہرے کے سپاہی اسے بری طرح مارتے پیٹتے ہیں۔ مار پیٹ کر وہ اسے جس قیدی کے برابر لٹاتے ہیں، وہ بہادر سعید ہے اور بہادر سعید اس کے متعلق یہ گمان کرتا ہے کہ وہ اسی کے رفقا میں سے ہے یعنی اسی کی طرح مجاہد آزادی ہے اور اس کا اس قسم کا احترام کرتا ہے اور اس محبت کا مظاہرہ کرتا ہے جس کے مستحق قنوط رجائی کی دانست میں وہ لوگ ہیں جو آزادی کے لیے جہاد کرتے ہیں۔

سعید کو اچانک اپنے بیٹے کی یاد آتی ہے۔ سوچتا ہے کہ وہ خود تحریکِ مزاحمت میں شامل نہیں تو کیا ہوا، اس کا بیٹا والعہ تو اس تحریک میں شامل تھا اور اسی مقصد پر اس نے اپنی جان وار دی۔ یہ سوچ کر اس کا سینہ فخر سے پھول جاتا ہے۔ جب سعید جیل سے نکل آتا ہے تو اسے محسوس ہوتا ہے کہ وہ اب اسرائیل کی مخبری نہیں کر سکتا۔ سو اسے بار بار جیل میں ڈالا جاتا ہے۔ یعاد ثانی سے اس کی ملاقات ہوتی ہے۔ یہ یعادِ ثانی ایک ماڈرن قسم کی ہمت والی جوان لڑکی ہے جو ''اوپن برجز'' کی پالیسی سے فائدہ اٹھا کر اپنے بھائی کی تلاش میں اسرائیل آئی ہے۔ اس سے ملاقات کے بعد قنوط رجائی سعید کے ارادے میں مزید پختگی آجاتی ہے۔

سعید کی قلب ماہیت کا یہ نتیجہ ضرور نکلا کہ صیہونی مملکت سے اس کا تعلق جو چلا آتا تھا، وہ ختم ہو گیا لیکن اس سے آگے اور کوئی فرق نہیں پڑتا۔ مخبری سے تو اس نے توبہ کر لی لیکن اس کی فطری بزدلی اور عقل کی کوتاہی نے اسے اس قابل چھوڑا ہی نہیں کہ وہ کوئی کام انجام دے سکے۔ جس دُبدا میں پڑ گیا اس کا علامتی اظہار اس بلی کی شکل میں ہوا ہے جس پر وہ ٹنگا ہوا نظر آتا ہے اور جس سے نجات اُسے کوئی معجزہ ہی دلائے تو دلائے۔

ناول کی زبان مجموعی طور پر سادہ و سلیس ہے۔ استہزائیہ کے لیے بھی یہ زبان موزوں

ہے اور ایک سادہ لوح آدمی جس قسم کی زبان میں اپنا اظہار کر سکتا ہے، اس حساب سے بھی یہ زبان مناسب ہے۔ حبیبی نے جا بجا فلسطینی روزمرہ سے الفاظ، محاورے اور ضرب الامثال مستعار لیے ہیں اور انہیں اپنے بیان میں کھپایا ہے۔ اس کے طرزِ بیان میں ایجاز اختصار اور ایک رکھ رکھاؤ ہے۔ اس کے ساتھ اس میں ایک ایمائیت بھی ہے، لہجہ دھیما ہے۔ خطابت کے رنگ سے پاک ہے۔ ان بلند آہنگ ادبی نگارشات سے ہٹ کر جن میں جارحیت کی سیدھی سیدھی مذمت کی گئی ہے اور مزاحمت کو سراہا گیا ہے۔ حبیبی نے اپنی راہ الگ نکالی ہے۔ طنز، استہزا، ذومعنویت، دھیما لہجہ، لفظوں کی بازی گری، یہ اس کے ہتھیار ہیں جن سے کام لے کر وہ وہی بات کہتا ہے جو دوسروں نے چیخ چیخ کر سیدھے سپاٹ انداز میں کہی ہے۔ اس میں اندازِ بیان کے ذریعہ وہ ایسی زندہ و تازہ فضا باندھتا ہے کہ آزادی کے امکان میں ایمان بحال ہوتا نظر آتا ہے۔ اسی کے ساتھ وہ اس مسئلہ کی نوعیت کو بھی ہمارے سامنے لے آتا ہے جو المیہ فلسطین سے عبارت ہے۔

یہ ناول والٹیر کے ناول ''کینڈیڈ'' (Candide) سے موازنے کے ساتھ ساتھ (مصنف نے اس ناول کا حوالہ بھی ناول کے اندر دیا ہے) چیکوسلواکیہ کے مصنف جیر سلاف ہاسک کے ناول "Good Soldier Schwcik" (مطبوعہ 1923ء) سے بھی موازنے کی دعوت دیتا ہے۔ ٹریور لی گاسک نے بڑی خوبی سے یہ دکھایا ہے کہ ان دونوں کرداروں میں اس لحاظ سے بہت مشابہت ہے کہ دونوں ہی بہت بدنصیب ہیں، دونوں کے یہاں عورتوں سے تعلقات کے معاملہ میں بہت معصومیت پائی جاتی ہے، ایک احمقانہ قسم کی رجائیت پسندی اور سادہ لوحی دونوں میں مشترک ہے۔ ان میں سے کافی سے زیادہ صفات شویک (Schwcik) کے یہاں بھی نظر آئیں گی۔ سعید کی طرح یہ شخص بھی مستقل اس مسئلہ سے دوچار ہے کہ ایک ظالم اور بے رحم دنیا جان کے درپے ہے۔ اس سے کس طور جان بچائی جائے۔ ہر طرف موت منہ پھاڑے کھڑی ہے مگر کسی نہ کسی طرح جان بچانی ہے۔ اس سنگین صورتحال پر دونوں کردار ایک ہی قسم کا رویہ اختیار کرتے ہیں۔ نہ مزاحمت کرتے ہیں، نہ نفرت کا اظہار کرتے ہیں، نہ شکایت نہ احتجاج۔ اس کے بجائے وہ ایک جی حضور قسم کے احمق کا نقاب اوڑھ لیتے ہیں۔ جو لوگ ان کی تقدیروں کے مالک بنے ہوتے ہیں، ان کے آگے ہر حال اور ہر بات پر سر تسلیم خم کر دینا ان کا وطیرہ ہے۔ مثلاً سعید سرکار کے ساتھ ضرورت سے بڑھ کر وفاداری کا مظاہرہ کرتا ہے اور اس مظاہرے میں ایک ایسی معصومیت ہے کہ وہ اپنی وفاداری میں بہت پُرخلوص نظر آتا ہے لیکن وفاداری کے یہ مظاہرے

ایک الٹ مفہوم کی چغلی کھاتے ہیں۔ ان سے یہ اشارہ ملتا ہے کہ جو وفادار نہیں ہیں انہیں سخت سزا ملے گی۔ نہ وہ مشتعل ہوتا ہے نہ کوئی سخت و درشت کلمہ زبان پر لاتا ہے۔ بس معصوم بنا ہوا ہے۔ جیسے اسے مسائل و معاملات کا مطلق علم نہیں۔ ان مسائل و معاملات کا ذکر بھی کرتا ہے تو اس طرح جیسے کوئی بچہ بے سمجھے بوجھے ان کا ذکر کر رہا ہو مگر اس کا یہی طریقہ ان معاملات کی دہشت اور بے معنی کو ہم پر آشکار کرتا ہے۔

کومک ہیرو کا جس قسم کا رول ہوتا ہے اس کی وجہ سے وہ معاشرتی طور طریقوں سے منحرف ہوتا ہے اور معاشرے سے ایک کٹے ہوئے فرد کی زندگی بسر کرتا ہے۔ سعید کی صورت احوال یہی ہے، اسے تھپڑ لگائے جاتے ہیں، اس کی تذلیل اور توہین کی جاتی ہے، اس طور برتاؤ کیا جاتا ہے جیسے وہ کوئی اچھوت ہو لیکن وہ ہر توہین، ہر تذلیل کو صبر سے برداشت کرتا ہے۔ وہ صبر جو ایک دانا بینا احمق کا خاصا ہوتا ہے۔ اس کی یہی دانا حماقت اس کی جان کی حفاظت کے لیے پاسپورٹ کا کام دیتی ہے۔

عربی میں دانا بینا احمق کا کردار کوئی نیا نہیں ہے۔ ایک بہت مقبول و محبوب کردار جُہا کا ہے۔ یوں سمجھیے کہ یہ کردار عربی میں ملا نصیر الدین کا بدل ہے۔ اس چھوٹے سے آدمی نے اپنی جان بچانے کے چکر میں ایک احمق شخص کا نقاب اوڑھ رکھا ہے۔ اس سلسلے میں جُہا اور ابو مسلم خراسانی کا ایک واقعہ قابلِ ذکر ہے۔ ابو مسلم خراسانی وہ زبردست سپہ سالار ہے جس نے وسط آٹھویں صدی عیسوی میں امویوں کو شکست دی تھی۔ ابو مسلم کو جُہا سے ملنے کی خواہش ہوئی۔ یقطنِ ابن موسیٰ کو حکم ہوا کہ اسے حاضر کیا جائے۔ ابو مسلم سخت آدمی کے طور پر مشہور تھا۔ سو جُہا بہت فکرمند ہوا۔ بہرحال یقطن کے ذریعے اس کی ابو مسلم کے حضور پیشی ہوئی جُہا نے بڑی معصومیت سے پوچھا کہ اے یقطن، تم دونوں میں سے ابو مسلم کون ہے۔ ابو مسلم بے ساختہ مسکرایا اور ابو مسلم مسکرائے، یہ تو انہونی سی بات تھی۔

سعید بھی ایک دانا قسم کا احمق ہے۔ سو وہ کرتا یہ ہے کہ اہلِ اقتدار کا حامی بن جاتا ہے۔ اسرائیل سرکار کی مخبری کرنے لگتا ہے اور اس طرح اپنی جان بچاتا ہے۔ جدید عربی ادب میں غدار مخبر کا کردار بار بار نمودار ہوتا ہے۔ پچاس سال سے زیادہ عرصے تک ایک بدخصلت، خودغرض کردار کے طور پر پیش کیا جاتا رہا ہے۔ ایسے کردار کے طور پر جو نفرت کا ہدف بنتا ہے اور اینٹی ہیرو کی حیثیت رکھتا ہے۔ یہ اس کردار کی ضد ہے جو ہیرو کی صفات کا حامل ہوتا ہے۔ خوددار، ایثار و

قربانی کا پتلا، ثابت قدم، دلیر ایسا کہ سر کٹا دے گا جھکے گا نہیں۔ اس کے مقابلہ میں اول الذکر کچھ اس طرح پیش کیا جاتا ہے کہ خود ذلیل و خوار ہوتا ہے اور اپنی قوم کے خلاف کام کرتا ہے۔ اس کی نجات کی کوئی صورت نہیں نکلتی۔ ہیرو صفت کردار اپنا اور اپنی قوم دونوں کے خون کا نذرانہ دے کر قومی نجات کا سامان کرتا ہے اور اس طرح امر ہو جاتا ہے۔ یہ دونوں ایک تہہ والے اور سانچہ میں ڈھلے ڈھلائے کردار ہیں۔ جانے بوجھے ہوتے ہیں اور ان میں ایک تکرار کا پہلو ہوتا ہے۔ اس لیے ان میں کوئی دلکشی باقی نہیں رہتی۔

حبیبی نے کردار نگاری کے اس ضابطہ کو بالائے طاق رکھ دیا ہے۔ اس نے دونوں ہی قسم کے کرداروں کے لیے یہ گنجائش رکھی ہے کہ وہ بدل بھی سکتے ہیں۔ مخبر کے غیر انسانی کردار میں ایک تبدیلی رونما ہوتی ہے۔ اس میں ایک انسانیت کا پہلو نمایاں ہونے لگتا ہے۔ باقی یہ تو صحیح ہے کہ نوجوان سعید کی صورت میں ہیرو کا ڈھلا ڈھلایا کردار ہمارے سامنے آتا ہے جس کے بارے میں قنوط رجائی سعید کا رویہ احترام کا ہے۔ وہ اسے "بادشاہ" کہتا ہے لیکن دوسرے ہیرو صفت کردار والعہ کا معاملہ مختلف ہے۔ یہ قنوط رجائی سعید کا اپنا بیٹا ہے اور ایک شہید کی موت مرتا ہے لیکن ایسے کرب کے عالم میں دکھایا گیا ہے جہاں وہ دشمن اور اپنے والدین دونوں کے خلاف سرکشی پر تلا ہے۔ یہ ہر اس کردار کا ایسا دکھ بھرا پہلو ہے جو جدید مغربی ادب کے ہیرو صفت کرداروں میں بالعموم نظر نہیں آئے گا۔ ان کے کردار میں تو دکھ بھرا پہلو ہوتا ہی نہیں، بس سیسہ پلائی ہوئی دیوار بنے کھڑے رہتے ہیں۔

اس ناول میں استہزائی کردار صرف سعید ہی نہیں ہے "بڑے آدمی" کی شخصیت میں بھی استہزائی کردار کی جھلک نظر آتی ہے۔ وہ سرکار کا یعنی طاقت کا نمائندہ ہے۔ اپنے رول کا اسے بہت شدت سے احساس ہے۔ اپنے فرائض کو وہ ضابطہ کے ساتھ ایک میکانکی طریقہ سے انجام دیتا ہے۔ اپنے بڑے پن کے احساس کا اسیر ہے۔ دوسروں کو حقارت سے دیکھتا ہے۔ اپنے ماتحتوں اور عربوں کے لیے اس نے ضابطہ اخلاق طے کر دیا ہے۔ اس میں ذرا سا بھی فرق آ جائے تو آسمان سر پر اٹھا لیتا ہے۔ یہ سب باتیں مل کر اسے ایک مسخرے کا کردار عطا کرتی ہیں اور یہ مسخرا مسخرے سعید سے کتنا مختلف ہے کہ اس کے حق میں کوئی ہمدردی کا جذبہ پیدا نہیں ہوتا۔

حبیبی نے آدمی کو ایسی حالتوں میں دیکھا اور دکھایا ہے جن میں ہیرو والی کوئی صفت نہیں ہے۔ المیہ سے دوچار دنیا کی صورتِ احوال یہ ہے کہ ایک اخلاقی نظام ہے جسے بدی نے

خراب وخستہ کر دیا ہے۔ ادھر اس ناول میں ایک ایسی دنیا کا نقشہ پیش کیا گیا ہے جہاں ایک بدی دوسری بدی سے بغل گیر ہوتی نظر آتی ہے اور جہاں ملاپ سے پیدا ہونے والی تباہی سے ہیروازم نے جنم لیا ہے۔ مصنف کچھ یہ کہتا نظر آتا ہے کہ فلسطین کے سانحہ نے خلا میں جنم نہیں لیا ہے۔ ایسا نہیں ہے کہ ایک ترقی پذیر معاشرتی نظام جنگ اور جارحیت کی زد میں آ گیا، جنگ اور جارحیت اصل میں ایک دوہرے قسم کے اخلاقی دیوالیہ پن کی پیداوار تھے۔ یہ اسرائیلی جارحیت اور رجعت پسند عرب سیاست کا ٹکراؤ تھا۔ رجعت پسند عرب سیاست کے سب سے بڑے نمائندے فلسطین کے عربوں کے بالائی طبقے تھے۔ اصل میں حبیبی نے اشاروں اشاروں میں جو بات کہی ہے وہ ٹریور لی گاسک کے لفظوں میں کچھ اس طرح ہے کہ اسرائیلی کے بننے میں بڑا دخل اس خاموش سازش کا ہے جس کی بنیاد فلسطین کے عرب اور یہودی امیر خاندانوں کے مادی مفادات پر تھی۔ ان امیر خاندانوں پر وہ چلتے چلتے طنز کے تیر ونشتر چلاتا جاتا ہے۔ اس کے مقابلے میں عرب مزدوروں اور کسانوں کی شان میں مدح سرا نظر آتا ہے۔ انہیں اس طور پیش کیا گیا ہے کہ جدید اسرائیل کے شہروں اور سڑکوں کے اصل معمار وہی ہیں۔ اسی کے ساتھ حبیبی کے طنز کے ترکش میں جو سب سے زیادہ تیز تیر ہیں وہ اسرائیل سے باہر کے عرب اہلِ اقتدار پر چلائے گئے ہیں۔ وہ اس نتیجہ پر پہنچا ہے کہ اسرائیل کے اندر جس طرح فلسطینی درد والم کھینچ رہے ہیں اسی طرح اسرائیل سے باہر عرب ملکوں میں کھینچ رہے ہیں۔

لیکن حبیبی کا اصل ہدف اسرائیل کی وہ ظالمانہ پالیسی ہے جو اس نے نوآبادکار مملکت کے طور پر اختیار کی ہے۔ حبیبی نے اس ظلم کو مختلف زاویوں سے دیکھا ہے۔ ہیجان پرستی کو اس نے قریب نہیں پھٹکنے دیا۔ اس نے سیدھے سچے انداز میں جس میں سعید کے واسطے سے استہزائی رنگ بھی جا بجا شامل ہو گیا ہے، کم وبیش تیس سال کے جبر کی داستان بیان کی ہے۔ مزاحیہ اسلوب اس صورتحال کے تضادات کو اجاگر کرتا ہے۔ ظلم کو جب ایک ادارے کی شکل دے دی جاتی ہے تو وہ کتنا بھیانک ہو جاتا ہے اس بارے میں حبیبی ایک گہرے فہم وادراک کا مالک نظر آتا ہے۔ مثلاً وہ مقام دیکھیے جہاں سعید اپنے سرسری سے انداز میں بیان کرتا ہے کہ شطہ جیل میں اس پر کیا گزری۔ اسرائیل پہریداروں کے حلقہ کو جو اس پر ظلم توڑتا ہے، اس طور بیان کیا گیا ہے کہ بہت سنگدل تھے اور ایک جیسے تھے۔ ان کا سارا انداز میکانکی تھا جیسے آدمی نہ ہوں روبوٹ ہوں۔ ''یہ سب لمبے تڑنگے تھے۔ شانے سب کے چوڑے چوڑے تھے سب کی آنکھیں ایسی جیسے نیند سے بھری ہوں،

بانہوں پر آستینیں چڑھی ہوئی، ٹانگیں موٹی موٹی اور مضبوط، منہ پر ایسی مسکراہٹ جو چڑھی تیوری سے بھی زیادہ مکروہ تھی، لگتا تھا سب کے سب ایک ہی سانچے میں ڈھلے ہیں۔"

ناول میں ایک بے کس و مجبور دنیا کا نقشہ ابھرتا ہے۔ ناول کے زیادہ حصہ پر یہی نقشہ چھایا ہوا ہے۔ ایک میکانکی طاقت کہ اندھا دھند ایک پالیسی پر عمل پیرا ہے۔ یہ پالیسی کیا ہے، لوگوں کا بڑے پیمانے پر اخراج، بڑے پیمانے پر گرفتاریاں، جائیدادوں کی ضبطیاں، جسمانی تشدد، سعید کو قدرت نے دانا احمق والی چالاکی اور خود حفاظتی کی حس ودیعت کی ہے سو وہ اپنے دل کی گہرائیوں میں یہ محسوس کر لیتا ہے کہ جب جبر ایک ادارے کی شکل اختیار کر لے تو اس کی زد میں آئے ہوئے لوگ بقول فرانز فینن نرغے میں ہوتے ہیں اور ان گی جانیں مستقل خطرے میں ہوتی ہیں۔

اس ناول میں تین جہتیں تو ہیں ہی استہزائی جہت، ہیروئک جہت، سادیت یا ایذا پسندی کی جہت مگر ایک چوتھی جہت اور بھی ہے، المیہ کی جہت۔ فلسطینی تجربے سے متعلق ادبی نگارشات بالعموم اثباتی لہجہ پر ختم ہوتی ہے لیکن بہرحال ناانصافی کا ایک ایسا احساس جس میں المیہ رنگ ہوتا ہے، ان میں کسی نہ کسی صورت در آتا ہے۔ حبیبی بھی اس سے مستثنیٰ نہیں ہے۔ اس کا کردار سعید یوں ایک استہزائی کردار ہے مگر اس میں المیہ کی بھی جھلک موجود ہے۔ وہ ہلکے پھلکے طنزیہ لہجہ میں بات کرتا ہے۔ وقتاً فوقتاً اس کے لہجہ میں ایک استہزا آمیز کلبیت کا رنگ پیدا ہو جاتا ہے لیکن اس سارے اندازِ گفتگو میں ایسے بہت سے حوالے آتے ہیں جو اس کی قوم پر بیتنے والے المیہ کی طرف اشارہ کرتے دکھائی دیتے ہیں۔ یہ ناول جس موضوع کے گرد گھومتا ہے وہ المیہ سے بہت مناسبت رکھتا ہے۔ خون ریزی، آتش زدگیاں، جنگیں، بغاوتیں اور ہر وہ افراتفری جو تاریخ کی اس رنگ کی رستاخیز کے جلو میں آیا کرتی ہے، یہ سب مل کر المیہ کا موضوع بنتا ہے اور جدید ادب کی تہہ میں تو یہی تجربے کارفرما ہیں مگر جدید ادب میں المیہ اور طربیہ یا استہزایہ ایک دوسرے کی ضد نہیں گردانے جاتے۔ ڈرامے کے کلاسیکی نظریئے میں یہ دو ایسی اصناف مانی گئی تھیں جو ایک دوسرے کی ضد ہیں۔ مثلاً اسرو کا یہ بیان دیکھیے "ٹریجڈی میں اگر کومیڈی کا کوئی رنگ آ جائے تو یہ اس کا عیب سمجھا جائے گا اور اگر کومیڈی میں ٹریجڈی کی رمق بھی آ جائے تو اس کی شکل بگڑ جائے گی۔" ٹامس مان جیسے نامی گرامی مصنف نے ٹریجڈی اور کامیڈی کی اس خانہ بندی کو یکسر رد کر دیا ہے اور آرٹ کے اس جدید نقطۂ نظر کو اپنایا ہے کہ زندگی ٹریجڈی اور کومیڈی کا ایک مرکب ہے۔

اینسکو نے یہ کہا کہ ٹریجڈی اور کومیڈی کی تقسیم میری سمجھ میں کبھی نہ آئی۔

کہنے کا مطلب یہ نہیں ہے کہ ٹریجی کومیڈی (Tragi Comedy) کی اصطلاح کا جو مفہوم ہے، یہ ناول اس کے عین مطابق ہے۔ یہ تو اصل میں ایک سیاسی طنز ہے جس کی بنیاد انسانی صورتِ حال کے استہزائی ادراک پر ہے۔ پھر اس میں ٹریجک اور ہیروئک کے رنگ بھی سموئے ہوئے ہیں اور کچھ رنگ فینٹیسی (Fantasy) کا بھی شامل ہے۔ مثلاً عالمِ بالا سے ایک مخلوق کا وارد ہونا۔ اگرچہ ہمارے قنوط رجائی سعید کے لیے ہمدردی کے جذبات پیدا ہوتے ہیں لیکن وہ کوئی Tragi Comic کردار نہیں ہے، اس میں وہ رفعت پیدا نہیں ہوتی کہ اس قسم کے کردار کا مقام حاصل کر سکے۔ اسی کے ساتھ یہ بات بھی ہے کہ ایسی صورتِ حال میں جہاں موت کا راستہ ایک باغیانہ جذبے کے تحت جان کر اختیار کیا جاتا ہے، دلاورانہ پہلو (Heroic) پر زور دینے سے اس کا المیہ پہلو دب جاتا ہے کیونکہ اس صورت میں موت کسی ناگزیز المیہ انجام کی نشاندہی نہیں کرتی۔

لیکن اس ناول میں اور ایسے پہلو ہیں جو المیہ سے مشابہت رکھتے ہیں۔ یہ ناول اس بات کو ثابت کرتا ہے کہ کومیڈی میں بھی جذبات کی نکاسی کی صورت ہوتی ہے۔ یہ ناول ایک اعلیٰ درجہ کے نسخۂ شفا کی حیثیت رکھتا ہے اور ظلم ناانصافی کے احساس سے جو دل و دماغ میں ایک تناؤ ایک غبار پیدا ہوتا ہے وہ مضحک کرداروں کے واسطے سے نکل جاتا ہے اور جی ہلکا ہو جاتا ہے۔ مزید یہ کہ مضحک ہیرو المیہ ہیرو کے دکھ درد میں حصہ بٹا سکتا ہے۔ وہ دریافت کی ایک ساعت ہوتی ہے۔ جب چیزیں صاف شکل میں نظر آتی ہیں۔ یہ وہ صورت ہوتی ہے جسے یونانی میں Anagnorisis کہتے ہیں یعنی شناخت۔ وائلی سائفر کے لفظوں میں (کومیڈی، کا ضمیمہ) یوں سمجھیے ''کومیڈی میں بھی شناخت کا عمل (Anagnorisis) واقع ہو سکتا ہے۔ اس رنگ سے کہ سادہ لوح کو اپنی سادہ لوحی کا احساس ہوتا ہے۔'' حقیقت میں سعید کے یہاں بھی اس قسم کا لمحہ آتا ہے جب اس کے یہاں اپنی حماقت کا احساس جاگتا ہے اور اس کے بعد اس کی کایا پلٹ ہو جاتی ہے۔ یہ بھی المیہ ردعمل سے ملتی جلتی صورتحال ہے۔ جیبی نے سعید کی یہاں اس احساس کے جاگنے کا لمحہ کس وقت دکھایا ہے۔ اس وقت نہیں جب سعید کا بیٹا اور بیوی اپنی شناخت (Anagnorisis) کے لیے جانیں قربان کرتے ہیں۔ جو سدا کا احمق ہو اس کے لیے یہ ممکن نہیں ہے کہ اچانک اپنی حماقت کی موٹی کھال سے نکل آئے۔ برگساں کی دانست میں اس کا یہی کٹھور پن، کومک (Comic) کی بنیاد ہوتا ہے اور اپنے کٹھور پن ہی کی وجہ سے احمق آدمی ایک

ڈھرے پہ چلتا رہتا ہے۔ اِدھر اُدھر دیکھتا ہی نہیں، بس ناک کی سیدھ میں چلتا ہے، اس کے کانوں میں تو روئی ٹھنسی ہوتی ہے، کسی کی سنتا ہی نہیں۔

سعید کے خاندان کے ساتھ جو سانحہ گزرا ہے اس سے اس کی افسردگی میں ضرور اضافہ ہوا ہے لیکن اس کی روش میں کوئی تبدیلی نہیں آتی وہ اب بھی وہی خوفزدہ آدمی ہے جو اپنے حاکموں کی خوشنودی کے لیے ہر کام کرنے کو تیار ہے۔ اس کا شعور پوری طرح بیدار اس وقت ہوتا ہے جب اسرائیلی جیل کے پہریدار اس کی مرمت کرتے ہیں۔ جب وہ جیل میں پٹ پٹا کر کراہ رہا ہے اور اس کے قریب لیٹا ہوا بہادر سعید اُسے برابری کا درجہ دے کر خطاب کرتا ہے۔ اس عزت کا وہ مستحق تو نہیں ہے اور وہ اپنے دل میں یہ خوب جانتا بھی ہے لیکن اس سے اس کے یہاں غیرت نام کا ایک نیا احساس جاگتا ہے اور جو عزتِ نفس وہ زمانہ ہوا کھو بیٹھا تھا، بحال ہو جاتی ہے۔ یہ نئی کیفیت اس کی سابقہ ذلت و خواری سے لگا نہیں کھاتی بالخصوص اس ذلت سے جو اسے اپنے بیٹے کے ہاتھوں اس کی موت سے پہلے اٹھانی پڑی تھی، جیسی اسے شرمندگی ہوتی ہے اس حساب سے اس کے یہاں انسانیت کا ایک نیا احساس جاگتا ہے اور اسی شدت سے ایک اچانک جذبہ اس باوقار اور ذی شان شخص کے لیے پیدا ہوتا ہے جو اسی کی طرح زخموں سے چُور اور خون میں لت پت ہوتا ہے لیکن ایک استقامت کے ساتھ اس اذیت کو برداشت کر رہا ہے۔ ویسی ہی استقامت اور ہمت جو اس نے کسی بھلی ساعت میں یعاد کے یہاں دیکھی تھی۔

لیکن اگر اس شخص کے لیے ہمدردی کا جذبہ ہمارے یہاں پیدا ہوتا ہے جیسا کہ ٹریورلی گاسک نے کہا ہے تو اس کی وجہ یہ نہیں کہ اب اس کی کایا کلپ ہوگئی ہے، اس کایا کلپ سے پہلے بھی تو ہم نے اس کے المناک حالات دیکھتے ہوئے اس سے ہمدردی محسوس کی تھی اور یہ دیکھ کر اس پر ترس آیا تھا کہ جس سرکار کا وہ غلام بنا ہوا تھا، اس کے اہلکار اس کے ساتھ کیا سلوک کر رہے ہیں۔ استاندل نے کہا ہے کہ مضحک کردار کے مصائب و آلام سے ہمارے یہاں ہمدردی کا کوئی جذبہ پیدا نہیں ہوتا۔ جُہا اور مالولیو کے بارے میں ہمارے ردِعمل سے اس کی توثیق ہوتی ہے۔ جُہا کو جس طرح ٹھگا جاتا ہے، جس طرح اسے ڈرایا دھمکایا جاتا ہے، اسے مارا پیٹا جاتا ہے۔ اس سارے احوال کا بلکہ اس کی موت کا احوال پڑھتے ہوئے بھی ہم ہنستے مسکراتے جاتے ہیں، ہم اسے ایسے شخص کے طور پر قبول ہی نہیں کرتے جس کی زندگی میں درد و الم بھی ہے، ایسا درد و الم جو ہمارے یہاں اس کے لیے ہمدردی کے جذبات پیدا کرے۔ اگر سعید سے ہمیں ایک جذباتی لگاؤ ہو جاتا

ہے تو اس کے اسباب کیا ہیں۔ ایک تو یہی کہ ہمارے اور اس کے درمیان اتنی دوری نہیں ہے کہ اس کی دنیا میں جو کچھ ہو رہا ہے، اس سے ہم بے تعلق رہ سکیں مگر صرف اتنی بات نہیں ہے۔ ایک بات یہ ہے کہ ہمیں خوب معلوم ہے کہ ان ساری حماقتوں کے پیچھے ایک حساس روح ہے۔ ایک ایسا شخص جو ایسے سیاسی نظام کے خوف سے پریشان ہے جس کی بے رحمی عالم آشکارا ہے۔ پھر جس سادہ لوحی سے وہ اپنی کوتاہیوں کا اپنے اندیشوں اور وسوسوں کا اعتراف کرتا ہے اوپر سے اس کی شرافت اور دوسروں کو گزند پہنچانے کے معاملے میں اس کی پے در پے ناکامی، یہ سب باتیں مل کر ہمارے یہاں اس کے لیے ہمدردی کے جذبات پیدا کرتی ہیں اور یہ ہمدردی کے جذبات اس کے اصلاح پذیر ہونے سے پہلے ہی پیدا ہو جاتے ہیں۔

تاہم سعید کے یہاں تبدیلی بس اسی حد تک آتی ہے کہ اس نے جو احمق نقاب اوڑھ رکھا ہے اسے اتار پھینکتا ہے اور سرکار کی خدمات انجام دینے سے انکار کر دیتا ہے۔ اس کے ساتھ ہی ہمارے رویئے میں بھی تبدیلی آ جاتی ہے۔ آگے تو یہ تھا کہ اس سے محظوظ ہونے کے ساتھ ساتھ ہمیں تھوڑی پریشانی بھی ہوتی تھی۔ کبھی کبھی اس پر ترس بھی آتا تھا لیکن اب صورت یہ پیدا ہوتی ہے کہ بڑا آدمی جب اسے راہِ راست پر لانے کی کوشش کرتا ہے اور اسے بار بار اپنی ہٹ دھرمی کی سزا ملتی ہے تو ہمیں اس کے بارے میں تشویش ہونے لگتی ہے اور دردمندی کا جذبہ بیدار ہوتا ہے۔ اس مقام پر آ کر سعید ایک مضحک کردار نہیں رہتا۔ دوسرے موقعوں پر وہ بے شک اپنی مضحک سادہ لوحی کو برقرار رکھتا ہے۔ مثلاً سالاخ کے قریے میں اس سے جو حماقتیں سرزد ہوتی ہیں، انہیں دھیان میں لائیے۔ جیسا کہ استہزا پر لکھنے والوں نے کہا ہے، ہنسی جذبات کی نفی ہے۔ اس اعتبار سے دیکھا جائے تو سعید کی کایا کلپ سے اور اس کے نتیجے میں اس کے مصائب کے اثر سے ناول کا رنگ کسی حد تک بدل گیا ہے۔

سعید کی کایا کلپ اس کی مصیبت کا کوئی حل پیش نہیں کرتی، کر بھی نہیں سکتی۔ اس کے برعکس وہ اسے ایک مشکل صورتِ حال سے دوچار کر دیتی ہے۔ اب تک اس کی صورت یہ تھی کہ اپنی مشکل سے الگ تھلگ وہ ایک محفوظ پوزیشن میں تھا۔ اس کی حیثیت ایک تماشائی کی تھی۔ اس معاشرے کے مصائب و آلام سے وہ بے تعلق تھا۔ اسے تو بس اپنی جان کی فکر دامن گیر رہتی تھی لیکن اب اس کے اندر ایک خواہش منمناتی ہے کہ اس نصب العین سے رشتہ جوڑا جائے جس کے لیے وہ نوجوان جدوجہد کر رہا ہے اور جس کے لیے خود اس کے بیٹے نے جان دے دی اور اس

مقام پر آ کر اس کے یہاں یہ آرزو پیدا ہوتی ہے کہ وہ عربوں کی زندگی کی تحریک کا حصہ بن جائے۔ اس کا اس سے علاقہ پیدا ہو جائے اور کیا قیامت ہے کہ اس آرزو کے ساتھ ہی اس کی سلامتی خطرے میں پڑ جاتی ہے، اب وہ خطرے میں ہے۔

مگر سعید تو سدا کا بزدل ہے، جدوجہد میں شامل ہونے کی اس میں سکت نہیں ہے۔ اب اسے اپنی نئی صورتحال کے تضادات سے دوچار ہونا پڑتا ہے۔ اپنے پچھلے مکروہ کاروبار سے تو تائب ہو چکا ہے، اب وہ ایک ایسی صورتحال میں ہے جسے علامتی رنگ میں یوں پیش کیا گیا ہے کہ ایک بلی پر ٹنگا ہوا ہے۔ گویا اپنی بزدلی کا شکار ہے، اب کوئی معجزہ ہی اسے بچائے تو بچائے۔

یہ معجزہ اس رنگ سے ہوتا ہے کہ عالمِ بالا سے ایک شخص اس کی مدد کے لیے آتا ہے۔ یہ گویا رومانی طاقت کی ایک علامت ہے۔ وہ ایک اونچی بلی پر ٹکا بیٹھا ہے۔ نیچے سے اس کا بیٹا، اس کی بیوی، دونوں یعادیں، بہادر سعید، جیکب، بڑا آدمی سب اسے پکار رہے ہیں اور اپنی اپنی طرف بلا رہے ہیں مگر وہ ان میں سے کسی کی طرف بھی جانے کی تاب نہیں رکھتا۔ اب تو اس کے لیے ایک ہی راستہ رہ جاتا ہے کہ اڑ کر آسمان پر چلا جائے جہاں کوئی انسانی مسئلہ اسے پریشان نہیں کرے گا۔ وائلی سائفر کے بقول کومیڈی معجزوں کی متحمل نہیں ہو سکتی ہے۔ ٹریجڈی میں کسی ایسے حل کی گنجائش نہیں ہے جس کی بنیاد ماورائی اقدار پر ہو۔ اس لیے کہ ٹریجڈی تو خالص انسانی مال ہے۔ اس کی حدیں بہت ترشی ترشائی ہوتی ہیں۔ وہ ایک قطعی اور ناگزیر انجام پر جا کر ختم ہوتی ہے لیکن مضحک ہیرو کو تو بہرحال بچنا ہوتا ہے۔ جب بچنے کی کوئی عام انسانی صورت نہیں نکلتی، کوئی نجات کا منطقی راستہ پیدا نہیں ہوتا تو پھر پردۂ غیب سے کوئی طاقت نمودار ہو سکتی ہے۔ ایرک ریبلکن کہتا ہے کہ ''یوں سوچنا کہ ہم اپنے سارے اندیشوں کو رام کر سکتے ہیں، بڑا مضحکہ خیز نظر آتا ہے۔'' یا یوں سوچنا کہ مشکل گھڑی میں جب نجات کے سارے راستے بند ہو چکے ہوں تو کوئی غیبی طاقت آ کر ہمیں بچائے گی۔

اچھا عصری فلسطینی ادب آدمی کو پریشان کرتا ہے۔ اس میں ایسے سوالات اٹھائے جاتے ہیں جو ہمیں ہلا کر رکھ دیتے ہیں۔ اس لیے کہ یہ سوالات صرف ایک وقت اور ایک تاریخی واقعہ سے پیوست نہیں ہیں۔ وہ ان حدود کو پھلانگ جاتے ہیں اور ناانصافی، جارحیت اور جبر کے مسائل سے دوچار ہوتے ہیں۔ اس رنگ کو ملحوظ رکھتے ہوئے جس رنگ میں یہ مسائل عصری انسانی شعور پر جوان کے مضمرات سے پوری طرح آگاہ ہے، مسلط ہوئے ہیں۔ ہمارا زمانہ سب زمانوں

سے نرالا ہے۔ ان معنوں میں کہ عالمی سطح پر آزادی اور انسانی وقار کی بحالی کے امکان کو تسلیم کیا گیا ہے اور جارحیت کا ہر صورت، ہر رنگ میں مقابلہ کرنے کی ٹھان لی گئی ہے۔ اس کا مطلب یہ ہے کہ جارحیت اسی صورت میں جاری رہ سکتی ہے کہ جبر کے جو ذرائع آزادی کی تحریکوں کو دبانے کے لیے استعمال ہوتے ہیں، وہ زیادہ سے زیادہ ظالمانہ اور سفاکانہ رنگ اختیار کرتے چلے جائیں۔ اس ناول میں جو ایک مخصوص المناک صورتحال کے مختلف پہلو پیش کیے گئے ہیں وہ یہ دکھانے میں شاید مددگار ہوں کہ جارحیت کی جدید صورتیں کتنی بے معنی ہیں۔ ان معنوں میں یہ ناول ایک آفاق گیر پیغام کا حامل ہے۔

سلمیٰ خضریٰ جیوسی

پہلا حصہ

بد قسمت قنوطی سعید

پس اے مردو اے عورتو
اور اے شیخو اے ربیو اور اے پادریو
اور اے نرسو اور کارخانوں میں محنت کرنے والی لڑکیو
کب تک انتظار کرو گی
اس ڈاکیے کا جو تمہارے لیے
تمہارے متوقع خطوط لے کر آئے
مردہ اور بے جان حد بندیوں سے پرے
تم اے مردو اور تم اے عورتو
اب انتظار کرنا چھوڑ دو
اپنا شب خوابی کا لباس اتار کر
اور خود ہی تحریر کرو اپنے نام
اپنے متوقع خطوط

سمیع القاسم

●♦●♦●

(1)

سعید کا دعویٰ ہے کہ وہ عالمِ بالا کی مخلوقات سے مل چکا ہے

بدقسمت قنوط رجائی سعید نے خط میں مجھے لکھا "براہِ کرم میری یہ داستان دنیا کو سنا دیں۔ دنیا نے عصائے موسیٰ کی حیرت ناک داستان سنی ہے اور عیسیٰ مسیح کے جی اٹھنے کی ایک اور تیتری جیسی خاتون کے شوہر کے صدر امریکہ بننے کی مگر یہ داستان بھی ان داستانوں سے کم حیرت ناک نہیں ہے۔

واقعہ یہ ہے کہ میں غائب ہو گیا ہوں، مرا نہیں ہوں۔ بعض لوگ یہ سمجھ بیٹھے ہیں کہ میں سرحد پر مارا گیا ہوں مگر ایسی بات نہیں ہے۔ جو لوگ میرے گُنوں کو جانتے ہیں انہیں یہ اندیشہ ہوا کہ میں چھاپہ مار تحریک میں شامل ہو گیا ہوں۔ یہ بات بھی نہیں ہے۔ تمہارے یار احباب نے فرض کر رکھا ہے کہ میں کسی جیل خانے میں پڑا سڑ رہا ہوں۔ یہ بھی غلط ہے۔

اب ذرا تحمل سے میری بات سنو۔ ہاں یہ مت پوچھو کہ یہ سعید ہے کون شخص۔ نہ یہ کہنا کہ جب یہ شخص زندگی بھر لوگوں کو اپنی طرف متوجہ نہیں کر سکا تو اب ہم اس پر توجہ کیوں دیں۔

بالکل درست۔ میں اپنی اوقات جانتا ہوں۔ میں تمہارے نام نہاد لیڈروں میں سے نہیں ہوں۔ کوئی ایسی چنیدہ شخصیت بھی نہیں ہوں کہ اسے توجہ کا مستحق سمجھا جائے۔ میں کون ہوں، جناب والا میں دفتر میں چپڑاسی گیری کرنے والا ایک چھوکرا ہوں۔

تم نے یہ اسرائیلی لطیفہ تو سنا ہو گا کہ ہستنادیعنی لیبر یونین فیڈریشن کی مجلس عاملہ کے دفتر میں ایک شیر چپکے سے گھس گیا۔ پہلے ہی دن وہ یونین کے صدر کو ہڑپ کر گیا مگر رفیقوں میں کسی کو کانوں کان خبر نہیں ہوئی۔ دوسرے دن اس نے عرب امور کے ڈائریکٹر کو پھاڑ کھایا مگر کسی کو یہ دھیان ہی نہیں آیا کہ ڈائریکٹر صاحب کہاں۔ بس اسی طور شیر روز کسی ایک کو دبوچ لیتا اور اسے مزے سے چٹ کر جاتا۔ آخر میں اس نے دفتر کے چھوکرے کو دبوچا۔

تو اے یار گرامی میں وہی دفتری چھوکرا ہوں۔ آخر تمہیں یہ خیال کیوں نہیں آیا کہ دفتر

کا چھوکرا کہاں چھو ہو گیا۔ خیر کوئی بات نہیں۔ بات تو اصلی یہ ہے کہ میرا غائب ہونا ہے تو بہت پراسرار واقعہ لیکن یہ ایسا واقعہ ہے کہ عمر بھر اس کی آس لگائے رہا ہوں۔ خیر یہ ہوش ربا واردات گزر کر رہی۔ چلو اچھا ہوا عالمِ بالا کی مخلوقات سے میری مڈھ بھیڑ ہو گئی۔ اس وقت بھی انہیں کے ساتھ ہوں۔ اس گھڑی جب میں اپنی یہ ہوش ربا داستان تمہیں لکھ رہا ہوں تو میں ان کی سنگت میں تم سے بہت اوپر بلندیوں میں پرواز کر رہا ہوں۔

شکی مت بنو۔ مت کہو کہ معجزوں کا زمانہ گزر گیا، آخر تم لوگ نیچے کو اوپر اور اوپر کو نیچے کیوں کر دیتے ہو۔ جن آسمانی میزبانوں کے ساتھ میرا قیام ہے ان کی قسم کھا کر کہتا ہوں کہ وہ جو ہمارے گمراہ اجداد تھے یعنی قوم عاد اور قوم ثمود [1] ان کی بربادی کے بعد سے لے کر اب تک سب سے زیادہ ہوش ربا زمانہ یہ ہمارا زمانہ ہے۔ ذرا سوچیں کہ اگر کہیں ہمارے بزرگ جی اٹھیں اور ریڈیو سنیں، ٹیلی ویژن دیکھیں، جمبو جٹ کو کسی ہوائی اڈے پر اترتے اور کالی اندھیری رات میں گڑگڑاہٹ کے ساتھ اڑتے دیکھ لیں تو وہ کیا سمجھیں گے، یہی کہ ہم مشرک ہو گئے ہیں۔

مگر ہم تو ان عجائبات کے عادی ہو گئے ہیں۔ بادشاہوں کا تختہ الٹے یا وہ تخت پہ جمے بیٹھے رہیں۔ ہم بہر حال چوں تک نہیں کرتے۔ بروٹس کو اب کون پوچھتا ہے اور کون اس کے بارے میں لکھتا ہے ''بروٹس تو بھی'' واقعی۔ عرب تو واقعی یہ نہیں کہتے کہ ''اے تو بھی'' [2] سلطان قطوز نے بھی جسے اس ہیرو نے قتل کیا تھا، یہ نہیں کہا تھا بس ترکی زبان میں کچھ بڑبڑا کر رہ گیا۔ اب تو صورت یہ ہے کہ ہمارا اعظیم ہیرو [3] ابوزید الہلالی شاہوں کے دستِ مبارک کو جھک کر بوسہ دیتا ہے لیکن سلاطین کو کسی قسم کی تشویش نہیں ہوتی۔ وہ کہتے ہیں کہ مابدولت قطوز نہیں ہیں اور ان کے غلام کہتے ہیں کہ یہ [4] بے بس کا زمانہ نہیں ہے۔

اب تو یہ حالت ہے کہ چھوڑی ہوئی بستی میں جو انجیر کے درخت تھے، وہ ہم سے دور ہیں اور چاند قریب ہے۔ آپ لوگوں نے ان عجائبات کو قبول کر رکھا ہے۔ پھر میرے فسانۂ عجائب کو قبول کرنے میں آپ کو کیوں تامل ہے۔

بے تاب مت ہو۔ تھوڑا صبر کرو۔ ابھی مزید تفصیلات کا تقاضا نہ کرنا۔ ہر بات اپنے موقع پر آئے گی۔ دیکھو میرے ساتھیوں کے بارے میں سوالات کر کے مجھے مت ستاؤ۔ کیسے نظر آتے ہیں، کیا پہنتے اوڑھتے ہیں، کیا ان کا قرینہ ہے، کیا ان کے خیالات ہیں۔ یہ بات مت پوچھو۔ ویسے تمہارے ایسے سوالات سے مجھے اپنی برتری کا احساس ہو رہا ہے۔ اب میں وہ کچھ

جانتا ہوں جو تم نہیں جانتے تو پھر میں کیوں نہ اِتراؤں۔

اب جہاں تک اس بات کا تعلق ہے کہ انہوں نے اللہ کی ساری مخلوق میں سے مجھے کیوں نوازا تو میں یقین سے تو یہ نہیں کہہ سکتا کہ اب تک اکیلے مجھے ہی ان سے ملاقات کا شرف حاصل ہوا ہے۔ میں نے جب ان سے تم لوگوں کے متعلق پوچھا کہ جو مجھ پہ بیتی ہے، وہ انہیں بتا دوں تا کہ دنیا کو اس کا پتا چل جائے تو وہ مسکرا دیئے اور بولے ''ہمیں تو کوئی اعتراض نہیں مگر دنیا والے ہمیں کھوج نہیں پائیں گے اور تمہارے یار دوست تمہاری باتوں پر اعتبار نہیں کریں گے اور دیکھیں یہ کوئی لازم نہیں ہے کہ ہر وہ چیز جو اوپر سے اترتی ہے، وہ آسمانی فیض کی بھی ضرور حامل ہو۔ یہ بات بھی اپنی جگہ تمہارے معجزوں ہی میں سے ایک معجزہ ہے۔''

سو شاید اکیلا میں ہی نہیں نوازا گیا ہوں۔ بہر حال اتنا طے ہے کہ ان کی نظر انتخاب مجھ پر پڑی ہے اور میرے دوست نظرِ انتخاب تم پر بھی تو پڑ سکتی ہے۔ تمہیں انتخاب میں نے کیا ہے، اس غرض سے کہ تمہیں اپنا فسانہ ہوش ربا سنایا جائے، سو دوست اب تم پھول کے کُپا ہو جاؤ۔

انہوں نے مجھے کیوں منتخب کیا؟ اس لیے کہ میں نے انہیں منتخب کر رکھا تھا۔ میں نے ان کی پناہ پر بھروسہ کیا۔ ان کی تلاش میں، ان کے انتظار میں عمر گنوا دی۔ سو ان سے ملاقات ناگزیر ہو گئی تھی۔

تمہیں یہ بات عجب نظر آتی ہے کہ اسلام سے پہلے جو نام نہاد عہدِ جاہلیت گزرا ہے، اس میں ہمارے اجداد کا طور یہ تھا کہ کھجوروں کو گوندھ کر اپنے دیوتا تیار کرتے تھے اور جب بھوک ستاتی تھی تو انہیں ہڑپ کر جاتے تھے۔ تو جانِ من زیادہ جاہل کون ہے، میں یا وہ لوگ جو اپنے دیوتاؤں کو کھا پی جاتے تھے۔

تم کہہ سکتے ہو کہ ''بجائے اس کے کہ دیوتا لوگوں کھائیں، بہتر یہ ہے کہ لوگ انہیں کھا جائیں۔''

میرا جواب یہ ہوگا۔ ''بجا کہا لیکن ان کے دیوتا بھی تو کھجوروں کے بنے ہوئے ہوتے تھے۔''

(2)

سعید بتاتا ہے کہ اسرائیل میں اس کی زندگی ایک گدھے کی مرہونِ منت تھی

شروع سے چلتے ہیں۔ میری ساری زندگی عجب رہی ہے اور جو زندگی عجب ہو اس کا انجام بھی عجب ہوگا۔ میں نے اپنے آسمانی دوست سے پوچھا کہ "آخر تم نے مجھے کیوں اُچک لیا؟" اس نے بس اتنا جواب دیا "تمہارے سامنے اور کوئی صورت تھی؟"

تو یہ سارا قصہ شروع کب ہوا؟

جب میں نے ایک گدھے کی عنایت سے دوسرا جنم لیا۔ 1948ء کی لڑائی میں جب انہوں نے ہمیں راہ میں آلیا اور ہم پر گولیاں برسانی شروع کر دیں۔ میرے باپ کو خدا غریق رحمت کرے، وہ گولی کا نشانہ بن گیا۔ میں بچ گیا اس طور کہ ایک گدھا کہیں سے بھٹک کر گولیوں کی زد میں آ گیا۔ انہوں نے اسے گولی مار دی تو میرے بجائے وہ مارا گیا۔ گویا کہ اس کے بعد جو میری زندگی اسرائیل میں بسر ہوئی، وہ مجھے اس بدقسمت حیوان کی عطا تھی۔ سو حضرت اپنی اس زندگی کی قیمت ہی کیا ہے۔

ویسے میں اپنے آپ کو ایک غیر معمولی آدمی جانتا ہوں۔ تم نے ایسے کتوں کا ذکر تو ضرور سنا ہوگا جنہوں نے زہر ملا پانی پی کر جان دے دی۔ اس خاطر کہ ان کے مالک خبردار ہو جائیں اور ان کی جان بچ جائے اور ایسے گھوڑوں کا بھی ذکر سنا ہوگا جو اپنے زخمی سواروں کے ساتھ ہوا سے شرط بد کر دوڑے اور جب انہیں محفوظ مقام پر پہنچا دیا تو تھک کر دنیا سے گزر گئے۔ جہاں تک میری معلومات ہے، میں پہلا آدمی ہوں جس کی جان ایک اڑیل گدھے نے بچائی۔ یہ جانور نہ صبا رفتار ہے نہ بھونکنے کی اہلیت رکھتا ہے، بس اپنے اڑیل پن سے اس نے میری جان بچائی۔ میں واقعی غیر معمولی آدمی ہوں۔ جب ہی تو عالمِ بالا والوں کی نظرِ انتخاب مجھ پر پڑی۔ مجھے بتاؤ تو

سہی کہ وہ کیا چیز ہے جو آدمی کو غیر معمولی کا رتبہ عطا کرتی ہے۔ اسے دوسرے لوگوں سے مختلف ہونا چاہیے یا اسے انتہائی حد تک ان جیسا ہونا چاہیے۔

تم کہتے ہو کہ تم نے پہلے کبھی میری طرف دھیان ہی نہیں دیا تھا۔ میرے دوست اس کی وجہ یہ ہے کہ تم بے حس آدمی ہو۔ کتنی مرتبہ تم نے میرا نام مشہور اخباروں میں دیکھا ہے۔ کیا تم نے ان سیکڑوں لوگوں کی خبر نہیں پڑھی تھی جنہیں حیفہ کی پولیس نے حنطیر اسکوائر حال پیرس اسکوائر میں بم پھٹنے کے موقع پر گرفتار کیا تھا۔ اس واقعہ کے بعد یہ ہوا کہ انہیں لوئر حیفہ میں جو عرب بھی نظر آیا سوار یا پیدل اسے پکڑ کر جیل میں ڈال دیا۔ گرفتار شدگان میں جو مشہور و معروف لوگ تھے، ان کے تو اخباروں میں با قاعدہ نام شائع ہوئے۔ باقی لوگوں کا عمومی ذکر کیا گیا۔

باقی لوگ، جی ہاں باقی لوگ یعنی میں۔ اخباروں نے مجھے نظر انداز نہیں کیا۔ تم کیسے کہہ سکتے ہو کہ تم نے میرا نام نہیں سنا تھا۔ میں واقعی غیر معمولی آدمی ہوں۔ اس لیے کہ کوئی کثیر الاشاعت، کثیر الاشتہار کثیر الذرائع اخبار جو شہرت کا مالک ہو اور نامور لکھنے والے اس کے قلمی معاون ہوں مجھے نظر انداز نہیں کر سکتا۔ میرے جیسے لوگ ہر جگہ ہیں شہروں میں، گاؤں میں، شراب خانوں میں، ہر جگہ ہر مقام پر۔ میں ہوں باقی لوگ، بے شک میں غیر معمولی آدمی ہوں۔

●◆●◆●

(3)

سعید اپنا حسبِ نسب بتاتا ہے

بدنصیب قنوط رجائی سعید، یہ میرا نام مجھ پر خوب سجتا ہے۔ قنوط رجائی گھرانہ صحیح معنوں میں ایک شریف گھرانہ ہے اور ہمارے دیس میں ایک زمانے سے رچا بسا چلا آ رہا ہے۔ اصل میں الھو کی ایک قبرصی لڑکی نے اس گھرانے کو جنم دیا۔[5] تیمور لنگ نے کھوپڑیوں کا جو ایک مینار تعمیر کیا تھا اور کہتے ہیں کہ بیس ہزار ہاتھ اونچا تھا، اس میں اس لڑکی کی کھوپڑی کے لیے گنجائش نہیں نکل سکی۔ سو تیمور نے اسے اپنے ایک سپاہی کے ہمراہ بغداد روانہ کردیا۔ بغداد میں پروگرام یہ ٹھہرا کہ وہ نہا دھولے، پھر سپاہی آ جائے گا۔ وہ اس کا انتظار کرے لیکن لڑکی نے سپاہی کو حکم دیا۔ کہتے ہیں کہ اور یہ خاندانی راز ہے کہ رسوائے زمانہ قتلِ عام کی اصل وجہ یہ تھی۔ بہرحال وہ توائی مت قبیلہ کے ابجار نامی ایک بدو کے ساتھ بھاگ گئی جس کے متعلق شاعر نے یوں کہا ہے:

ابجار، ابجار کا بیٹا ابجار
جب اپنی بیوی کو کھلا پلا نہیں سکا تو طلاق دے دی

اسے جب یہ پتہ چلا کہ روٹی کی خاطر اس نے اس سے بے وفائی کی ہے اور جفتلک کے نشیبی علاقہ میں رہنے والے ایک شخص کے چکر میں آ گئی ہے تو اس نے اسے طلاق دے دی مگر پھر اس شخص نے بھی بیر شیبا میں جا کر اسے طلاق دے دی۔ بس پھر ہمارے دادا، پردادا ہماری دادیوں، پردادیوں کو طلاق دیتے ہی چلے گئے۔ ہوتے ہوتے ہم عقرا نام کی ایک مہکتی ہموار سرزمین پر جا نکلے جو سمندر کے کنارے واقع تھی۔ وہاں سے ہم خلیج کے پرلی حیفہ کی طرف نکل گئے۔ بیویوں کو طلاقیں دینے کا شغل چلتا رہا۔ حتیٰ کہ ہماری مملکت وجود میں آ گئی۔

پہلی مرتبہ جب ہم پر آفتوں کا پہاڑ ٹوٹا یعنی جب 1948ء کی قیامت میں ہمارا خاندان تتر بتر ہوگیا، جو عرب ملک ہنوز بچے ہوئے تھے، ان میں بکھر گئے۔ کوئی یہاں کوئی وہاں۔ سو میرے کچھ عزیز الربیع کورٹ میں کام کر رہے ہیں۔ وہاں دارالترجمہ میں کام کرتے ہیں۔ عربی

سے فارسی میں اور فارسی سے عربی میں ترجمہ کرتے ہیں اور ایک میرے رشتہ دار نے مختلف بادشاہوں کے سگریٹ سلگانے کی تربیت حاصل کی ہے۔ ہمارا ایک رشتہ دار شام میں کیپٹن ہے، دوسرا عراق میں میجر ہے، تیسرا لبنان میں لیفٹیننٹ کرنل ہے۔ موخر الذکر کے ساتھ یہ حادثہ گزرا کہ جب انٹرا بینک جو اس ملک کا سب سے بڑا بینک تھا، دیوالیہ ہوا تو اس کی حرکتِ قلب بند ہوگئی اور وہ اللہ کو پیارا ہوگیا۔ بالائی گیلی لی میں ڈسٹری بیوشن آف ڈینڈ یلین، اینڈ واٹر کریس کی کمپنی کا پہلا عرب صدر جو مملکت اسرائیل کی طرف سے مقرر ہوا، وہ ہمارے خاندان سے تعلق رکھتا ہے۔ اگرچہ کہتے ہیں کہ اس کی ماں کو جو سرکیشیا سے تعلق رکھتی تھی طلاق ہوگئی تھی۔ اس کا مطالبہ ہے کہ گیلی لی کے زیریں علاقے کے بھی ڈسٹری بیوشن کا اختیار اسے ملنا چاہیے۔ یوں اس کا یہ مطالبہ ابھی تک مانا نہیں گیا ہے۔ میرے والد اللہ انہیں کروٹ کروٹ جنت نصیب کرے، انہوں نے اس مملکت کے لیے اس کے قیام سے پہلے بہت کام کیا۔ ان خدمات کی تفصیل کا علم ان کے عزیز دوست ایڈون سفسر شک کو ہے۔ یہ صاحب پولیس افسر تھے جو اب ریٹائر ہو چکے ہیں۔

جب میرے والد نے لب سڑک جام شہادت نوش کیا اور میں نے گدھے کی عنایت سے نجات حاصل کی تو میرے خاندان والے کشتی میں بیٹھ کر عقرا کی طرف نکل گئے۔ وہاں جب ہم نے دیکھا کہ اب خطرہ نہیں ہے اور سب اپنی اپنی کھال بچانے کی فکر میں ہیں تو ہم بھی اپنی کھال بچانے کے چکر میں لبنان کی طرف نکل گئے اور وہاں ہم نے زندہ رہنے کے چکر میں اپنی کھال تک بیچ ڈالی۔

جب بیچنے کے لیے کچھ نہیں رہا تو مجھے یاد آیا کہ میرے والد نے لبِ سڑک آخری دموں میں مجھے یہ وصیت کی تھی کہ بیٹے (6) سفسر شک صاحب کے پاس جانا اور کہنا کہ میرے باپ نے مرتے وقت آپ کو سلام کہا تھا اور یہ درخواست کی تھی کہ آپ مجھے کہیں لگوا دیں۔

اور اس نے مجھے لگوا دیا۔

●♦●♦●

(4)

سعید اسرائیل میں پہلی مرتبہ قدم رکھتا ہے

عرب سالویشن آرمی سے تعلق رکھنے والے ایک ڈاکٹر کی کار میں بیٹھ کر میں نے سرحد پار کی اور اسرائیل پہنچا۔ اس ڈاکٹر کا حیفہ میں کلینک تھا جہاں وہ میری بہن کے ساتھ فلرٹ کیا کرتا تھا۔ جب ہم نقل مکانی کر کے لبنان میں ٹائر کے مقام پر پہنچے تھے تو وہاں یہ صاحب ہمارے منتظر بیٹھے تھے۔ میرا ماتھا ٹھنکا کہ اس کے اور میری بہن کے بیچ کیا چکر چل رہا ہے۔ بس اس کے بعد وہ مجھے ایسے ملنے لگا جیسے میں اس کا جگری دوست ہوں اور پھر اس کی بیوی مجھ پر ریجھ گئی۔

ایک دن ڈاکٹر نے مجھ سے کہا "ایک راز ہے جو اگر تم دل میں رکھو تو بہت اچھا ہو۔"

"بالکل۔" میں نے جواب دیا۔

"تو دوست اپنی زبان بند رکھنا کیونکہ میری بیوی تو اپنی زبان بند رکھ نہیں سکتی۔"

اور میں نے اپنی بہن کی خاطر اپنی زبان میں تالا ڈال لیا۔

ایک دن میں نے اس سے کہا کہ میں لُپ چُھپ کر اسرائیل جانا چاہتا ہوں۔ اس نے فوراً اپنی خدمات پیش کر دیں۔ اپنی کار میں پہنچانے کی ہامی بھری اور کہا "تمہاری بہتری اسی میں ہے کہ وہاں چلے جاؤ۔"

"اور تمہاری بہتری بھی اسی میں ہے۔" میں نے پلٹ کر کہا۔

"تو اللہ تمہارا حامی و ناصر ہو۔"

اور میری ماں نے دعائیں دے کر مجھے رخصت کیا۔ ہم ترشیحہ اس وقت پہنچے جب سورج غروب ہو رہا تھا اور دیہاتی اس جگہ کو چھوڑ کر جا رہے تھے۔ عرب محافظوں نے ہمیں روکا۔ جب ڈاکٹر نے انہیں اپنے کاغذات دکھائے تو انہوں نے گرمجوشی سے اس سے مصافحہ کیا۔ میں پھر بھی ڈر رہا تھا لیکن ڈاکٹر ان سے ہنسی مذاق کر رہا تھا۔ وہ اس سے ہنسی مذاق کر رہے تھے۔

ہم نے مالیہ میں رات گزاری لیکن ابھی صبح ہونے میں دیر تھی کہ میری آنکھ کھل گئی اور

میرے کان میں کھسر پھسر کی آواز آئی۔قریب میں ڈاکٹر کا پلنگ تھا۔وہیں یہ کھسر پھسر ہو رہی تھی۔ میں نے سانس روک کر سننے کی کوشش کی۔ کسی عورت کی آواز تھی۔ چپکے چپکے کہہ رہی تھی کہ میرا شوہر صبح جلدی نہیں اٹھتا۔ میں نے دل میں کہا کہ یہ میری بہن تو ہو نہیں سکتی کیونکہ ابھی تو اس کا شوہر ہی نہیں ہے۔سو میں مطمئن ہو گیا اور پھر سو گیا۔

ہم نے دوپہر کا کھانا ابوصنعان میں اس عورت کے باپ کے گھر کھایا۔ یہ جگہ ان دنوں ''نومینز لینڈ'' میں شامل تھی۔ گویا یہ ایسی جگہ تھی جہاں لے دے کے بس جاسوسوں، مویشیوں کے بیوپاریوں اور آوارہ گدھوں کا دور دورہ تھا۔

ان لوگوں نے مجھے ایک گدھا کرائے پر لے کر دے دیا۔ میں اس پر بیٹھ کر کفریاسف تک گیا۔ یہ 48ء کی آتی گرمیاں تھیں اور جب میں اس گدھے پر بیٹھ کر ابوصنعان سے کفریاسف کی طرف جا رہا تھا تو میری سالگرہ کا دن آ گیا۔ میں نے گدھے پر بیٹھے بیٹھے اپنی چوبیسویں سالگرہ منائی۔

انہوں نے مجھے فوجی گورنر کے ہیڈ کوارٹر کا راستہ بتایا اور کہا، وہاں چلے جاؤ۔ گدھے پر سوار میں وہاں پہنچا۔ گدھے نے بڑی شان سے اس عمارت میں قدم رکھا اور تین سیڑھیاں چڑھ گیا۔ سپاہیوں نے سخت حیرت سے مجھے دیکھا اور میری طرف لپک کر آئے۔ میں نے بآواز بلند کہا ''سفسر شک، سفسر شک''۔

ایک موٹا تازہ سپاہی دوڑا ہوا میری طرف آیا اور چلّانے لگا۔ ''میں ہوں فوجی گورنر، اترو نیچے''۔

''میں فلاں ابن فلاں ہوں۔'' میں نے جواب دیا ''اور میں سفسر شک صاحب کی ڈیوڑھی پر جا کر ہی اتروں گا''۔

وہ مجھ پر بہت بگڑا مگر میں بھی چلّایا۔ چلّا کر میں نے کہا ''میں ایڈون سفر شک کی پناہ میں آیا ہوں''

وہ سفسر شک کو بُرا بھلا کہہ کر چُپ ہو رہا اور میں گدھے سے اتر پڑا۔

●◆●◆●

(5)

قنوطرجائیوں کی ابتدا پر تحقیق

جب میں گدھے سے اترا تو مجھے پتہ چلا کہ میں فوجی گورنر سے لمبا ہوں۔ مجھے یہ سوچ کر بہت اطمینان ہوا کہ گدھے کی ٹانگوں کا رہین منت ہوئے بغیر ہی میں اس سے اونچا ہوں۔ سو میں اس اسکول میں جواب گورنر ہیڈ کوارٹر بن چکا تھا، کرسی پر پاؤں پسار کر بیٹھا۔ اسکول کے بلیک بورڈ اب پنگ پانگ کی میزوں کے طور پر استعمال ہو رہے تھے۔

میں وہاں ٹھسے سے بیٹھا ہوا تھا اور دل میں خدا کا شکر ادا کر رہا تھا کہ اس نے مجھے فوجی گورنر سے لمبا بنایا ہے اور یہ گدھے کی ٹانگوں کے احسان کے بغیر۔

تو یوں ہمارا خاندان چلا ہے اور اس لیے ہمارا نام قنوطرجائی پڑا ہے۔ بات یہ ہے کہ اس لفظ میں دو خاصیتیں یکجا ہو گئی ہیں یعنی قنوطی اور رجائی کی خاصیتیں اور یہ وہ خاصیتیں ہیں کہ ہماری مطلقہ مادر اول قبرصی خاتون کے وقتوں سے ہمارے خاندان کے ہر فرد میں شیر وشکر چلی آتی ہیں۔ کہا جاتا ہے کہ جس شخص نے پہلی مرتبہ ہمیں یہ نام عطا کیا، وہ تیمور لنگ تھا جس نے بغداد کے دوسرے قتلِ عام کے بعد ہمیں اس نام سے نوازا تھا۔ یہ اس وقت کی بات ہے جب اسے بتایا گیا کہ اس کا جدا بجار ابن ابجار اشہر کی فصیل کے باہر اپنے گھوڑے پر سوار ہوا، مڑ کر لپکتے شعلوں پر نظر ڈالی اور اونچی آواز میں کہا ”میرے بعد طوفان آئے گا۔“

مثلاً مجھے لیجیے۔ میں رجائیت اور قنوطیت میں ذرا فرق نہیں کرتا اور بالکل نہیں جانتا کہ ان میں کونسا وصف میرے کردار کا خاصا ہے۔ روز صبح جب میں جاگتا ہوں تو اللہ تعالیٰ کا شکر ادا کرتا ہوں کہ دوران شب اس نے میری روح قبض نہیں کی۔ اگر دن کے اوقات میں مجھ پہ کوئی آفت ٹوٹتی ہے تو میں اس پر اس کا شکر ادا کرتا ہوں کہ اس سے کوئی بڑی آفت مجھ پر نہیں ٹوٹی۔ تو میں کیا ہوں قنوطی یا رجائی؟

میری ماں بھی قنوطرجائی واقع ہوئی ہے۔ میرا بڑا بھائی حیفہ کی بندرگاہ پر کام کیا کرتا

تھا۔ ایک دن طوفان آیا اور جس کرین کو وہ چلا رہا تھا، اسے اوندھا دیا۔ اسے اور کرین دونوں کو طوفان نے چٹان پر اور چٹان سے سمندر میں دھکیل دیا۔ لوگوں نے اس کی لاش سمندر سے نکالی اور ہمارے پاس لائے۔ لاش سمندر سے اس طرح برآمد ہوئی تھی کہ نہ اس کا سر دستیاب ہوا تھا نہ اندر کی کوئی چیز سلامت تھی۔ اس کی شادی کو ابھی ایک مہینہ بھی نہیں ہوا تھا۔ اس کی دلہن اپنی پھوٹی قسمت کو رو رہی تھی۔ میری ماں بھی خاموش بیٹھی آنسو بہا رہی تھی۔

اچانک میری ماں تاب ضبط کھو بیٹھی اور ہاتھ ملنے لگی۔ رُندھی ہوئی آواز میں بولی ''یہ بھی اچھا ہی ہوا کہ اس طرح اسے موت آئی۔ اگر اور کچھ اسے ہو جاتا تو کیا ہوتا۔''

ہمیں تو ماں کی اس بات پر کوئی تعجب نہیں ہوا مگر دلہن تو ہمارے خاندان سے تعلق نہیں رکھتی تھی اور اس لیے ہماری خاندانی دانش سے آشنا نہیں تھی۔ وہ تو اس بات پر تڑپ اٹھی اور میری ماں پہ چیخنے پیٹنے لگی۔ ''بدنصیب بڑھیا (واضح ہو کہ بدنصیب نام تھا میرے باپ کا، خدا اسے اپنے جوارِ رحمت میں جگہ دے) اور کچھ ہو جانے سے تیرا مطلب کیا ہے۔ اس سے بڑھ کر اور کیا ہو سکتا تھا؟''

میری ماں نے مطلق خیال نہ کیا کہ دلہن کا طفلانا پن ہے۔ قسمت کا حال بتانے والوں کے سے انداز میں ایک اعتماد اور سکون کے ساتھ جواب دیا ''دلہن، یہ بھی تو ہو سکتا تھا کہ تم اس کے جیتے جی کسی دوسرے مرد کے ساتھ بھاگ جاتیں۔'' واضح ہو کہ میری ماں ہمارے خاندان کی جو تاریخ رہی ہے، اسے خوب سمجھتی تھی اور واقعی میرے بھائی کی بیوہ دو سال بعد کسی دوسرے مرد کے ساتھ بھاگ گئی اور وہ غریب اس کے بعد قوتِ مردمی ہی سے محروم ہو گیا۔ جب میری ماں نے اس کا احوال سنا تو اپنے مرغوب انداز میں بولی ''پاک پروردگار کی جتنی بھی تعریف کی جائے کم ہے۔''

تو پھر ہم ہیں کیا رجائیت پسند یا قنوطیت پسند؟

●◆●◆●

(6)

سعید کا جنگِ آزادی میں پہلے پہل شریک ہونا

اچھا جناب ہم واپس فوجی گورنر کے ہیڈ کوارٹر چلتے ہیں۔ جیسے ہی اس نے ایڈون سفسر شک کو برا بھلا کہا، میں گدھے سے اتر پڑا۔ مجھ پر بہت جلد یہ بات واضح ہوگئی کہ جب آدمی کسی کو برا بھلا کہتا ہے تو کبھی یوں بھی ہوتا ہے کہ وہ اس طرح اس شخص سے بیزاری نہیں بلکہ رشک کا اظہار کر رہا ہوتا ہے۔ جیسے ہی میں کرسی پر دراز ہوا۔ اس تصور میں کہ میں گدھے کی ٹانگوں کے رہینِ منت ہوئے بغیر بھی ملٹری گورنر سے لمبا ہوں، ویسے ہی وہ ٹیلی فون کی طرف لپکا اور اتنا تیز تیز بولا کہ بس دو لفظ میرے پلّے پڑے۔ بدنصیب اور سفسر شک اور یہ اور یہ دونوں ہی نام ایک لمبے عرصے کے لیے مجھ سے وابستہ ہو گئے۔ جب وہ بات ختم کر چکا تو اس نے ریسیور پٹخ کر مارا اور میری طرف رخ کر کے چلایا کہ ''اُٹھ۔'' میں اٹھ کھڑا ہوا۔

''میں ابو اسحٰق ہوں۔ میرے پیچھے پیچھے چلا آ۔'' اس نے تحکمانہ لہجہ میں کہا۔ میں اس کے پیچھے پیچھے پھاٹک تک گیا جہاں اس کی جیپ کھڑی تھی۔ اس کے برابر میرا گدھا کھڑا سوں سوں کر رہا تھا۔

''اب چلیں۔'' ابو اسحٰق نے کہا اور جیپ میں بیٹھ گیا۔ ادھر میں اپنے گدھے پر سوار ہو گیا۔ وہ غصے میں آ کر ایسا چیخا کہ میں اور میرا گدھا دونوں خوف سے تھرا گئے۔ اسی میں میں گدھے کی پشت سے نیچے آ رہا اور دوسرے ہی لمحے میں کار میں فوجی گورنر کے برابر بیٹھا ہوا تھا۔ کار کا رخ مغرب کی سمت میں تھا۔ گرد آلود سڑک تھی اور دونوں جانب سرسوں کے ٹھنٹھ کھڑے تھے۔

''کدھر؟'' میں نے پوچھا۔

''عقرا اور زبان ذرا بند رکھو۔''

سو میں نے زبان بند رکھی۔ چند منٹ چل کر اس نے جیپ کو ایک دم سے روک لیا۔ بندوق سنبھال کر نیچے کودا اور تیر کے موافق سرسوں کے کھڑے ٹھنٹھوں میں گھس گیا۔ اپنی توند سے

ٹھنٹھوں کو چیرتا چلنے لگا۔ میں نے دیکھا کہ ایک دہقان عورت گود میں بچہ لیے سمٹی بیٹھی ہے اور خوف سے آنکھیں پھٹی ہوئی ہیں۔

''کس گاؤں کی ہے؟''

وہ ماں اسی طرح سمٹی سمٹائی بیٹھی رہی۔ ترچھی نظروں سے اسے تک رہی تھی اور وہ بالکل اس کے سر پر پہاڑ کی طرح کھڑا تھا۔

''برواہ کی ہے؟'' اس نے چیخ کر کہا۔

اس نے کوئی جواب نہیں دیا۔ بس اسے تکتی رہی۔

اس نے اپنی بندوق کی نالی سیدھی بچے کے سر کی طرف کر دی اور چلایا۔ ''جواب دے ورنہ یہ بندوق اس پر چلاتا ہوں۔''

بس مجھے تاؤ آ گیا۔ چاہا کہ اس پہ ٹوٹ پڑوں۔ آگے جو ہو سو ہو۔ آخر جوانی کا خون تھا جوش مارنے لگا۔ اس وقت میری عمر ہی کیا تھی۔ چوبیس کے سن میں تو تھا ہی اور یہ تو ایسا منظر تھا کہ پتھر بھی ہوتا تو حرکت میں آ جاتا۔ تاہم مجھے اپنے باپ کی آخری نصیحت یاد آ گئی اور ماں کی دعا کا خیال آ گیا۔ میں نے دل میں کہا، اگر اس نے بندوق چلا دی تو پھر میں اس پہ ٹوٹ پڑوں گا لیکن ابھی تو وہ محض دھمکا رہا تھا۔ میں بہر حال مستعد تھا۔

عورت نے بالآخر جواب دیا ''ہاں، برواہ کی۔''

''وہیں جا رہی ہے؟''

''ہاں، وہیں واپس جا رہی ہوں۔''

''ہم نے تو لوگوں کو خبردار کیا تھا۔'' اس نے چلا کر کہا ''کہ جو بھی وہاں لوٹ کر جائے گا اسے گولی مار دی جائے گی۔ کیا تم لوگوں کو سمجھ نہیں آتی کہ ڈسپلن کیا ہوتا ہے۔ کیا تم لوگ بدنظمی کو ڈسپلن سمجھتے ہو اٹھ اور یہاں سے بھاگ جا مشرق کی سمت جس طرف بھی منہ اٹھے چلی جا اور اگر اس کے بعد میں نے اس سڑک پر تجھے دیکھا تو سمجھ لے کہ مجھ سے برا کوئی نہیں ہوگا۔''

عورت اٹھ کھڑی ہوئی اور بچے کا ہاتھ پکڑ کر مشرق کی سمت میں چل پڑی۔ پھر اس نے ایک دفعہ بھی مڑ کر نہیں دیکھا۔ اس کا بچہ اس کے ساتھ ساتھ چل رہا تھا، اس نے بھی مڑ کر نہیں دیکھا۔

یہ پہلا موقع تھا کہ میں نے اس قسم کا منظر دیکھا۔ پھر تو یہ حیرت ناک منظر میں دیکھتا ہی چلا گیا۔ حتیٰ کہ عالمِ بالا کے دوستوں سے میری ملاقات ہوگئی۔ جہاں ہم تھے یعنی جہاں گورنر کھڑا تھا

اور میں جیپ میں بیٹھا تھا۔ اس مقام سے عورت اور بچہ جتنی دور ہوتے گئے، اتنے ہی بلند ہوتے گئے اور جس وقت غروب ہوتے آفتاب کے ساتھ اپنی پرچھائیوں میں تحلیل ہو رہے تھے تو وہ عقرا کے میدان سے بھی بڑے نظر آ رہے تھے۔ جب تک وہ دونوں نظروں سے اوجھل نہیں ہو گئے گورنر وہاں جما کھڑا رہا اور میں جیپ میں سکڑتا سمٹا بیٹھا رہا۔ آخر کے تئیں اس نے حیرانی کے عالم میں پوچھا ''یہ لوگ کبھی ٹلیں گی بھی یا نہیں۔''

مگر خیر یہ سوال مجھ سے نہیں کیا گیا تھا۔

برواہ شاعر محمود درویش کی بستی ہے جس نے پندرہ برس بعد کہا کہ:

''میں قاتل کو داد دیتا ہوں

جس نے ایک سیہ چشم دوشیزہ پر فتح حاصل کی

آفرین ہے بستیوں کو تاراج کرنے والوں پر

آفرین ہے معصوم بچوں کو ذبح کرنے والوں پر''

کیا وہ یہی بچہ تھا؟ کیا وہ اپنی ماں سے ہاتھ چھڑا کر اور اسے پیچھے چھوڑ کر مشرق کی طرف قدم بڑھاتا چلا جا رہا تھا۔

صاحب، آخر میں کیوں یہ چھوٹا سا واقعہ آپ کو سنا رہا ہوں، اس کے بہت سے اسباب ہیں اور ایک سبب یہ کرشمہ ہے کہ اجسام ہماری نظروں سے جتنے دور ہوتے جاتے ہیں، اتنے ہی قد آور ہوتے چلے جاتے ہیں۔

دوسرا سبب یہ ہے کہ اس واقعہ سے مزید یہ ثبوت ملتا ہے کہ ہمارے قدیمی خاندان کا نام مملکت اسرائیل کے حکام کے دلوں میں احترام کا جذبہ پیدا کرتا ہے۔ اگر ایسی بات نہ ہوتی تو گورنر نے جب یہ دیکھا کہ میں بھنایا ہوا ہوں اور اس پہ ٹوٹ پڑنے کو ہوں تو وہ ضرور مجھ پر گولی چلا دیتا۔

ایک اور سبب یہ ہے کہ پہلی مرتبہ میں نے یہ محسوس کیا کہ میں اپنے مرحوم باپ کے مشن کو پورا کر رہا ہوں اور مملکت کی خدمت بجا لا رہا ہوں۔ یہ الگ بات ہے کہ اس کے قیام کے بعد میں یہ فرض ادا کر رہا ہوں۔ سو میں نے اپنے دل میں سوچا کہ مجھے فوجی گورنر کے ساتھ اچھے تعلقات قائم کرنے چاہئیں۔

تو میں نے بڑی بے تکلفی سے اس سے پوچھا ''گاڑی آپ کی اچھی ہے، کونسا میک ہے؟''

''بکواس بند کرو۔'' اس نے کہا اور میں نے بکواس بند کر لی۔

بروواہ کے اسی شاعر نے جس کا ذکر اوپر آیا ہے، آگے چل کر کہا کہ:

''ہم ان شیطانوں کو خوب جانتے ہیں
جو بچوں کو پیغمبر بنا دیتے ہیں''

مگر اب حال ہی میں اس شاعر کو یہ پتہ چلا ہے کہ یہی شیطان یہ بھی کارستانی کر سکتے ہیں کہ ایک پوری کی پوری قوم کو یکسر فراموش کر دیا جائے۔

●♦●♦●

(7)

یعاد کا تذکرہ پہلی بار

عقرا کی وہ رات جو عباسیوں کے پرچم کی مانند سیاہ تھی۔

عقرا نے اس اپنی کالی رات کے ساتھ ہمیں خوش آمدید کہا۔ مجھے اپنی وہ گرل فرینڈ یعاد بہت یاد آئی جس نے ریل گاڑی میں سفر کرتے ہوئے کبھی کسی کی طرف آنکھ اٹھا کر بھی نہیں دیکھا۔ بس مجھے دیکھ کر مسکرا دیتی تھی۔ میرا دل تیزی سے دھڑکنے لگتا۔

عقرا میں مَیں ثانوی اسکول میں پڑھتا تھا اور یعاد میری پہلی محبت تھی۔

عقرا وہ شہر تھا جس نے سب شہروں سے بڑھ کر صلیبیوں کا مقابلہ کیا تھا۔ آگے چل کر اس نے نپولین سے ٹکر لی۔ اس سے پہلے منگولوں نے بھی اس پر یلغار کی تھی مگر اس کے سامنے بھی اس نے گھٹنے نہیں ٹیکے۔ اس شہر کا وقار آج بھی قائم تھا۔ یہ الگ بات ہے کہ اب اس کی فصیلیں حشیش کا نشہ کرنے والوں کا ٹھکانہ بنی ہوئی تھیں اور اس کے لائٹ ہاؤس کی روشنیوں کا حال یہ تھا جیسے خوجہ کا چراغ ٹمٹما رہا ہو۔ اگرچہ اب حیفہ ایک صنعتی شہر بن چکا تھا اور بہت شاد آباد تھا مگر اس کے باوجود یہ ایک بڑے شہر کی حیثیت میں قائم تھا۔

عقرا کے ثانوی اسکول کو اپنی ان موٹی موٹی دیواروں والے کمروں کے ساتھ جو مشرقی فصیل کے دوش پر قائم تھے، آج بھی حیفہ کے ثانوی اسکولوں پر علمی اعتبار سے برتری حاصل تھی۔ ہمارے ناموں کا اندراج فرقہ (بیرکس) اسکول میں ہوا تھا اور ہم روز حیفہ سے ریل کے ذریعے یہاں آیا کرتے تھے۔ ریل ہی میں یعاد سے میری ملاقات ہوئی تھی، وہ بھی حیفہ ہی سے آتی تھی۔ وہ عقرا کے گرلز اسکول میں پڑھتی تھی۔ کتابوں کا بیگ بغل میں دابے آتی اور ہمارے ساتھ ریل میں سوار ہو جاتی لیکن وہ سب سے الگ اور اکیلی پردے والے کمپارٹمنٹ میں بیٹھتی تھی۔ اس گاڑی میں یہ ایک ہی پردے والا کمپارٹمنٹ تھا۔ وہ نقاب

ڈالے آتی اور سیدھی اس کمپارٹمنٹ میں چلی جاتی۔ جب ریل سے اترتی تو اس وقت بھی نقاب اس کے چہرے پر پڑا ہوتا تھا لیکن کمپارٹمنٹ کے دروازے کی دراڑوں میں سے جھانکتی اور یوں ہماری نگاہیں ایک دوسرے سے ملتیں۔ کیسی خوبصورت سبزی مائل آنکھیں تھیں اس کی، میں تو دل و جان سے اس پر فریفتہ ہو گیا۔

ایک صبح کا ذکر ہے کہ اس نے مجھے اپنے پاس بلایا اور ایک انگریزی لفظ مجھ سے پوچھنے لگی۔ جب میں اسے اس لفظ کے معنی نہیں بتا سکا تو اس نے خود مجھے اس کے معنی بتائے اور مجھے اپنے پاس بٹھا لیا۔ اس کے بعد سے میں آتے جاتے اسی کے ساتھ بیٹھا کرتا، اُف مجھے اس سے کتنی محبت تھی، اس نے بتایا کہ وہ بھی مجھ سے محبت کرتی ہے۔ وجہ یہ بتائی کہ میں دلچسپ باتیں کرتا ہوں اور مزے سے ہنستا ہوں۔

میری کلاس کا ایک ساتھی یہ دیکھ کر جل مرا، اس سے مجھے بہت دکھ پہنچا۔ اسنے اس کے اسکول کے پرنسپل سے میری شکایت کر دی۔ اس پرنسپل نے ہمارے پرنسپل کو چٹھی لکھی۔ ہمارے پرنسپل نے ان سب طلبا کو جو حیفہ سے ریل میں بیٹھ کر عقرا آتے تھے، اکٹھا کیا اور بہت گرجا برسا۔ کہنے لگا "حیفہ اور عقرا کے درمیان میں متنبہ کرتا ہوں کہ حیفہ اور عقرا کے درمیان سمندر ہے سمندر۔ یہ شہر ہمیشہ سے ایک قدامت پسند شہر رہا ہے۔ (8) غازی صلاح الدین کے وقتوں سے اس کی یہی حیثیت چلی آتی ہے۔"

مجھے مشہور سیاح (9) ابن جبیر یاد آیا جس نے غازی صلاح الدین کے زمانے میں یہاں دو راتیں ایک سرائے میں بسر کی تھیں۔ اس نے اس شہر کا تذکرہ یوں کیا ہے۔ "یہ شہر کفر و الحاد کا گڑھ ہے۔ بدی اور معصیت کا یہاں دور دورہ ہے۔ میرے باپ کا باپ، خدا ان دونوں کو کروٹ کروٹ جنت نصیب کرے تو میرے باپ کے باپ کی جورو کسی غیر مرد کے ساتھ بھاگ گئی تھی۔ جب ہم بچے تھے تو وہ ہم سے کہا کرتا تھا کہ اس نے یہ فعل اس لیے کیا کہ وہ عقرا کی رہنے والی تھی۔' آخری لفظ کو وہ اپنے عربی تلفظ کے ساتھ زور دینے کے لیے کھینچ کر ادا کرتا تھا۔

تو میں نے پرنسپل کی آنکھوں میں آنکھیں ڈال کر کچھ چلا کر کچھ دبے لہجہ میں کہا "لیکن وہ عقرا کی رہنے والی نہیں ہے۔"

اس نے مجھے اپنے دفتر سے نکال دیا اور اس معاملہ کی اطلاع اس کے خاندان

والوں کو بھجوادی۔ انہوں نے مجھے مارنے پیٹنے کے لیے ایک آدمی کو اسٹیشن بھیجا مگر اس کے بعد میں اور ٹوٹ کر اس سے محبت کرنے لگا۔ میں اپنے کلاس فیلو سے جس نے یہ خبر پھیلائی تھی، الجھ پڑا۔ ہم گتھم گتھا ہو گئے اور لڑتے لڑتے ریل سے نیچے ساحل کی ریت پر آ رہے۔ ہمارے کوئی چوٹ نہیں آئی۔ ہم نے سمندر میں غسل کیا اور پھر ساتھ ساتھ حیفہ لوٹے، رستے میں کچھ بدو مل گئے جنہوں نے ورق جیسی روٹی تھوڑے نمک اور روغن کے ساتھ ہمیں کھانے کو دی اور پھر انہوں نے ہمارے بیگ غائب کر دیئے۔ بس اس نتیجہ میں وہ لڑکا میرا گہرا دوست بن گیا، اب بھی ہے۔

پرنسپل کی چٹھی کے بعد پھر یعاد ریل میں نظر نہیں آئی لیکن میرا اس کے عشق میں برا حال تھا۔

گورنر اور میں پولیس کی عمارت میں جو مغربی ساحل پر واقع تھی، داخل ہوئے۔ اس نے مجھے وہاں ایک افسر کے سپرد کر دیا۔ اس نے مجھ سے کہا کہ کل صبح آ جاؤ۔ تمہیں حیفہ پہنچا دیا جائے گا۔ پھر اس نے صورتحال پر غور کیا اور پوچھا ''مگر تم رات کہاں گزارو گے؟''

''یعاد۔'' میں نے جواب دیا۔

افسر نے کہا کہ بہرے تو نہیں ہو اور پھر اپنا سوال دہرایا۔ میں نے جواب میں کہا کہ عقرا میں تو ایک ہی شخص کو جانتا ہوں، وہ ہے اسکول کا پرنسپل۔

اس پر افسر نے گورنر سے مشورہ کیا، گورنر نے اس سے کہا کہ اسے مسجد جزار لے جاؤ۔ ہم اس کی جیپ میں بیٹھ کر روانہ ہوئے۔ جب ہم پینے کے پانی کے چشمہ پر پہنچے جو مسجد کے دروازے کے قریب ہی تھا، جیپ رکی اور ہم اتر پڑے۔ مسجد کے پھاٹک پر پرانے زمانے والی کنڈی لگی ہوئی تھی۔ اس نے کنڈی کھٹکھٹائی۔ اچانک چیخ و پکار سنائی دی۔ پھر مکمل سکوت چھا گیا۔ کسی بچے نے رونا شروع کر دیا مگر فوراً ہی کسی نے اسے چُپ کرا دیا۔ پھر ہمیں قدموں کی سٹ پٹ سنائی دی۔ پھٹے پرانے کپڑوں میں ملبوس ایک نحیف و نزار بوڑھے نے دروازہ کھولا۔ اس نے گرمجوشی سے ہمیں خوش آمدید کہا۔

افسر نے اس سے کہا ''یہ ایک اور شخص تمہارے حوالے ہے۔ کل صبح اسے تھانے میں آ کر رپورٹ کرنا ہے۔''

''آؤ بیٹے۔'' بوڑھے نے کہا اور میں اندر چلا گیا۔ جب میں نے اس کا چہرہ دیکھا تو میں نے پہچان لیا کہ یہ تو ہمارا پرنسپل ہے۔ میں نے بے ساختہ کہا'' ارے محترم استاد، یہ آپ ہیں۔ میرے والد صاحب خدا انہیں غریق رحمت کرے۔ انہوں نے مجھے آپ کے سایۂ عاطفت میں دیا تھا۔''

''میرے بیٹے، میرا سایۂ عاطفت بہت وسیع ہے۔'' کہنے لگے'' چلو چل کے خود اپنی آنکھوں سے دیکھ لو۔''

●◆●◆●

(8)

مسجد جزار کے صحن میں ایک عجیب شام

اُس بزرگ نے جو کسی بھلے وقت میں میرے استاد تھے، تین مرتبہ تالی بجائی اور صحن میں بیٹھے ہوئے تاریک سایوں سے خطاب کرتے ہوئے کہا "عزیزو! اپنا کام جاری رکھو، یہ شخص ہم ہی میں سے ہے۔"

فوراً ہی ایک شور اٹھا۔ چھوٹے بچوں کے منہ پر جو ہاتھ رکھے ہوئے تھے، وہ اٹھ گئے۔ میں نے دیکھا کہ احمدیہ مسجد اسکول کے اندر سے لوگ نکل نکل کر آ رہے ہیں۔ اس سکول نے تین اطراف سے یعنی شمال، جنوب اور مغرب کی اطراف سے گھیر رکھا تھا۔ لوگ ہمارے گرد اکٹھے ہو گئے۔ بڑی گرم جوشی سے بہت بڑھ بڑھ کر مجھ سے مصافحہ کیا۔ فرش پر دو زانو ہو کر بیٹھ گئے اور پوچھنے لگے کہ تم کون ہو؟

میں نے انہیں بتایا کہ میں لبنان سے واپس آیا ہوں۔ اس بات نے ان میں عجیب ہیجان پیدا کیا۔

میرے استاد نے اونچی آواز سے کہا "عزیزو، ہمارا ایک شاگرد تمہارے سامنے ہے اور اگر وہ واپس آ سکتا ہے تو پھر دوسرے بھی واپس آ سکتے ہیں۔"

کسی نے سوال کیا "چھپ کر آئے ہو؟"

اب میں انہیں اپنی بہن کے عاشق کے ڈاکٹر کے متعلق تو بتانا نہیں چاہتا تھا۔ نہ گدھے اور سفر سر شک کے متعلق کچھ کہنا چاہتا تھا تو میں نے کہہ دیا کہ "ہاں چھپ کر آیا ہوں۔"

وہ بولے "پھر تو وہ تمہیں آج رات ہی یہاں سے نکال دیں گے۔"

میں نے برہمی سے کہا "کیسے نکال دیں گے۔ میرے والد جواب مرحوم ہو چکے ہیں، یہاں کے ایک افسر ایڈون سفسر شک کے بہت دوست تھے۔"

پھر ایک شور اٹھا۔ اس مرتبہ اس شور میں غصے کا رنگ تھا۔ میرے استاد نے تو تھمبو کی اور

انہیں بہت سمجھایا۔ اس کے باوجود کہ اُس رات میں چوبیس کے سن میں تھا، انہوں نے یہی کہا ''یہ اس کا لڑکپن ہے۔ ابھی اس کی عمر ہی کیا ہے۔'' میں دل ہی دل میں استاد کا بہت ممنون ہوا کہ شکر ہے انہوں نے میری صفائی میں مجھے لڑکا ہی بتایا، لڑکی نہیں بتایا۔ مجھے ان لوگوں کے غصے کی زد سے جو بچانا چاہتے تھے۔ ویسے میری سمجھ میں نہیں آیا کہ آخر انہیں غصہ کس بات پر آیا تھا۔ خدا خدا کر کے وہ ٹھنڈے پڑے۔ اب انہوں نے مجھے قبول کر لیا تھا اور اسی کے ساتھ مجھ پر سوالوں کی بارش کر دی۔ میرے ان رشتہ داروں کے بارے میں جنہوں نے لبنان میں پناہ لے رکھی تھی، انہوں نے سیکڑوں سوال کر ڈالے۔

''ہم کوے (10) کات کے رہنے والے ہیں۔ انہوں نے اس بستی کو تاراج کر دیا اور ہم سب کو وہاں سے نکال دیا۔ کسی کوے کات والے سے بھی تم وہاں ملے ہو؟''

ک کی تکرار پر میرے دل میں بہت گدگدی پیدا ہوئی لیکن میں نے کسی نہ کسی طرح اپنی ہنسی کو ضبط کر لیا۔

اتنے میں گھنٹے کے پیچھے سے ایک عورت کی آواز سنائی دی۔ اس سے بات ٹل گئی۔ عورت کہہ رہی تھی ''شکر یہ یہ لڑکی سوئی نہیں، مرگئی ہے۔''

ایک دبی سی چیخ سنائی دی اور سب کا سانس اوپر کا اوپر اور نیچے کا نیچے رک گیا۔ تھوڑی دیر میں گریہ رک گیا۔ ان لوگوں نے پھر سوال شروع کر دیئے۔

میں نے انہیں بتایا کہ میری کسی کوے کات والے سے مڈھ بھیڑ نہیں ہوئی۔

''میں المقشیہ کا رہنے والا ہوں۔ وہاں انہوں نے اینٹ سے اینٹ بجا دی۔ قبروں کے سوا کچھ باقی نہیں چھوڑا۔ المقشیہ کے کسی آدمی سے تمہاری ملاقات ہوئی۔''

''نہیں۔''

''ہم عمقہ سے تعلق رکھتے ہیں۔ انہوں نے سارے گھروں پر ہل چلا دیا اور جتنا تیل تھا، اُسے بہا دیا۔ عمقہ کے کسی آدمی سے ملے؟''

''نہیں۔''

''ہم برواہ والے ہیں۔ انہوں نے ہمیں نکال باہر کیا اور بستی کو نیست و نابود کر دیا۔ تمہاری برواہ کے کسی آدمی سے مڈھ بھیڑ ہوئی؟''

''ہاں میں نے وہاں کی ایک عورت کو دیکھا تھا۔ اس کی گود میں بچہ تھا۔ وہ سرسوں کے

کھیت میں چھپی بیٹھی تھی۔"

ایک دم سے بہت سی آوازیں سنائی دیں۔ سب اپنے اپنے طور پر قیاس دوڑا رہے تھے کہ یہ عورت کون ہوگی۔ انہوں نے بیس سے اوپر ماؤں کے نام گنوا ڈالے۔ بالآخر ایک بوڑھا اونچی آواز سے بولا "بس کرو۔ وہ بستی کی ماں تھی۔ قیاس کے گھوڑے مت دوڑاؤ۔ اللہ مالک ہے اس کا بھی اور ہمارا بھی۔"

اور انہوں نے قیاس آرائی بند کردی لیکن تھوڑی دیر بعد پھر آوازیں آنے لگیں۔ ہر ایک اپنے اپنے قریے سے اپنا تعلق بتا رہا تھا اور میں نے اندازہ لگایا کہ ان سب قریوں کو فوج نے تاراج کر ڈالا ہے۔

"ہم روپز کے رہنے والے ہیں۔ ہم الحدیث کے باسی ہیں۔ ہم الدمون کے باشندے ہیں۔ ہم اہل الحرزع ہیں۔ ہم شعب سے علاقہ رکھتے ہیں۔ ہم المیعاد کے ہیں۔ ہم وعارت السااریز کے فرزند ہیں۔ ہم الذیب سے تعلق رکھتے ہیں۔ ہم البہ کی مٹی ہیں۔ ہم الکبریٰ کے رہنے والے ہیں۔ ہم اہل عقریت ہیں۔ ہم کفر بریم کے بیٹے ہیں۔ ہم دارالقاضی سے آئے ہیں۔ ہم سعساع کی خاک سے ہیں۔ ہم الغابسی والے ہیں۔ ہم سہومت سے تعلق رکھتے ہیں۔ ہم الصّف صف کی بستی سے ہیں۔ ہمیں کفر عنان نے جنا ہے۔"

صاحب آپ مجھ سے یہ توقع نہ رکھیں کہ مجھے اتنے عرصے کے بعد ان سب قریوں کے نام یاد ہوں گے جنہیں تاخت و تاراج کر دیا گیا ہے اور جنہیں اس شب جزار مسجد کے صحن میں بیٹھے ہوئے لوگ یاد کر رہے تھے۔ ان سے اپنا اپنا تعلق بتا رہے تھے۔ ہم حیفہ کے رہنے والوں کو گلیلی کے قریوں سے بڑھ کر اسکاٹ لینڈ کے شہر و دیہات کے نام ازبر تھے۔ ان میں سے کتنے قریہ ایسے ہیں کہ میں نے ان کے کبھی نام بھی نہیں سنے تھے۔ بس اس شب وہاں ان کے ناموں سے کان آشنا ہوئے۔

یار عزیز مجھ پہ نام نہ دھریں۔ اپنے دوستوں کو الزام دیں اور کیا گلیلی کے شاعر توفیق زید نے نہیں کہا تھا:

"میں ہر غصب شدہ قطعۂ زمین کا نام کندہ کروں گا
جہاں میرے قریے کا نقشہ پھیلا ہوا تھا
کیسا کیسا گھر منہدم ہو گیا

کیسا کیسا درخت کٹ گیا

کیسے کیسے ننھے منے جنگلی پھول پامال ہو گئے

ان سب کو یاد رکھنا ہے اور میں کندہ کرتا رہوں گا

اپنے المیہ کے ہر باب کو، سانحہ کے ہر مرحلہ کو

سب چھوٹی بڑی چیزوں کے ناموں کو

اپنے گھر کے آنگن میں کھڑے ہوئے زیتون کے درخت پر"

آخر وہ کب تک نام نقش کرتا رہے گا۔ فراموشی کا یہ زمانہ جو ہماری ساری یادوں کو مٹاتا چلا جا رہا ہے، کب تک چلے گا۔ زیتون کے درخت پر کندہ ہونے والے لفظوں کو پڑھنے کا وقت کب آئے گا اور پھر گھروں کے احاطوں میں جو زیتون کے درخت کھڑے تھے، وہ باقی بھی ہیں۔

جب انہیں میری طرف سے کسی سوال کا تشفی بخش جواب نہیں ملا اور انہیں یہ احساس ہوا کہ میری معلومات بس اپنے خاندان، اپنے استاد اور ایڈون سفسر شک تک محدود ہیں تو وہ منتشر ہو کر اپنے اپنے گوشوں میں چلے گئے اور میں اس بزرگ کے ساتھ جو کبھی میرا پرنسپل تھا، اکیلا رہ گیا۔

●◆●◆●

(9)

عالمِ بالا کی طرف سے پہلا اشارہ

جب مجمع منتشر ہو گیا تو میں اپنے استاد کی معیت میں اکیلا رہ گیا۔ میرے استاد نے ان بھوتوں کے غیض و غضب سے جو مجھے چھٹکارا دلایا تھا، اس کی وجہ سے تشکر کے جذبات میرے اندر امنڈ رہے تھے۔ ان جذبات کا اظہار کرنے کے لیے میں سخت بے قرار تھا۔ آپ کو یاد ہوگا کہ یہ وہ شخص ہے جس نے سبز چشم یعاد سے میرے تعلقات ختم کرائے تھے مگر میرا دل بہت کشادہ ہے۔ میں نے عرض کیا کہ جناب اس نئی مملکت میں یہ میری پہلی رات ہے اور یہ رات میں آپ کے سائے میں بسر کر رہا ہوں۔ اس کی مجھے خوشی ہے۔ میرے والد نے ایڈون سفر شک کے بعد آپ کا نام لیا تھا۔ پھر میں نے پوچھا کہ ''پرنسپل صاحب قبلہ آج کل آپ کیا کر رہے ہیں؟''

بولے ''میں بچھڑے ہوئے خاندانوں کے ملاپ کا سامان کرتا ہوں۔'' اور کہنے لگے ''بیٹے سچی بات یہ ہے کہ تاریخ میں ان سے پہلے جوان جیسے گزر چکے ہیں، یہ ان کے مقابلے میں زیادہ برے نہیں ہیں۔''

میں نے تائید میں سر ہلایا اور انہوں نے اپنی بات کو جاری رکھتے ہوئے کہا کہ ''یہ صحیح ہے کہ ان لوگوں نے ان قریوں کو جن کا حوالہ دیا گیا تھا، تباہ و برباد کر ڈالا اور باشندوں کو وہاں سے نکال باہر کیا لیکن میرے بیٹے برسوں پہلے ہمارے اجداد کو جن فاتحین سے پالا پڑا تھا، ان کے مقابلے میں یہ لوگ کہیں زیادہ رحمدل ہیں۔ عقرہ ہی کی مثال لے لو۔ جب صلیبیوں نے 1104ء میں تین ہفتے کے محاصرے کے بعد اس شہر کو فتح کیا تھا تو انہوں نے لوگوں کو بے دریغ قتل کیا اور ان کی جائیدادیں ضبط کر لیں۔ عقرا ان کے قبضہ میں تراسی سال تک رہا۔ بالآخر صلاح الدین نے حصین کے معرکہ کے بعد اس شہر کو ان کے قبضہ سے نجات دلائی۔ یہ تاریخ میں تمہیں اسکول میں پڑھاتا رہا ہوں۔

صلیبیوں نے 1189ء میں ایک مرتبہ پھر اسے محاصرے میں لے لیا۔ یہ محاصرہ دو سال یعنی 1189ء سے 1191ء تک جاری رہا۔ بھوک سے تنگ آ کر لوگوں نے ہتھیار ڈال دیئے اور بہت سخت شرائط انہیں قبول کرنی پڑیں۔ جب وہ شرطیں پوری نہ کر سکے تو صلیبیوں کے شہنشاہ شیر دل رچرڈ نے دو ہزار یرغمالیوں کی گردنیں اڑا دینے کا حکم دیا۔ اس کے بعد عقرہ ایک صدی تک یعنی میرے بیٹے پورے سو برس ان کے قبضے میں رہا۔ کہیں 1291ء میں جا کر مملوک سردار [11] قلاون نے اسے ان کے قبضے سے رہائی دلائی۔ اس شخص کا فوجی خطاب الالفی تھا جس کا مطلب ہے یک ہزاری۔ اصل میں جب وہ ابھی غلام تھا تو یہ قیمت ایک ہزار دینار اس کی قیمت کے طور پر ادا کیے گئے تھے۔ اس بھاری قیمت کو جو اس کے لیے ادا کی گئی، پیشِ نظر رکھتے ہوئے اسے یک ہزاری کا خطاب دیا گیا۔''

میں اس بزرگ پر یہ ثابت کرنا چاہتا تھا کہ جیسا میں طالب علمی کے زمانے میں ہوشیار تھا ویسا ہی اب بھی ہوں تو میں نے اس بزرگ سے پوچھا ''تو کیا اسرائیلی جنرلوں کو جو الوف کا رینک ملتا ہے وہ بھی قلاون کے خطاب سے ماخوذ ہے؟''

''خدا نہ کرے میرے بیٹے۔ بالکل نہیں، ہزار سپاہیوں کے سردار کے لیے ایک لفظ ہے جو انجیل میں ملتا ہے، اس سے یہ رینک ماخوذ ہے۔ یہ لوگ مملوک نہیں ہیں، نہ صلیبی جنگجو ہیں۔ یہ وہ لوگ ہیں جو دو ہزار سال بعد اپنے دیس میں لوٹ کر آئے ہیں۔''

''سبحان اللہ۔ ان لوگوں کا حافظہ بھی قیامت کا ہے۔''

''بہر حال بات یہ ہے میرے بیٹے کہ یہ لوگ دو ہزار سال کی بات کرتے چلے آ رہے ہیں اور ہزاروں کے سنوں میں باتیں کرتے ہیں۔ ہزار ہزار سپاہیوں کے سپہ سالار۔ سپاہی جو ہزاروں کی تعداد میں قتل کیے گئے وغیرہ وغیرہ۔''

''روئے زمین پر انسانی خون سے زیادہ مقدس اور کوئی شے نہیں ہے۔ اسی لیے ہمارے دیس کو ارض مقدس کہا جاتا ہے۔''

''تو کیا میرا شہر حیفہ بھی مقدس ہے؟''

''شہیدوں کے لہو کی برکت سے ہمارے دیس کا ہر چپہ مقدس چلا آتا ہے اور میرے بیٹے آئندہ بھی اس واسطے سے وہ تقدس کا درجہ حاصل کرتا رہے گا۔ تمہارے شہر حیفہ کا معاملہ بھی مختلف نہیں ہے۔ اب یوں دیکھو کہ صلیبیوں نے یروشلم کو اللہ تعالیٰ اسے

اپنی حفظ وامان میں رکھے، 1099ء میں فتح کیا اور ان کے بادشاہ گوئفریڈ نے پوپ کو چٹھی لکھتے ہوئے شیخی بگھاری کہ شہر کے کوچوں اور گلیوں میں کھوپڑیوں اور مختلف اعضا کے ڈھیر لگے ہوئے ہیں اور مسجد عمرؓ میں جہاں مسلمانوں نے پناہ لی تھی، خون اتنا بہا ہے کہ گھوڑوں کے گھٹنوں گھٹنوں ہوا ہے۔ وینس کے بحری بیڑے نے مہینے بھر تک حیفہ کا محاصرہ کر رکھا ہے۔ اس کے بعد ان لوگوں نے اس شہر کو بھی فتح کر لیا۔ انہوں نے اس شہر کے ایک ایک باشندے کو تہہ تیغ کر ڈالا، مردوں کو، عورتوں کو، بچوں کو۔ تو میرے بچے حیفہ کوئی نیا شہر نہیں ہے مگر ہوا یہ کہ ہر قتلِ عام اس انداز سے ہوا کہ کوئی باقی بچا ہی نہیں۔ جو آنے والی نسلوں کو بتا تا کہ ان کی اصل کیا ہے۔''

''لیکن اس سارے تقدس کے بارے میں آپ نے ہمیں کچھ نہیں پڑھایا، آخر کیوں؟''

''بات یہ ہے کہ انگریزوں کو یہ حق حاصل ہے کہ وہ اپنی تاریخ پر فخر کریں۔ خاص طور پر اپنے عظیم شہنشاہ شیر دل رچرڈ کے بارے میں لیکن ہم نے تمہیں یہ کچھ نہیں پڑھایا تو کیا ہوا۔ وہ لوگ ہنوز ہمارا خون بہانے میں مصروف ہیں اور اس طرح ہمارے دیس کو تقدس کا درجہ عطا کرتے چلے جا رہے ہیں۔ میرے بیٹے فاتحین صرف اسی تاریخ کو سچ سمجھتے ہیں جو انہوں نے خود گھڑی ہوتی ہیں۔''

''کیا جب یہ فاتحین رخصت ہو جائیں گے اور ہمارا ملک آزاد ہو جائے گا۔ اس وقت ہمیں اس تاریخ کے مطالعہ کی اجازت ہو گی؟''

''اس وقت کا انتظار کرو، دیکھو کیا ہوتا ہے۔''

''کیا وہ لوگ جس طرح مسجد عمرؓ میں داخل ہوئے تھے، اسی طرح مسجد جزار میں بھی گھس آئیں گے؟''

''خدا نہ کرے کہ ایسا ہو۔ وہ ایسا ہرگز نہیں کریں گے۔ بس اتنا ہی ہوتا رہے گا کہ وہ دروازے پر دستک دیں گے اور ہم جا کر کنڈی کھولیں گے۔ وہ عبادت گاہوں کے تقدس کو پامال نہیں کریں گے۔ مسجدوں کے باہر ان کے لیے بہت جگہ ہے۔''

میرے استاد نے ڈھارس بندھانے والی یہ گفتگو ابھی ختم ہی کی کہ دروازے کو کسی نے کھٹکھٹایا۔ استاد بولے ''وہ آ گئے۔''

''شاید میری خیریت معلوم کرنے کے لیے حیفہ سے آئے ہیں۔''

میں نے اونچی آواز میں کسی قدر تعجب کے ساتھ کہا لیکن میرے استاد دروازے پر پہنچ چکے تھے۔ وہ سائے کی طرح کے لوگ بھی جاگ پڑے تھے اور صحن مسجد میں بے مقصد چکر کاٹ رہے تھے۔

وہ کہہ رہے تھے کہ فوج نے فیصلہ یہ کیا ہے کہ جن پناہ گزینوں نے مسجد میں پناہ لی ہے، انہیں فوراً ان کے اپنے قریے میں بھیج دیا جائے اور ہمارے اوپر کا سانس اوپر اور نیچے کا سانس نیچے تھا۔

میرے برابر جو آدمی کھڑا تھا، وہ کہنے لگا ''یہ لوگ صبح تک انتظار نہیں کر سکتے؟''

اس کے سوال پر میں حیران رہ گیا۔ میں نے وہ مثل دہرائی کہ نیک کام جتنی جلد ہی ہو جائے، اتنا ہی اچھا ہے۔

پھر کسی نے بآواز بلند کہا ''صرف بدنصیب سعید پرنسپل صاحب کے ساتھ ٹھہرا رہے۔ باقی لوگ باہر نکل آئیں۔''

اب مجھے احساس ہوا کہ میرے استاد کی باتوں میں کتنی صداقت تھی۔ یہ لوگ برے سہی مگر شیر دل رچرڈ سے تو کم ہی برے تھے۔

شکریہ نامی عورت جس کی بیٹی مر گئی تھی، بیٹی کی لاش کو اپنے بازوؤں میں لے کر مشرقی دروازے سے باہر سٹک گئی۔ اس کے نکلتے نکلتے میں نے اس سے پوچھا کہ ''تم کہاں جا رہی ہو؟''

''صبح کو میں اپنی بیٹی کو عکسہ میں دفن کروں گی۔ پھر اپنا رستہ پکڑوں گی۔'' اس نے یہ کہا اور بازار کی بھیڑ میں غائب ہو گئی۔

کچھ لوگ جنوبی دروازے سے نکلے اور شہر کی پرانی گلیوں میں غائب ہو گئے۔ میں نے ان سے پوچھا کہ بھاگ کیوں رہے ہو؟

بولے ''ہمیں کسی ایڈون سفر شک کی حمایت حاصل نہیں ہے جنہوں نے ہمارے قریے تاراج کیے ہیں وہ بھلا ہمیں وہاں واپس کیوں لے جانے لگے ہیں۔''

باقی جو دیہاتی بچ رہے وہ اپنے ٹوٹے ہوئے سامان اور اپنے بچوں کے ساتھ بڑے شمالی پھاٹک سے باہر نکلے۔ انہیں بڑے بڑے ٹرکوں میں بٹھا دیا گیا۔ میرے استاد نے بعد میں بتایا کہ وہ انہیں شمالی سرحد کی طرف لے گئے ہیں۔ ٹرکوں نے انہیں وہاں اتارا اور لوٹ آئے۔

جب گاؤں والے لوگ چلے گئے تو میرے استاد صاحب میرے پاس آئے اور جس طرح میں دیوار پر کندہ گھڑی سے ٹکا کھڑا تھا اسی طرح وہ کھڑے ہو گئے۔ انہوں نے کہا کہ "بیٹے جو کچھ میرے علم میں تھا، وہ سب میں نے تمہیں بتا دیا ہے۔ اب تم جاؤ اور تھوڑا سو لو۔"

لیکن میں سو نہیں پایا۔

بات یہ تھی کہ اسی شب تو صبح کاذب ہونے پر مجھے عالمِ بالا کی طرف سے پہلا اشارہ موصول ہوا تھا۔

●◆●◆●

(10)

سعید انوکھے خاندانی راز سے پردہ اٹھاتا ہے

مجھے نیند نہیں آئی۔ جاگتا رہا۔ جاگتا رہا۔ اس وجہ سے نہیں کہ میں پریشان تھا بلکہ اس وجہ سے کہ اپنی خوش بختی کے تصور سے میری آنکھیں چندھیا رہی تھیں۔ میں بخیر و عافیت اپنے دیس میں آن پہنچا تھا جبکہ ادھر میری باقی قوم بے مقصد بھٹکتی پھر رہی تھی۔ گم گشتہ اور نکبت وادبار میں مبتلا جو اس طرح بھٹکتے پھرنے پر آمادہ نہیں ہوئے، انہیں زبردستی نکال دیا گیا۔

سب پر یہی کچھ گزری۔ بس ایک میں بچ نکلا۔ میں لُپ چُھپ کر اپنی بہن کے چاہنے والے ڈاکٹر کی کار میں بیٹھ گیا اور پھر یوں ہوا کہ مالیہ میں ہمارے میزبان کی جورو کے طفیل میری بہن کی آبرو بچ گئی۔ میں موٹر سے گدھے کی پشت پر اور گدھے کی پشت سے جیپ میں منتقل ہوا اور عکسہ جاتے ہوئے میں مرتے مرتے بس اس وجہ سے بچ گیا کہ مجھے عین وقت پر عقل آ گئی۔ میں نے مسجد جزار میں اپنے پرانے استاد کے سائے میں پناہ لی جسے میں نے اب معاف کر دیا تھا۔ سپاہیوں نے بس ایک مجھے چھوڑ دیا تھا۔ باقی سب کو ان کے بچوں سمیت ہنکا کر لے گئے۔ پھر بھلا میں اس رات کو برکت والی رات کیوں نہ سمجھتا۔ ایسی رات کہ جس کی برکت صرف میرے لیے مخصوص تھی۔

ظاہر ہے کہ خوش بختی ایڈون سفسر شک کی وجہ سے تو نہیں تھی۔ پھر کیا وجہ تھی۔ کوئی جادو کی انگوٹھی یا الہٰ دین کا چراغ؟ ضرور کوئی غیبی طاقت پیچھے کام کر رہی تھی۔

تو میں نے طے کیا کہ مسجد سے نکلو اور پتا لگاؤ کہ کیا بھید ہے۔ میرے باہر نکلنے کے بعد کیا ہوا، یہ تو بعد میں بتاؤں گا۔ پہلے میں آپ کو یہ بتا دوں کہ قنوط رجائی ہونے کے علاوہ بھی ہمارے قدیمی خاندان کی ایک صفت ہے اور یہ کہ ہمارے خاندان والے طلاق دینے میں بہت طاق رہے ہیں:

میرے باپ نے جب شہادت پائی تو وہ اصل میں اس وقت اپنے قدموں کے آس

پاس زمین کو ٹٹو ہ رہا تھا، اس لیے حملہ کا پتہ ہی نہ چلا۔ بے خبری میں زد میں آ گیا۔ اس کے باپ کے ساتھ بھی یہی ہوا تھا کہ وہ جھکا ہوا اپنے قدموں کے آس پاس کچھ ڈھونڈ رہا تھا کہ کسی نے چکی کا پاٹ اس کے سر پہ دے مارا اور وہ مر گیا۔ تو یہ ہماری خاندانی صفت ہے۔ ہم ہمیشہ اس چکر میں رہے کہ کسی راہگیر کی دولت مل جائے، کوئی خزانہ ہتھے چڑھ جائے جس سے ہمارے دلدر دور ہو جائیں۔

جناب آپ یقین کریں کہ دنیائے عرب میں جو بھی بڑھیا جھک کر چلتی ہے وہ ہمارے خاندان سے ہوگی۔ اسی طرح ایسے نوجوان جو ریڈیو سے نشر ہونے والی ہر خبر پابندی سے سنتے ہیں، ان مچھروں کی طرح ہیں جو کسی سونے کی مچھلی کو پکڑنے کے چکر میں کانٹا ڈالتے ہیں وہ سب ہی ہمارے قریبی رشتہ دار ہیں۔

لیکن اس سے یہ نتیجہ مت نکالیے کہ ہمارے اجداد کے ہمیشہ سر پھوٹتے رہے ہیں۔ ہمیں گمشدہ دولت بھی بہت ملی ہے۔ یہ الگ بات ہے کہ ہمارے دلدر پھر بھی دور نہ ہوئے۔

ہمارا ایک خاندانی راز یہ ہے کہ جب سلطنتِ عثمانیہ والے یہاں سے بستر بوریا باندھ رہے تھے اور انگریز یہاں براجمان ہو رہے تھے تو میرے تایا جان نے اپنے گھر بار کو خیر باد کہا اور اپنے قریئے کو...... (دیکھیے ہم فری میسن قسم کے لوگ ہیں اور اس قسم کی تفصیلات ظاہر نہیں کیا کرتے) جب ہمارے تایا جان اپنی خاندانی عادت کے مطابق نیچے زمین کو تکتے چل رہے تھے تو ایک برباد مکان کے ایک پتھر سے ٹکرا گئے اور چونکہ ان کی کھوپڑی زیادہ مضبوط تھی اس لیے ہوا یہ کہ وہ پتھر اپنی جگہ سے ہل گیا۔ پتھر جہاں سے ہٹا تھا وہاں ایک لمبی پتلی سی جگہ نظر آئی۔ سیڑھیاں دکھائی دیں کہ نیچے کی طرف جا رہی تھیں۔ وہ ان سیڑھیوں سے نیچے اترے تو دیکھا کہ ایک غار سا ہے اور اندھیرا ہے ان کے دماغ میں ایک خیال آیا، انہوں نے فوراً اپنا چراغ جلایا اور اس کی روشنی میں انہیں کچھ سنگِ مرمر کے مزار نظر آئے۔ ان مزاروں کو انہوں نے کھولا تو وہاں انہیں کھوپڑیاں، کچھ ڈھانچوں کے بچے کھچے حصے اور کچھ سونے کی اشرفیاں دکھائی پڑیں۔ یہ اشرفیاں انہوں نے جھٹ پٹ سمیٹیں اور اپنے ڈھیلے ڈھالے پاجامے کے نیفے میں اُڑس لیں۔ آخر میں ایک مزار سے سِل اٹھائی جو باقی مزاروں سے زیادہ بڑی تھی۔ وہاں انہیں ایک کھوپڑی نظر آئی جو باقی کھوپڑیوں سے چھوٹی تھی اور اس کھوپڑی کے برابر میں ایک خالص سونے کا مجسمہ نظر آیا۔ یہ منگو خاں (12) کا مجسمہ تھا جو ہلاکو خاں (13) کا سب سے بڑا بھائی تھا اور ہلاکو خاں وہ تھا جسے چین کی مہم

کے دوران پیچش ہو گئی تھی اور اسی پیچش سے وہ مرا تھا۔ اس کی لمبی تڑنگی لاش دو گدھوں پر لاد کر دارالسلطنت میں لائی گئی تھی۔ اس زمانے میں بوائے اسکاوٹ نہیں ہوا کرتے تھے نہ اسکول تھے۔ اس لیے لڑکوں کو سڑک پر دو طرف قطار اندر کھڑے کرنے کا بندوبست نہیں ہو سکتا تھا۔ اس صدی کی تیسری دہائی میں حیفہ میں ایسا بندوبست کیا گیا تھا۔ ہمیں ناصرہ اسٹریٹ پر قطار بنا کر کھڑا کر دیا گیا کہ اس راہ سے شاہ فیصل اول کی میت گزرنی تھی۔ شاہ کا انتقال سوئٹزرلینڈ میں ہوا تھا مگر پیچش (14) سے نہیں۔ بعد میں یہاں شاہ کا مجسمہ نصب کیا گیا تھا۔

فیصل اول کے سوگ میں ہم نے اپنی پڑھائی کے تین دنوں کی بھینٹ دی مگر منگولوں نے بھینٹ کا دوسرا طور اختیار کیا تھا۔ خان اول کے احترام میں انہوں نے ہر اس شخص کی گردن ماری جو میت کے راستے میں نظر آ گیا۔ مورخوں کے بیان کے مطابق منگولوں نے جلوس جنازہ کے موقع پر بیس ہزار آدمیوں کی بھینٹ لی۔ پھر بعد میں ایک اور جان کی بھینٹ لی۔ وہ میرے تایا جان کی جان تھی۔ سات صدیوں بعد انہیں منگو خاں کا مجسمہ دستیاب ہوا اور اس چکر میں ان کی جان چلی گئی۔

میرے تایا جان جب نیچے پہنچے تو انہوں نے جانا کہ ان کے ہاتھ خزانہ آ گیا ہے۔ وہ خزانہ جو ان کا خاندان کتنی نسلوں سے ڈھونڈتا چلا آ رہا تھا۔ وہ خوشی سے ایسے پھولے کہ ہاتھ سے چراغ گر گیا۔ اندھیرے میں انہیں دروازہ دکھائی نہیں دیا۔ انہوں نے اپنی بیوی کو پکارنا شروع کر دیا۔ ان کا گھر اس کھنڈر کے برابر ہی تو تھا۔ انہوں نے اندازہ لگایا کہ جہاں وہ ہیں، عین اس کے اوپر ان کا گھر ہونا چاہیے تو ان کی آواز بیوی کے کانوں تک پہنچ گئی۔ تب انہوں نے یہ سارا قصہ جو ابھی بیان ہوا، اسے سنایا۔ انہوں نے اسے قسم دلائی کہ یہ قصہ کسی کو نہ بتائے۔ حتیٰ کہ اپنے بھائی کو بھی نہیں۔ بس کھنڈر کی دیوار میں جو دراڑ اُسے نظر آئے اس کے راستے وہ نیچے آ جائے۔ وہ گھر سے باہر نکلی اور ڈھونڈتی پھری مگر پورے قریے میں اسے کوئی کھنڈر نظر نہیں آیا۔ وہ واپس گھر آئی اور زمین پر پیشانی لگا کر چلا چلا کر اس سے بات کرنی شروع کر دی۔ انہوں نے اس بداحتیاطی پر اسے جھڑکا اور کہا کہ اپنی زبان بند رکھو۔ صبح جب ہو گی اور اُجالا ہو گا تو مجھے رستہ دکھائی دے گا اور پھر میں یہاں سے نکلوں گا۔

جب تایا جان واپس نہ آئے تو ان کی زوجہ نے اپنے عزیزوں سے یہ ذکر کیا۔ انہوں نے بہت تلاش کی مگر کوئی کھنڈر نہیں نظر آیا اور حکام کو انہوں نے یہ اطلاع دینی مناسب نہیں سمجھی کہ

وہ خود اس خزانے پر قبضہ کر لیتے۔ بس وہ خود ہی تایا جان کو اور منگو کے مجسمہ کو ڈھونڈتے رہے حتیٰ کہ یہ مملکت معرضِ وجود میں آ گئی۔ ان کی زوجہ کا یہ ہوا کہ جب تک اسے دوسرا شوہر میسر نہیں آ گیا، وہ دنیا سے رخصت نہیں ہوئی۔ بہر حال یہ دوسرا شوہر قوتِ مردمی سے محروم نہیں تھا۔

بچپن ہی میں مَیں نے یہ فیصلہ کر لیا تھا کہ میں اپنے باپ دادا کی خمیدہ کمر کے ساتھ دنیا سے نہیں جاؤں گا۔ سو میں نے زمین میں خزانہ تلاش کرنے کی کبھی کوشش نہیں کی۔ اس کے برعکس میں نے عالمِ بالا میں خزانہ ڈھونڈنا شروع کیا۔ فضائے بسیط میں یا شاعر ابن العربی[15] کے لفظوں میں فضا کے بحرِ ناپید کنار میں۔

جب ہم ابتدائی اسکول میں پڑھتے تھے تو قسمت سے ہمیں ایسا کمبخت استاد میسر آیا جسے فلکیات کا جنون تھا۔ اس نے ہمیں عباس ابن فرناس[16] اور زولے ورن کی باتیں سنائیں۔ بوعلی سینا سے لے کر باطنی الحرانی تک سب عرب ماہرین فلکیات پر وہ فخر کیا کرتا تھا۔ بوعلی سینا[17] وہ شخص ہے جس نے سب سے پہلے سورج کے داغ دھبوں کا مطالعہ کیا اور باطنی الحرانی[18] وہ ہے جس نے پہلی بار استخراج کیا کہ مساوات اوقات میں دھیرے دھیرے کر کے ایک زمانے کے بعد تبدیلی آ جاتی ہے اور اسی شخص نے پہلی بار شمسی سال کی مدت کا حساب لگایا۔ ہمارے منحوس استاد نے ایک مرتبہ یہ اعلان کیا کہ شمسی سال کی اصل مدت 365 دن 50 گھنٹے، 48 منٹ، 46 سیکنڈ ہے لیکن الباطنی نے حساب لگا کر بتایا کہ اصل میں یہ عرصہ 365 دن، 50 گھنٹے، 46 منٹ، 32 سیکنڈ ہے۔ گویا اس کے حساب میں 2 منٹ، 4 سیکنڈ کا فرق پڑ گیا۔ ہمارے بخت مارے استاد نے اس سے یہ نتیجہ مرتب کیا کہ عربوں کا ذہن کسی زمانے میں بہت تیز چلتا تھا۔ یوں سمجھیے کہ زمین جتنی تیزی سے سورج کا چکر کاٹتی ہے اس سے زیادہ تیز ان کا ذہن چلتا تھا لیکن اب عربوں نے اپنے ذہن کی براقی اغیار کے حوالے کر دی ہے۔

اس جہنمی استاد کا طور یہ تھا کہ اسکول ختم ہونے کے بعد ہمیں کلاس میں بٹھائے رکھتا۔ کھڑکیاں بند کر دیتا اور پھر بڑے فخر سے ہمیں سائنسدان البیرونی[19] کے متعلق بتاتا جس نے یہ دریافت کیا تھا کہ زمین گول ہے اور ساری مادی اشیاء اس کی طرف کھنچتی ہیں اور نیوٹن سے آٹھ سو سال پہلے اس نے یہ حقیقت دریافت کی تھی۔ یہ استاد اٹھتے بیٹھتے حسن ابن الہیشم[20] کا وظیفہ پڑھتا تھا۔ اس کا ذکر کرتے کرتے اس کی آواز دھیمی پڑ جاتی۔ اس انداز سے جیسے کوئی سازش کی بات ہو رہی ہے۔ وہ بتاتا کہ آج کا جو سائنسی طریق کیا ہے اور جس میں مادی حقیقت کے

مشاہدے سے استنباط کیا جاتا ہے اور مماثلت کی مدد سے استدلال کیا جاتا ہے، اس کی ابتدا اصل میں ابن الہیثم نے کی تھی۔ اس منحوس استاد کی دانست میں عرب عمل پہلے کرتے تھے۔ خواب بعد میں دیکھتے تھے۔ اب یہ حال ہے کہ خواب دیکھتے ہیں اور پھر خواب ہی دیکھتے رہتے ہیں۔

میں نے یہ خواب دیکھنا شروع کر دیا کہ تاریخ نے جس طرح قدیمی ماہرین فلکیات کو یاد رکھا ہے اسی طرح مجھے بھی یاد رکھے گی۔ میں یہ خواب ٹھیک اس دن تک دیکھتا رہا ہوں جس دن ان لوگوں نے میرے باپ پر شب خون مارا اور اسرائیل کی مملکت قائم کی۔

یہی بد بخت استاد ہمیں یہ باور کرانے کی کوشش کرتا رہا تھا کہ صفر آج جس طرح استعمال ہوتا ہے، یہ عربوں کی ذہنی ایجاد ہے اور پھر انہوں نے اس پر یہ اضافہ کیا کہ صفر کو ایک سے تقسیم کیا اور ثابت کیا کہ فضا بے کراں ہے اور اس میں کائنات کی صورت بقول ابن العربی ایسی ہے جیسے ''وہ ابدیت کے گھور اندھیرے میں ایک بحر ناپید کنار میں تیر رہی ہو۔''

یقیناً ہماری دنیا کے سوا اور دنیائیں بھی ہوں گی اور ہماری دنیا سے بہتر ہی ہوں گی اور ان دنیاؤں کو ہم تو دریافت ہی کرتے رہ جائیں گے، پہلے وہ ہمیں دریافت کریں گی۔ خیر ترکوں نے بستر بوریا سمیٹا اور انگریز آن براجے مگر اس استاد کے نظریوں میں ذرا جو فرق آیا ہو اور میں ان لوگوں کا کیسے منکر ہو سکتا ہوں، میں ایک جوان آدمی ہوں اور ابھی میری پوری زندگی پڑی ہے اور انگریزوں کا بستر گول ہو چکا ہے اور اسرائیل وجود میں آ چکا ہے۔

ہاں بس اس وقت سے میری نظریں آسمان کو تک رہی ہیں اور ان کی راہ دیکھ رہی ہیں یا تو وہ میری بے رنگ بے کیف زندگی کو یکسر بدل ڈالیں گے یا مجھے اپنے ساتھ لے جائیں گے۔

اس کے سوا کوئی اور صورت نہیں ہے۔

بس یہ وجہ تھی کہ میں صبح کاذب میں مسجد جزار سے باہر نکل آیا اور عکسہ کی تاریک گلیوں میں گھومنے پھرنے لگا۔ آنکھیں میری مستقل آسمان کی طرف لگی ہوئی تھیں۔

●◆●◆●

(11)

سعید کو یاد آتا ہے کہ لبنانی سرحد پر واقع وادی میں وہ شہید کی موت پانے سے کیسے بچ گیا

مجھے اپنی جان کا کھٹکا تو تھا نہیں۔ اطمینان تھا کہ مجھ پر کوئی آفت نہیں ٹوٹے گی۔ سو میں مڑ گشت کرتا شمالی دروازے کی سیڑھیوں سے اترا، پینے کے پانی کے چشمے پر جا کر کٹورے میں پانی لیا، سیر ہو کر پیا، الحمد الجزر کے ایصال ثواب کے لیے دعا کی اور اپنے رستے پر چل پڑا۔

سڑک جو شمال میں راس النقرہ کی طرف اور وہاں سے لبنان کی طرف نکل جاتی ہے، میرے سامنے پھیلی ہوئی تھی۔ اس سڑک کو دیکھ کر مجھے غزالہ کا دھیان آ گیا۔ ندامت سے میرا سر جھک گیا۔ میں پلٹ کر دوسری طرف ہو لیا۔

ہم تین نوجوان ساتھ نکلے تھے۔ ہم تینوں ہم جماعت تھے۔ 1939ء کی عام ہڑتال کے خاتمہ کے بعد ہم نے آپس میں طے کیا کہ یہاں سے لبنان چلیں۔ وہاں عرب مزاحمت کے ہیڈ کوارٹر میں جا کر ہتھیار حاصل کریں۔ ہم نے کار کرائے پر لی اور راس النقرہ کی طرف نکل گئے۔ وہاں کار سے اتر کر ہم پیدل ہو لیے اور دائیں سمت میں انگوروں کے باغ سے ہوتے ہوئے آگے نکل گئے۔ چلتے چلتے ہم ایک کھائی میں اتر گئے۔ یوں لگا کہ آسمان پر اندھیرا چھا گیا ہے۔ جب کھائی کو پار کر کے ہم نے پہاڑی پہ چڑھنا شروع کیا تو ہم اس وقت تک بالکل تھک چکے تھے اور پیاس سے زبان پر کانٹے پڑ گئے تھے۔ میرے دوست کہہ رہے تھے کہ چلتے چلو مگر میں نے رونا شروع کر دیا۔ آخر کار وہ مجھے چھوڑ کر آگے چل پڑے اور کہا کہ ''سوچ لو، تم ہمارے ساتھ چڑھائی چڑھو گے یا یہاں شہید کی موت مرنا پسند کرو گے۔'' آخر میں نے طے کیا کہ انہیں کے ساتھ چلتے ہیں لیکن ہر مرتبہ یہ ہوا کہ جب تیز تیز چل کر ان کے برابر پہنچ جاتا تو پتا چلتا کہ وہ انگور کھا کر اپنی

پیاس بجھا چکے ہیں۔ میں نے بھی پیاس بجھانے کے لیے یہی طریقہ اختیار کیا مگر وہ میرے انتظار میں رکنے کے لیے تیار نہیں تھے۔

اتنے میں ایک دوشیزہ نمودار ہوئی، یہی میری عمر کی ہوگی۔ اس نے باپ کو پکار کر کہا ''فلسطین سے ایک جوان آیا ہے۔'' باپ نے وہیں سے جواب دیا کہ بیٹی کچھ کھلا پلا کر اس کی تواضع کرو۔ ہم نے آپس میں اِدھر اُدھر کی باتیں کیں۔ بس میں اس پر مر مٹا۔ کہنے لگی میرا نام غزالہ [21] ہے۔ مجھے وہ اپنا غزال سمجھ بیٹھی، لڑکیاں بہت جلدی فریفتہ ہو جاتی تھیں۔

میں نے اس سے پیمان کیا کہ میں اگلے ہفتے ہتھیار لے کر پلٹوں گا اور تم سے یہیں انگور کی اسی بیل کی چھاؤں میں ملوں گا۔ وہ بولی میں اپنے باپ کو بتاؤں گی۔ فلسطین سے جوان رعنا کے ہاتھ میں بیٹی کا ہاتھ پکڑانے سے وہ انکار نہیں کرے گا۔

میں اس کا بوسہ لینے کے لیے جھکا مگر وہ ہرنی کی طرح بھڑک کر نکل بھاگی۔ ہنستے ہوئے بولی ''پہلے بیروت ہو آؤ۔'' میری سمجھ میں نہ آیا کہ وہ اس طرح تڑپ کر کیوں نکل گئی لیکن رکنے کا وقت نہیں تھا۔ دوست آگے نکل گئے تھے۔ مجھے دوڑ کر ان کے پاس پہنچنا تھا۔

میں نے دیکھا کہ وہ شاہراہ پر رکے کھڑے ہیں۔ لبنانی سرحد کے کئی پہریداروں نے انہیں گھیر رکھا ہے۔ میں نے دل میں کہا کہ اچھا ہی ہوا کہ میں غزالہ کی محبت کے جال میں پھنس کر پیچھے رہ گیا تھا۔

پولیس انہیں پکڑ کر ایک طرف بائیں سمت میں لے گئی۔ وہاں سے ساحل پر واقع ایک کیمپ میں لے گئی۔ یوں وہ میری نظروں سے اوجھل ہو گئے۔ ویسے تو وہ اسی سڑک پر گئے تھے جس پر میں تھا مگر وہ مخالف سمت میں گئے تھے۔ اس لیے ان کی نظر مجھ پر نہیں پڑی۔ میں خوش تو تھا کہ بچ گیا لیکن پھر میں پریشان ہوا کہ میرے پاس تو دمڑی بھی نہیں ہے اور نہ کسی کا پتا میرے پاس ہے تو میں کہاں جاؤں گا اور بیروت میں کیسے کام چلے گا۔

میں نے دل میں کہا کہ میری حالت تو قید سے بھی بدتر ہوگی۔ سوچا کہ اس کے سوا کوئی چارہ نہیں کہ دوستوں سے جا ملیں ہمہ یاران دوزخ اور قید بہر حال اس حالت سے تو بدرجہا بہتر ہوگی۔ جب میں ان کے پاس پہنچا تو افسر نے پوچھا ''تم کون ہو جی؟''

میں نے جواب دیا ''دو یہ ہیں، تیسرا میں ہوں۔''

''تمہیں باؤلے کتے نے کاٹا ہے کہ تم ان کے ساتھ ہو کر مصیبت میں پھنس رہے ہو۔''

''بات یہ ہے کہ میرے پاس تو پھوٹی کوڑی بھی نہیں ہے اور نہ میرا کوئی ٹھکانہ ہے، میں

اور کہاں جاؤں۔"

"تمہاری رقم کہاں گئی؟"

"ہم میں سے جو سب سے بڑا ہے، اس کے پاس ہے۔"

"ہم نے پیسا دھیلا جوڑ کر بیس پونڈ اکٹھے کیے تھے، پولیس نے اس میں سے دس پونڈ ہتھیا لیے۔ باقی دس پونڈ ہمیں ڈانٹ پھٹکار کر ہمارے سینئر ساتھی کے حوالے کر دیئے ہم نے یہ رقم بیروت کے بازار حسن میں جا کر پھونک ڈالی اور پھر چلے واپس گھر کی طرف۔ اس مرتبہ ہم نے شاہراہ عام سے کٹ کر انگور کے باغوں کے رستے جانے کی ضرورت نہیں سمجھی۔ ہم نے دس پونڈ کی جو رشوت دی تھی، اس کے بل پر ہم دونوں چوکیوں سے آزاد گزر سکتے تھے۔ جب واپسی میں اس افسر سے ہماری مڈھ بھیڑ ہوئی تو اس نے پوچھا "میرے شیرو، تمہارے ہتھیار کہاں ہیں؟"

ہمارے سینئر نے جواب دیا "علم ہمارا ہتھیار ہے۔"

افسر نے اس کے چوتڑوں پر لات ماری اور چلا کر کہا "چلو نکل جاؤ۔"

ہم چوکی سے گزر کر اپنی سرحد کی طرف لپکے۔ ہمارے سینئر نے بھاگتے بھاگتے کہا "نہ جاننے سے کچھ نہ کچھ جان لینا اچھا ہوتا ہے۔"

"خیریت گزری کہ اتنا ہی ہوا اور زیادہ کچھ نہیں ہوا۔" میرے اس طرح کہنے پر میرے ساتھیوں نے مجھے ایسا تھپڑ رسید کیا کہ میں بلبلا اٹھا۔

لیکن اصل بات یہ ہے کہ میں غزالہ کے لیے بلبلا رہا تھا۔ غزالہ کا غزال بیروت میں اپنی روح گم کر بیٹھا تھا۔ اب میری سمجھ میں آیا کہ اس نے مجھے بوسہ کیوں نہیں دیا تھا۔

بعد میں جب میں پناہ گزین بن کر تور پہنچا تو میں تڑپتا رہا کہ کسی سرحد والے انگوری باغ جاؤں مگر ایک دن میری بہن کے چاہنے والے ڈاکٹر نے یہ کہا فلسطین والے پناہ گزین بن گئے ہیں اور اب دوشیزائیں ان سے کترانے لگی ہیں۔ بس یہ سن کر مجھ پہ اوس پڑ گئی۔ اس کے بعد پناہ گزین دوشیزائیں میری توجہ کا مرکز بن گئیں۔ میں نے دل میں کہا کہ پناہ گزین دوشیزائیں پناہ گزین نوجوان کا رزق ہیں لیکن پھر مجھ پہ یہ راز کھلا کہ پناہ گزیں دوشیزاؤں کا معاملہ ہم پناہ گزیں نوجوانوں سے مختلف ہے، ان کی تو بہت مانگ ہے۔ سو ان کے پاس ہمارے لیے وقت نہیں ہے۔

سو میں مملکت اسرائیل میں واپس آیا، اس عالم میں کہ سخت پیاس لگ رہی تھی۔

●◆●◆●

(12)

سعید صبح صادق کے طفیل عکسہ کی زمین دوز سرنگوں میں گم ہونے سے کیسے بچا؟

سوائے میرے عزیز محترم، اس باعث میں بیروت سڑک سے کنی کاٹ کر بائیں سمت میں مڑ گیا اور عکسہ کی گندی آبادیوں میں جا نکلا۔ مسجد کے گرد چل کر خرابہ کوارٹر میں داخل ہوا۔ صبح کاذب غائب ہوگئی اور رات کی سیاہی گہری ہوگئی۔ میں گرتا پڑتا راستہ ٹٹولتا چلا جا رہا تھا کہ مغرب کی سمت میں سمندر کی طرف سے مجھے ایک روشنی دکھائی دی جو وقفہ وقفہ سے ایک آہنگ کے ساتھ جل بجھ رہی تھی جیسے مجھے آنکھ مار رہی ہو اور اشارے کر کے بلا رہی ہو۔

اس روشنی سے مجھے عربی کے اپنے پرانے استاد یاد آ گئے جن کی ایک آنکھ جھپکتی تھی۔ جب میں نے پہلی بار انہیں آنکھ جھپکتے دیکھا تو میں یہ سمجھا کہ وہ مجھے بلیک بورڈ کے پاس بلا رہے ہیں۔ چنانچہ میں اٹھ کر بلیک بورڈ کے پاس پہنچا اور پوری کلاس کے روبرو ہو گیا۔ استاد نے چلا کر کہا "احمق اپنی نشست پہ جا کے بیٹھ۔" اور میں واپس اپنی نشست پر جا بیٹھا۔

لیکن ان کی بائیں آنکھ جھپکتی رہی۔ یوں سمجھو کہ وہ مجھے آنکھ سے اشارہ کرتے رہے۔ بالآخر میں نے اپنی دانست میں ان کا اشارہ سمجھ لیا۔ جب انہوں نے ترانہ گانا شروع کیا کہ "فلسطین میرا دیس ہے۔ سو آؤ سب کے سب اے مرے بچو۔" اور اسی کے ساتھ آنکھ مارنی شروع کر دی تو ابھی ایک شعر بھی پورا نہ ہوا تھا کہ میری ہنسی نکل گئی۔ وہ ایک دم چپ ہو گئے اور میرے کلاس فیلوز کا یہ حال کہ ان کا تنفس تیز ہو گیا تھا جسے میں صاف سن سکتا تھا۔ اچانک انہوں نے بلیک بورڈ والی چھڑی اٹھائی اور مجھ پر برسانی شروع کر دی۔ چھڑی کے ٹکڑے ٹکڑے ہو گئے۔ انہوں نے مجھے حکم دیا کہ کلاس کے بعد رکے رہو۔ عہد جاہلیت کے شاعر شہزادہ امراء القیس (22)

کے چند شعر سنائے اور کہا کہ ہر شعر کو بیس بیس مرتبہ لکھو۔

یاد رہے بیس بیس مرتبہ۔ بس اس وقت سے مجھے احساس ہو گیا کہ طنز کا کیا نتیجہ نکلتا ہے اور اسی کے لیے میں اپنے استاد کی آنکھ کی دڑک کا احساس مند ہوں۔ میرے لیے یہ اچھا ہی ہوا کہ اپنی چھڑی مجھے مار مار کر توڑ ڈالی۔

لیکن ظاہر ہے کہ مغرب کی سمت سے جو روشنی میرے ساتھ نگاہ بازی کر رہی تھی، وہ میرے استاد کی بائیں آنکھ نہیں تھی۔ مسجد میں جمع لوگوں نے مجھے بتایا کہ استاد مرحوم حیفہ سے گولہ بارود لے کر عکسہ جا رہے تھے کہ راستے میں شہید کر دیئے گئے۔ انہوں نے بتایا کہ یہ اسی ہفتے کی بات ہے جس ہفتے برطانوی فوج نے یروشلم میں مسرارہ کی لڑائی میں اور قتل میں اس کے ڈھلوانوں پر باغیوں کا استعمال کیا تھا۔ یہ اس وقت سے ذرا پہلے کی بات ہے جب ابوحنیق یعنی گلب پاشا[23] کی سربراہی میں عرب لیجن نے فلسطین کے ان علاقوں پر یلغار کی تھی جن کو عربوں سے خالی کرا لینے کا فیصلہ کیا گیا تھا۔

سو میں جھپکتی روشنی کی طرف چلا، اس اعتماد کے ساتھ کہ یہ کوئی اشارۂ غیبی ہے لیکن جب میں سمندر پہ پہنچا تو پتا چلا کہ وہ تو میرے بائیں پہ واقع عکسہ کا لائٹ ہاؤس تھا جو مجھ سے نگاہ بازی کر رہا تھا۔

بہر حال اس روشنی کو دیکھ کر مجھ میں ایک جھرجھری ضرور پیدا ہوئی۔ اس لیے کہ یہی تو ایک روشنی رہ گئی تھی۔ میرے ڈرے ہوئے بیراگی شہر کی باقی تو ساری روشنیاں گل کر دی گئی تھیں۔ میں نے لائٹ ہاؤس کی طرف قدم بڑھائے۔ سڑک خالی، سمندر خاموش تھا، جوار بھاٹے کی لہر اُتر رہی تھی اور حرکت صرف اس وقت پیدا ہوتی تھی جب موجیں فصیل کے ساتھ دبکی ہوئی چٹانوں کو جا چھوتی تھیں اور چٹانیں کچھ اس انداز سے دبکی ہوئی تھیں جیسے کسی نئے نپولین[24] کے ٹوپ کو اچانک لینے کے داؤں پر ہوں۔

ہاں میرے عزیز بالکل یہی صورت ہے۔ اگر آدمی لوگ دبک کر دم سادھ کر بیٹھ سکتے ہیں تو عکسہ کی چٹانیں ایسا کیوں نہیں کر سکتیں۔ عکسہ والے ہمیشہ ایک تحقیر کے ساتھ کہتے چلے آئے ہیں کہ عکسہ سمندر کے گرجنے سے نہیں ڈرتا لیکن ان کے ہمسائے یعنی حیفہ والے بھاگنے میں ان سے پیچھے نہیں رہے۔ سر پہ پاؤں رکھ کر اس طرح بھاگے کہ سمندر کی طوفانی موجیں بھی ان کا راستہ نہیں روک سکیں۔ اس طرح حیفہ والوں نے ثابت کیا کہ وہ عکسہ والوں سے بڑھ کر سمندر سے بے خوف ہیں۔

اچانک مجھے آواز سنائی دی ''سعید، سعید۔'' میں اس وقت اس شخص کی مانند تھا جو کسی

درز سے آنکھیں لگائے کسی دوشیزہ کے کمرۂ خواب میں جھانک رہا ہو۔ میں بہت سٹپٹایا۔ چاہتا تھا کہ لوٹ جاؤں لیکن اس آواز نے مجھے ڈھارس دلائی۔ میں نے کہا ''میں یہ رہا۔''

آواز آئی ''اور پاس آؤ۔''

میں نے دیکھا کہ لائٹ ہاؤس کی چٹانوں میں سے ایک شخص نمودار ہوا ہے۔ لائٹ ہاؤس کی جلتی بجھتی روشنی میں وہ گھڑی میں دکھائی دیتا۔ گھڑی میں اوجھل ہو جاتا۔ اس نے ایک نیلا لبادہ اوڑھ رکھا تھا جس پر سفید جھاگ کے دھبے پڑے تھے۔ اس طرح وہ لائٹ ہاؤس ہی کی طرح نظر آ رہا تھا۔ وہ آگے بڑھا تو میں بھی اس کی طرف بڑھا۔ ہم ایک کھلی جگہ کے وسط میں ایک دوسرے سے ملے جس کے ایک کنارے پر دائیں جانب سمندر تھا۔ دوسرے کنارے پر بائیں جانب فاخرہ کوارٹر تھا۔

اس کا چہرہ خاصا زیادہ چھپا ہوا تھا لیکن بہرحال مجھے اس کے چہرے کی جھریاں تو صاف نظر آ رہی تھیں۔ جب مشرق سے چلنے والی ہواؤں سے سطح سمندر پر سلوٹیں پڑتی نظر آتی ہیں۔ کچھ اسی رنگ کی یہ جھریاں تھیں۔ مجھے عجب سا احساس ہوا کہ ان جھریوں میں ویسا ہی حسن ہے جیسا اٹھتی جوانی میں ہوتا ہے اگر یہ اتنی باریک اور داغ دار شب نہ ہوتی تو میں بڑھ کر اس کے رخساروں کو چوم لیتا۔

اس کی آنکھوں کو بھی میں نے دیکھا۔ یہ بڑی بڑی اور ان میں کتنی گہرائی تھی، جب اندھیرا ہو جاتا تو اس گہرائی میں اضافہ ہو جاتا۔ جب لائٹ ہاؤس کی روشنی واپس آتی تو پھر وہ آنکھیں چھلکتی دکھائی دیتیں گویا یہ آنکھیں تیزی سے گزرتے روز و شب کی علامت بنی ہوئی تھیں۔

میں نے یہ بھی دیکھا کہ اس کی پیشانی غیر معمولی طور پر کشادہ تھی۔ پہلی نظر میں جیسی نظر آئی تھی اب اس سے کہیں زیادہ کشادہ نظر آ رہی تھی۔ اس واقعہ کے سالوں بعد ایسا ہوا کہ میں ایک عمارت کے سامنے کھڑا تھا۔ پہلے مجھے بس اس حد تک گمان ہوا کہ یہ ایک بلند عمارت ہے لیکن جب نظریں اٹھا کر دیکھا تو وہ ایک فلک بوس عمارت تھی اور اتنی اونچی تھی کہ پوری بلندی کو میں دیکھ بھی نہیں پایا۔ ایک فلک بوس عمارت جسے اسکائی اسکریپر کہتے ہیں۔ میں نے آج پہلی مرتبہ دیکھی تھی۔ اسے دیکھ کر مجھے معاً اس شخص کی پیشانی کا خیال آیا۔

اس نے مصافحہ کے لیے میری طرف ہاتھ بڑھایا۔ میں نے گرم جوشی سے مصافحہ کیا اور مجھے ایسا سکون حاصل ہوا کہ میں نے اس کے ہاتھوں میں ہاتھ دے دیئے۔ مجھے یوں لگا جیسے اس کی ہتھیلی میں کوئی جادو ہے۔

''تم میری ہی تلاش میں تھے نا؟'' اس نے سوال کیا۔

''محترم میں تو ساری زندگی آپ ہی کو تلاش کرتا رہا ہوں۔ آخر آپ تشریف لے ہی آئے۔''

''ہم تو ہمیشہ سے یہیں تھے۔ انتظار میں تھے کہ تم کب ہمارے پاس آتے ہو۔''

''اور ذرا غور فرمائیے۔'' اور جب میں یہ کہہ رہا تھا تو میرا ہاتھ ابھی تک اس کے ہاتھوں میں تھا۔ ''میں سمجھتا تھا کہ مصافحہ بہت غیر مہذب قسم کی رسم ہے۔''

وہ مسکرایا اور اس کے ساتھ ہی اس کی جھریاں لہروں کی طرح مرتعش ہو گئیں۔ کہنے لگا ''ہمارے خیال میں جب تم نے اس عمارت کو اپنا لیا تو گویا تم نے ہماری سمت میں آدھا رستہ طے کر لیا تھا۔ ہم سب سے پہلا نبی اس شخص کو مانتے ہیں جس نے داد کے طور پر تالی بجانے کا آغاز کیا۔ ہم نے زندہ جاوید لوگوں کی لوح پر سب سے پہلے اس کا نام کندہ کیا تھا۔ ہمیں بڑی شرم آتی ہے کہ آپ لوگ اب تک فنکار کو اس طرح داد دینے میں بخل سے کام لیتے ہیں۔ ہاں ہم نے دو اور شخصوں کو یہ اعزاز بخشا ہے کہ اس لوح پر باقیوں سے پہلے ان کے نام کندہ کیے۔ ایک اس شخص کا جس نے سب سے پہلے آگ روشن کی اور دوسرا اس شخص کا جس نے سب سے پہلے اپنے بھائی سے مصافحہ کیا۔ اپنے ہاتھ کو میرے ہاتھ میں دیئے رہو اور سکون حاصل کرو۔''

پھر اس نے مجھ سے پوچھا ''سعید تم کیا چاہتے ہو؟''

میں نے بے ساختہ کہا ''میں یہ چاہتا ہوں کہ آپ مجھے بچائیں۔''

''کس سے؟''

مجھے یکا یک ایک خوف نے آلیا اور میں نے اپنا ہاتھ کھینچ لیا اور زبان بند کر لی کہ کہیں کوئی ایسی بات میرے منہ سے نہ نکل جائے کہ میں مشکل میں پڑ جاؤں۔ میرے باپ نے خدا اسے کروٹ کروٹ جنت نصیب کرے، مجھے سمجھایا تھا کہ لوگ ایک دوسرے کو کھا جاتے ہیں اس لیے کسی پر اعتبار نہیں کرنا چاہیے بلکہ ہر شخص کو شک کی نظر سے دیکھنا چاہیے حتیٰ کہ اپنے ماں باپ، بھائیوں کو بھی۔ دوسرے تمہیں بے شک نہ کھائیں مگر کسی وقت بھی جب ان کا جی چاہے وہ تمہیں کھا سکتے ہیں۔ میرا باپ خدا اسے کروٹ کروٹ جنت نصیب کرے، لوگوں کو کھاتا رہا۔ یہاں تک کہ آخر میں لوگ خود اسے کھا گئے۔

تو میں نے ازراہ عاقبت اندیشی زبان کو بند رکھا۔ دل میں کہا کہ ممکن ہے ملٹری گورنر

نے مجھے آزمانے کے لیے اسے بھیجا ہو۔ میں نے دل ہی دل میں اپنے آپ کو اس چوکنے پن پر داد دی اور پھر اسے جواب دیا ''مہربان آپ کی عنایت کا شکریہ مگر میں تو آپکو جانتا ہی نہیں۔''

''میرے پیچھے پیچھے آجاؤ'' اس نے مجھے ہدایت کی۔ میں نے سوچا کہ شاید ابھی وہ مجھے آزما رہا ہے۔ سو میں اس کے پیچھے پیچھے چلنے لگا۔ جیل خانے کی دائیں سمت میں ایک محراب سے ہوتا ہوا وہ مسجد رمل کے صحن میں پہنچا۔ میں اس کے پیچھے پیچھے، پھر ہم نے مسجد جزار کا چکر کاٹا اور اچانک ہم ایک زینے پہ آنکلے جو تہہ خانے میں اتر گیا تھا۔ ہم اس زینے کے رستے عکسہ کے تہہ خانوں میں اتر گئے۔ اس کی آنکھوں سے شعاعیں نکل رہی تھیں اور ان کی روشنی میں رستہ دکھائی دے رہا تھا۔

ہم جلد ہی ایک خنک اور وسیع ایوان میں داخل ہو گئے۔ اس ایوان میں تو دیواروں کے برابر برابر بیٹھنے کا انتظام تھا۔ ہم بیٹھ گئے اور وہ بولا ''تمہارے اجداد نے اپنے پیشروؤں کی عمارتوں پر عمارتیں کھڑی کیں لیکن پھر ماہرین آثار قدیمہ کا زمانہ شروع ہو گیا۔ وہ بالائی سطح پر منہدم کرتے چلے گئے اور نیچے کھدائی کرتے چلے گئے۔ اگر وہ یہی کرتے رہے تو تم لوگ دنو ساروں تک پہنچ جاؤ گے۔''

''محترم یہ جگہ کونسی ہے۔'' میں نے پوچھا۔

''یہ جنیوا کے سوداگروں کی غلام گردش ہے۔ یہاں وہ سویا کرتے تھے۔ مال واسباب کا تبادلہ کرتے تھے، عیاشیاں کرتے تھے، جوا کھیلتے تھے۔ یہیں وہ جنم لیتے تھے، یہیں جنم دیتے تھے، یہیں دوسروں کو دفن کرتے تھے، یہیں خود دفن ہوتے تھے۔''

''محترم، انہوں نے زمین کو اس طرح تہہ خانوں سے کیوں بانٹ دیا ہے؟''

''اوپر بسنے والوں کی طرف سے انہیں جو اندیشے تھے، ان اندیشوں سے آزاد ہونے کے چکر میں انہوں نے یہ کام کیا۔''

''لیکن ان تہہ خانوں نے انہیں نہیں بچایا۔''

''انہیں یہ احساس کب تھا۔''

''محترم، آپ کا نام کیا ہے؟'' میں نے آخر میں سوال جڑ دیا۔

اس نے مجھے گھور کر دیکھا اور مجھے اس وقت یوں لگا کہ دو سعید مجھے حیرت سے دیکھ رہے ہیں۔ ان میں ایک بضد ہے، دوسرا اڑ رہا ہے۔ اس نے مسکرا کر جواب دیا ''تم لوگوں میں

ہر شخص کا کوئی نہ کوئی نام ہوتا ہے لیکن ہمارا معاملہ یہ ہے کہ جو بھی نام تمہیں موزوں نظر آئے، وہ تم ہمیں دے سکتے ہو۔ سوچا ہو تو تم مجھے مہدی کہہ لو، تمہارے اجداد نے مجھے اسی نام سے پکارا تھا یا امام کہہ لو یا نجات دہندہ کے نام سے پکارو۔''

''محترم، ہمیں نجات دلاؤ۔'' ایک سعید نے ضد کرتے ہوئے کہا۔ دوسرا اسکڑ سمٹ گیا۔ اس نے مجھے گھور کر دیکھا۔ اس کی آنکھوں سے غصہ ٹپک رہا تھا۔ اس غصے کی زد میں دونوں سعید تھے کہ اب وہ غائب ہو گئے تھے۔ کہنے لگا'' تم لوگوں کی یہی تو عادت ہے، جب تم پہ مصیبت پڑتی ہے تو اس کو ٹالنے کے لیے جو قیمت ادا کرنی چاہیے اور جس کا تمہیں علم ہوتا ہے، وہ تم ادا نہیں کرتے اور میرے پاس آ کر مدد کے طالب ہوتے ہو لیکن میں یہ دیکھتا ہوں کہ دوسرے لوگ کیا کرتے ہیں اور کیا قیمت ادا کرتے ہیں۔ وہ کسی کو یہ اجازت نہیں دیتے کہ وہ انہیں ان میں سے کسی تہہ خانے میں ٹھونس کر بند کر دے۔ تب مجھے تم پر غصہ آتا ہے۔ آخر تم لوگوں میں کمی کیا ہے۔ کیا تمہارے پاس قربان کرنے کے لیے زندگی کی کمی ہے یا تمہارے پاس اس موت کی کمی ہے جس سے دشمن کو اپنی زندگی کے لالے پڑتے نظر آئیں۔''

یہ سن کر میں سکتہ میں آ گیا۔ میرے ہوش اڑ گئے۔ تہہ خانہ میری نظروں کے سامنے گھومنے لگا۔ پھر مجھے یاد آیا کہ مجھ سے کہا گیا تھا کہ تم صبح کو حیفہ جاؤ گے۔ حیفہ جو میرا محبوب شہر ہے۔ میری بدگمانی اب بڑھ گئی تھی۔ میں نے اپنا مسئلہ بیان کیا کہ محترم کل میں اپنے شہر حیفہ جا رہا ہوں۔ اب وہیں مجھے رہنا ہے، مجھے کچھ ہدایت کیجیے۔

وہ نرم پڑ گیا اور بولا'' میری نصیحت تمہارے کام نہیں آئے گی۔ تاہم میں تمہیں ایک کہانی جو میں نے سن رکھی ہے، سناتا ہوں۔ یہ کہانی ایران کی ہے کہ وہاں کوئی شخص ایک کلہاڑی جس کا دستہ نہیں تھا، درختوں کے جھنڈ میں پھینک گیا۔ درخت آپس میں کہنے لگے کہ یہ کلہاڑی جس نے پھینکی ہے، اس کی نیت نیک نہیں معلوم ہوتی۔ اس پر ایک بالکل معمولی سے درخت نے یہ کہا کہ'' جب تک ہم میں سے کوئی درخت اس کلہاڑی کے دستے کے لیے لکڑی فراہم نہیں کرتا، اس وقت تک ہمیں اس کلہاڑی سے کوئی جوکھوں نہیں ہے تو اب تم جاؤ۔ اس کہانی کو دہرانا مناسب نہیں ہے۔''

''محترم، میں آپ سے پھر کبھی مل سکتا ہوں؟''

”ہاں ہاں جب بھی تم چاہو۔ بس یہاں ان تہہ خانوں میں آ جانا۔“

”محترم کس وقت حاضر ہوں؟“

”جب تمہیں یہ احساس ہو کہ اب تم میں بالکل سکت نہیں رہی ہے۔“

”کب؟“

لیکن وہ غائب ہو چکا تھا۔ میں اکیلا رہ گیا تھا اور تہہ خانوں میں بھٹکتا پھر رہا تھا۔ بالآخر مادر گیتی کے بطن سے صبح صادق نمودار ہوئی اور میں نے دیکھا کہ میں صحن مسجد میں لیٹا انگڑائیاں اور جماہیاں لے رہا ہوں۔

●♦●♦●

(13)

سعید فلسطینی مزدوروں کی یونین میں لیڈر کیسے بنا؟

اب جبکہ میرے پاس فالتو وقت وافر ہے تو میں خلا سے آئے ہوئے اس نرالے آدمی کے ساتھ اپنی پہلی ملاقات کو یاد کرتا ہوں اور میں حیران ہوتا ہوں کہ میں نے اسے یوں کیوں چلا جانے دیا۔ اس کا دامن کیوں نہیں پکڑ لیا اور یہ اصرار کیوں نہیں کیا کہ اس آفت بھری زندگی سے میری گلوخلاصی کراؤ۔

لیکن اس وقت تو میں سفسر شک سے ملاقات کے لیے اپنے آپ کو تیار کر رہا تھا۔ اس وقت مجھے وہ شخص اتنا ہی عزیز تھا جتنا میری دادی کا دیا ہوا تعویذ۔

قبلہ میں غیر ضروری تفصیلات سے آپ کو بور نہیں کروں گا۔ قصہ مختصر میں حسب الحکم اس روز صبح سویرے عین ساڑھے سات بجے عکسہ کے تھانے میں داخل ہوا۔ میں نے حضورِ پرنور ملٹری گورنر صاحب کے بارے میں دریافت کیا جنہیں مجھے لے کر حیفہ روانہ ہونا تھا۔ ان لوگوں نے مجھے چار بجے سہ پہر تک انتظار کرایا۔ میں بھوکا پیاسا انتظار کھینچتا رہا۔ لے دے کے ایک نوجوان سپاہی نے مجھے چائے کا ایک پیالہ پلا دیا تھا۔ اس سپاہی نے مجھ سے انگریزی میں گفتگو کی۔ جواباً میں نے اس سے زیادہ روانی میں انگریزی میں باتیں کیں۔

اس نے مجھے بتایا کہ وہ ایک رضا کار ہے اور یہاں جاگیرداری کے خلاف لڑائی میں شامل ہونے کے لیے آیا ہے اور یہ کہ عرب اسے بہت عزیز ہے۔ تھانے سے میری روانگی سے پہلے وہ میرے پاس آیا، گرمجوشی سے مصافحہ کیا اور وعدہ کیا کہ جب جنگ ختم ہو جائے گی تو ہم ''کمیونزم'' کی تعمیر کریں گے۔ مزید کہا کہ تم جیسے لبرل نوجوانوں پر ایک مہذب زبان سے بھی شناسا ہیں، ہم زیادہ تکیہ کریں گے۔ اس نے کہا کہ ''شلوم'' اور میں نے جواباً کہا ''سلامتی ہو'' گویا اس پر جتا رہا تھا کہ میں کتنا تہذیب یافتہ ہوں۔ وہ ہنسا اور بولا ''سلام سلام'' اس عربی جملہ نے میری اداسی کو دور کر دیا۔

پھر ایک سپاہی نے ایک گرد آلود مٹی سے بسی فوجی گاڑی میں مجھے اپنے اور ڈرائیور کے بیچ بٹھا دیا اور گاڑی خاموشی سے چلنے لگی۔ ہم جلد ہی حیفہ کے نواح میں پہنچ گئے۔ اس جنگلی قطعہ میں جو ''شادمانی'' کہلاتا تھا۔ کسی زمانے میں یہ میدان گل ہوا کے پھولوں سے مہکتا تھا۔ اب یہاں ان کی تلاش بے سود تھی کیونکہ میں نے یہ محسوس کیا کہ ایسی صورت میں جب ایسی نشست پر جہاں تین آدمیوں کے بیٹھنے کی مشکل سے گنجائش ہے، ٹھنسا ہوا بیٹھا ہوں۔ بچپن کی یادوں کی کوئی گنجائش نہیں ہے۔

ٹرک ڈرائیور بولا ''مدینۃ الاسرائیل آ گیا۔ خوش آمدید۔''

اس پر میں نے سوچا کہ ان لوگوں نے میرے پیارے شہر حیفہ کا نام بدل کر مدینۃ الاسرائیل رکھ دیا ہے اور میں اداس ہو گیا۔ جب میں وادی صلیب سے گزرا تھا اور اسے خالی پایا تھا لوگوں سے بھی اور گولیوں کی سنسناہٹ سے بھی جن سے یہ وادی میرے باپ اور میرے شہر کے سقوط کے وقت تک گونجتی رہی تھی تو اس وقت بھی اسی طرح اداس ہو گیا تھا۔ میں بہت گڑبڑایا۔ حیران ہو کر سوچنے لگا کہ اب تو امن ہے۔ امن جس کی ہمیں بہت آرزو تھی تو پھر کیوں اداس ہوں۔

میرے گارڈ نے جواب میں کہا جیسے وہ میرے خیالات پر نگہبان ہو ''اب امن ہے، یہ امن کتنا مہنگا پڑا ہے۔''

میں اپنی نشست پر بیٹھے بیٹھے تھوڑا کسمسایا اور زاویہ بدلتے ہوئے کوشش کی کہ ذرا پھیل کر بیٹھوں لیکن ڈرائیور کے ٹوکنے پر پھر سمٹ گیا۔ پھر اس نے ٹرک روک لیا اور مجھ سے کہنے لگا ''پیچھے سرک جاؤ۔ ہر ایک کو اپنی اپنی جگہ پر بیٹھے رہنا چاہیے۔''

پیچھے سرک کر بیٹھنے کی کوئی گنجائش نہیں تھی تو میرے لیے کھڑے رہنے کے سوا کوئی چارہ نہیں تھا۔ جلد ہی ہم وادی نزناس میں داخل ہوئے اور جبل اسٹریٹ سے گزرنے لگے۔ آرینا والے کی بیکری کے برابر سے گزرے۔ اس کے چھوٹے بیٹے کو میں نے عربی پڑھائی تھی مگر اس وقت وہ کہاں نظر آتا۔ بیکری کا دروازہ تو بند تھا۔

''اتر جاؤ۔'' میرے گارڈ نے کہا اور میں اتر پڑا۔ اس کے بعد اس نے مجھے صوبائی عرب کمیٹی کے سپرد کیا۔

انہوں نے مجھے وصول کرتے ہوئے اس کا شکریہ ادا کیا مگر جیسے ہی سپاہی رخصت ہوا، انہوں نے اسے گالی دی۔ ان میں سے ایک نے یہ بات کہی ''کیا ان لوگوں نے کمیٹی کے دفتر کو ہوٹل سمجھ رکھا ہے۔ ہمیں وزیر امور اقلیت کے دفتر جا کر احتجاج کرنا چاہیے۔''

ادھر میں نے یہ چاہا کہ اپنے عرب ہونے کی حیثیت کو جتاؤں تاکہ وہ میرے بارے میں رویہ نرم رکھیں۔ سو میں نے اس پر دکھ کا اظہار کیا کہ ان لوگوں نے حیفہ کا نام بدل کر مدینۃ الاسرائیل رکھ دیا ہے۔

وہ ایک دوسرے کو تکنے لگے اور ایک بولا ''یہ تو'' کچھ کودن'' بھی ہے۔''

مجھے یہ سمجھنے میں بہت وقت لگا کہ انہوں نے مجھے کودن کیوں کہا۔ پہلی انتخابی مہم کے موقع پر جا کر کہیں یہ بھید کھلا۔ اس وقت مجھے پتا چلا کہ عبرانی میں مدینہ کا مطلب ہے مملکت۔ (واقعہ یوں ہے کہ انہوں نے حیفہ کے نام کو برقرار رکھا تھا اور وہ اس لیے کہ یہ نام انجیل میں آیا تھا) اس وقت تک مجھے یہ یقین ہو چلا تھا کہ میں بالکل گاؤدی ہوں۔ اس کا ثبوت سب سے بڑھ کر یہ ہے کہ کمیٹی کے اراکین میں کہیں سب سے آخر میں مجھے یہ احساس ہوا کہ آنجہانی کیورک اپنے ریستوران میں ہمیں گدھے کا گوشت کھانے کو دیا کرتا تھا اور ذرا سوچو کہ ہم اس کے بہت شکر گزار تھے۔

اگلے دن صبح کو میں کنگز اسٹریٹ گیا۔ وہاں ایڈون سفر شک نے فوجی وردی میں تھا، اپنے دفتر کے دروازے پر آ کر میرا خیر مقدم کیا۔ اس نے مجھے دس پونڈ دیئے اور کہا ''تمہارے والد صاحب نے ہماری بہت خدمت انجام دی ہے۔ سو یہ رقم لو اور کھاؤ پیو۔'' اس کے بعد ہی تو میں نے کیورک کے ریستوران میں کھانا کھانا شروع کیا تھا۔ کمیٹی کے ایک ممبر نے حیفہ کے ایک عرب کا متروکہ مکان مجھے دلوایا لیکن تھوڑے ہی دنوں بعد کچھ سپاہی فوج سے سبکدوش ہو کر آئے اور انہوں نے مجھ سے یہ مکان خالی کرا لیا اور تب میں نے فلسطینی مزدوروں کی یونین کے لیڈر کی ذمہ داری سنبھالی۔

●♦●♦●

(14)

سعید کی پناہ گاہ، ایک فٹ نوٹ

حال ہی میں کسی ایسے وقت جب دنیا اپنے محور پر پورا چکر کاٹ چکی تھی، میں نے اخبار میں پڑھا کہ عبرون کے عمائدین نے ملٹری گورنر سے سرکاری طور پر یہ گزارش کی کہ انہیں ایسٹ بینک سے گدھے درآمد کرنے کی اجازت دی جائے۔ جب یہ سوال کیا گیا کہ ان کے گدھے کہاں گئے تو عبرون کے افسروں نے قہقہہ لگایا اور جواب دیا کہ تل ابیب کے قصابوں نے ان سب کو حلال کر کے ساس بنا ڈالی۔ عزت مآب، آپ ہمیں یہ بتاتے رہے ہیں کہ تاریخ جب اپنے آپ کو دہراتی ہے تو جوں کا توں نہیں دہراتی۔ تاریخ کا پہلا ظہور اگر المیہ صورت میں ہو تو دوسرا ظہور ایک سوانگ کی صورت میں ہوتا ہے۔

تو میں آپ سے پوچھتا ہوں کہ اس معاملہ میں المیہ کی صورت کون سی ہے اور سوانگ کی صورت کون سی ہے۔ کیا المیہ یہ ہے کہ وادی نزناس کے ان گنت تباہ شدہ قریوں کے گدھوں نے رسہ تڑایا اور آزاد ہو گئے۔ ساتھ میں ان عورتوں کے بوجھ سے بھی نجات مل گئی جوان پر سواری گانٹھتی تھیں اور یہ کہ ان کا گوشت سوائے کیورک کے اور کسی کے کام نہ آسکا یا پھر یوں ہے کہ تل ابیب میں ان گدھوں کے گوشت سے جو چٹ پٹے کھانے تیار ہوئے، وہ ایک سوانگ، ایک Farce کی حیثیت رکھتے ہیں۔

عزت مآب، مجھے اچھی طرح معلوم ہے کہ آپ جو نتائج اخذ کرتے ہیں اور جو آرا قائم کرتے ہیں ان پہ جمے رہتے ہیں لیکن کیا یہ صحیح نہیں ہے کہ جب کبھی لوگ بے گھر ہوتے ہیں تو ہوتا یہ ہے کہ بستی سے آدمی تو نکل جاتے ہیں، گدھے رہ جاتے ہیں اور اگر لوگ ٹکے رہیں تو قصابوں کو اس کے سوا کوئی صورت نظر نہیں آتی کہ گدھے کے گوشت سے چٹ پٹے کھانے تیار کیے جائیں اور آپ مجھ سے ایک حکیمانہ مقولہ سن لیں کہ بہت سی قومیں بس کسی جانور کے طفیل قصائی کی چھری تلے آنے سے بچ گئیں۔

فلسطینی مزدوروں کی یونین کا لیڈر بننے کے بعد میں ابتدائی دنوں میں حیفہ کے عربوں کے کتنے ہی متروکہ مکانوں میں ان کے شکستہ دروازوں سے داخل ہوا۔ اکثر میں نے یہ دیکھا کہ

پیالیاں قہوے سے بھری جوں کی توں رکھی ہیں۔ شاید ان لوگوں کو اتنی مہلت بھی نہیں ملی کہ قہوہ جو انہوں نے بنایا تھا، اسے پی لیتے۔ اس طرح میں نے ان گھروں سے اپنے گھر کے لیے فرنیچر اکٹھا کیا۔ تھوڑا فرنیچر اس گھر سے تھوڑا فرنیچر اس گھر سے میرے پیش روؤں نے اپنی لیڈری کے زمانے میں یہیں سے اپنے لیے فرنیچر سمیٹا تھا۔ ان کی دستبرد سے جو بچا اس سے میں نے اپنے لیے فرنیچر حاصل کیا اور ان پیش روؤں نے اپنے پیش روؤں کی دستبرد سے بچ جانے والے اسباب سے اپنے لیے فرنیچر سمیٹا تھا اور ان سے پہلے متروکہ املاک کے کسٹوڈین نے ان متروکہ مکانوں سے اپنے لیے اسباب سمیٹا تھا مگر ان سب سے پہلے حیفہ کے نئے نویلے معززین نے یہ شرف حاصل کیا تھا۔ یہ نئے نویلے معززیا حیفہ کے عرب معززین کسی زمانے میں رفقا ہوا کرتے تھے۔ موخر الذکر حضرات نے اپنی حویلیوں کو یہ یقین دلانے پر چھوڑا تھا کہ یہ نئے نویلے معززین ان کی واپسی تک یعنی یہی ایک ڈیڑھ مہینے تک ان کے مال واسباب کی نگہبانی کریں گے تو ان نئے نویلے معززین نے عرب معززین کے مال واسباب کو اپنی حویلیوں کے مشرقی طرز کے ایوانوں میں سجالیا اور اس طرح ان کے ساتھ اپنی پرانی اور پختہ دوستی کا ثبوت فراہم کیا۔ اپنے عباس، قالینوں کے بارے میں انہوں نے کیسی کیسی ڈوں کی لی ہے۔ اس قالین کا نام حیفہ کے ایک کوچے کے نام پر رکھا گیا تھا۔ اسی طرح ان کے یروشلم والے بھائی برادران اپنے قطموں، قالینوں کے بارے میں شیخی بگھارتے دکھائی دیتے تھے۔ اس قالین کا نام یروشلم کے ایک کوچے سے منسوب تھا۔ انہوں نے یہ قالین اسی طرح ہتھیا لیے تھے۔ کمیونسٹوں نے متروکہ املاک کے کسٹوڈین کو لوٹ کے مال کا کسٹوڈین کہنا شروع کر دیا تھا۔ ہم سب کے سامنے تو کمیونسٹوں کو برا بھلا کہتے تھے مگر نجی محفلوں میں ان کی کہی ہوئی باتوں کو دہراتے تھے۔

چھ روزہ جنگ [25] کے دنوں میں جو 1956ء کے سہ طاقتی حملہ کے بعد ہوئی تھی، سہ طاقتی حملہ جو جنگ آزادی کے بعد ہوا تھا تو ہاں چھ روزہ جنگ کے دنوں میں مَیں نے یروشلم، رملہ اور نابلس کے لوگوں کو دیکھا کہ اپنی شادی کی طشت طشتریاں ایک پونڈ فی نگ کے حساب سے بیچ رہے ہیں۔ میں نے دل میں کہا کہ مال بہت سستا مل رہا ہے، عزت مآب اس وقت مجھے وہ نتیجہ جو آپ نے تاریخ سے نکالا تھا، یاد آیا کہ تاریخ جب اپنے آپ کو دہراتی ہے تو ترقی کر کے آگے جاتی ہے۔ سود یکھو گرائز ترقی کر کے پونڈ پہ پہنچ گیا۔ چیزیں واقعی ترقی کر رہی ہیں۔

فٹ نوٹ تمام شد:

●♦●♦●

(15)

عبرانی کا پہلا سبق

جب میں فلسطینی مزدوروں کی یونین کا لیڈر بن گیا تو میری ہمت میرے لیے بلا بن گئی۔ میں اس بدولت ایسی دبدا میں پھنس گیا کہ پھر اس سے نکلنے کے لیے مجھے اپنی ہمت سے بڑھ کر ہمت دکھانی پڑی۔

عزت مآب یہ سب کچھ آپ کے دوستوں کی عنایت سے ہوا۔ انہوں نے اپنے اخبار میں میرے خلاف اتنا کچھ لکھا کہ میں سمجھ بیٹھا کہ میں کوئی بہت اہم شخصیت ہوں۔ بس پھر میرے ساتھ وہ ہوئی کہ کچھ نہ پوچھو۔ اچھا یہ میں مانتا ہوں کہ بصورت دیگر شاید میرے ساتھ اس سے بھی بری ہوتی۔

جب مجھے یقین ہو گیا کہ میں ایک اہم شخصیت ہوں تو پھر ایک شام ہمت مرداں مدد خدا میں بس میں بیٹھا اور وادی جمل کی طرف چل پڑا کہ کارمل لائٹ ہاؤس کے زیریں ساحل پر واقع ہے میرے باپ کو خدا غریق رحمت کرے، وہاں اس نے میرے ایک بھائی کے پسینے کی گاڑھی کمائی سے ہمارے لیے ایک مکان تعمیر کیا تھا۔ میرا بھائی ایک کرین کے شکنجہ میں پھنس کر کچلا گیا تو میں نے اپنی اس مہم کا کسی سے ذکر نہیں کیا تھا۔

میں ریل کی پٹریاں پھلانگتا ہوا چلا جا رہا تھا۔ اس وقت مجھے مطلق عبدالخالق کا دھیان آیا۔ 1937ء کی بات ہے کہ ہمارا یہ شاعر ٹھیک اسی جگہ پٹری پھلانگتے ہوئے ریل کے نیچے آ گیا تھا۔ میں نے اس کے حق میں دعائے خیر کی اور چلتا چلا گیا۔ اس عظیم عوامی شاعر نوح ابراہیم کے الفاظ مجھے یاد آئے کہ مذہب خدا کا ہے مگر دیس ہم سب کا ہے اور میں لپک جھپک امِ اسعاد کی طرف چلا۔ ام اسعاد وہ تھی جسے ہم اپنے بچپن کے دنوں سے وہاں کے کیتھولک چرچ میں جھاڑو دیتے دیکھتے چلے آئے تھے۔ اس کی پوری عمر وہاں جھاڑو دیتے گزر گئی۔

وہاں پہنچ کر میں نے دیکھا کہ وہ اس وقت بھی ٹھیک اسی جگہ جھاڑو دے رہی تھی جہاں میں

نے اسے اپنے چلتے وقت جھاڑو دیتے چھوڑا تھا۔ میں نے خدا کا لاکھ لاکھ شکر ادا کیا کہ کچھ بھی نہیں بدلا ہے۔ سب اسی طرح ہے اور ام اسعاد کی جھاڑو تو بالکل وہی ہے۔ وہی نو کیلے تنکوں والی جھاڑو۔

میں جھک کر اس کے ہاتھوں کو بوسہ دینے لگا تھا کہ وہ غصے سے بولی ''مردم شماری والے پہلے ہی مرا نام لکھ کے لے جا چکے ہیں۔'' اور وہ تیزی سے اپنی کوٹھری میں گھس گئی۔ میری سمجھ میں کچھ نہ آیا کہ وہ خفا کس بات پر ہے، میں اس کے پیچھے پیچھے گیا۔

ام اسعاد سیدھی مقدس مریم کی اس شبیہ کی طرف گئی جو اس کے صاف ستھرے بستر لگے پلنگ کے برابر دیوار پر آویزاں تھی۔ اس نے شبیہ کو ذرا سرکایا تو دیوار میں ایک طاق نظر آیا۔ طاق میں سے اس نے ایک بنڈل نکالا جو سفید کپڑے میں لپٹا ہوا تھا۔ وہ میری طرف پشت کر کے اسے کھولنے لگی جیسے وہ مجھ سے کچھ چھپا رہی ہو۔ بنڈل کھولتی جاتی تھی اور کہتی جاتی تھی ''مقدس ماں، یہ میرے جہیز کی چاندی ہے۔''

پھر اس نے میری طرف مردم شماری کے کاغذات بڑھائے جو بڑی احتیاط سے تہہ کیے گئے تھے۔ اپنی نحیف آواز میں جتنا بھی زور پیدا کر سکتی تھی، اتنے زور کے ساتھ اس نے کہا ''میرے والی وارث قبلہ پادری صاحب ہیں، آپ مجھ سے کیا چاہتے ہیں۔''

''اماں، میں سعید ہوں، آپ مجھے بھول گئیں؟''

''سعید؟ کون سعید؟''

''الطیرہ والا سعید۔'' میں نے اسے اطمینان دلاتے ہوئے کہا۔ مجھے معلوم تھا کہ لوگوں کا یہاں یہ خیال تھا کہ یہاں کے جو نواع سے آئے ہوئے باشندے ہیں، وہ سب الطیرہ کے ہیں۔ یہ سن کر وہ تو خوشی سے ناچنے لگی۔ میں اس سے گرمجوشی سے بغلگیر ہوا۔ پھر ہم کوچ پر بیٹھ گئے اور مجھ سے میری ماں اور میری بہن کے بارے میں پوچھنے اور الطیرہ کے اس مشروب کے بارے میں جو شیخ المهشی نام کی مشہور غذا کا لازمہ سمجھی جاتی ہے۔

''ہمارا گھر کس حال میں ہے؟'' آخر میں نے اس سے پوچھ ہی لیا۔

''کچھ لوگ ہیں، جو وہاں آ کر رہنے لگے ہیں۔''

''کچھ معلوم ہے کون لوگ ہیں؟''

''بیٹے تمہیں پتا ہے کہ میری آنکھوں سے بہت کم نظر آتا ہے اور یہ جو یورپ والے ہوتے ہیں، وہ تو سب ایک ہی طرح کے نظر آتے ہیں۔ اب ان میں سے کوئی مچھلیوں کے شکار پر

بھی نہیں جاتا۔"

"اگر میں اپنے گھر پہ جاؤں تو وہ مجھے اندر گھسنے بھی دیں گے؟"

"بیٹے، یہ میں کیا جانوں۔"

اس نے صلیب کا نشان بنایا۔ میں اس کی اس حرکت پہ بہت سٹپٹایا اور فوراً اٹھ کھڑا ہوا۔

جب میں اپنے گھر کے سامنے پہنچا تو میں نے دیکھا کہ باہر دھلے ہوئے کپڑے سوکھنے کے لیے لٹکے ہوئے ہیں۔ بس اس وقت میری ہمت میرا ساتھ چھوڑ گئی۔ میں نے اپنے تئیں یہ ظاہر کیا جیسے میں ساحل سمندر پہ ہوا خوری کے لیے نکلا ہوا ہوں۔ میں ٹہلتا ٹہلتا اپنے گھر کے سامنے سے گزرا۔ تھوڑی دور جا کر پلٹا اور پھر اس کے سامنے سے گزرتا۔ کتنی مرتبہ میں نے گھر پہ دستک دینے کی ہمت باندھی مگر ہر مرتبہ یہی ہوا کہ میں جھجک گیا۔

آخر شام ہو گئی۔ اندر سے ایک عورت نکلی اور ٹنگے ہوئے کپڑے اتارنے لگی۔ اس نے مجھے گھور کر دیکھا۔ اور چلا کر نہ جانے کیا کہا۔ میں وہاں سے کھسک لیا مگر وہاں سے جاتے ہوئے میں نے یہ دیکھ لیا کہ اسی کی عمر کا ایک شخص اندر سے نکلا ہے اور دھلے ہوئے کپڑے سمیٹنے میں اس کا ہاتھ بٹا رہا ہے۔ میں نے دل میں کہا کہ یہ کوئی چال ہے ورنہ بھلا کوئی مرد گھر میں دھلے کپڑے کیوں سمیٹنے لگا ہے۔ میرے باپ نے تو خدا اسے غریق رحمت کرے، کبھی ایسا کیا نہیں حالانکہ میری ماں دائم المریض تھی اور گھر کے کاموں میں گھری رہتی تھی۔

میری چال میں اور تیزی آ گئی۔ تیز چل کر میں بڑی سڑک پر آ گیا جو ان کوٹھیوں، بنگلوں کے برابر چلی گئی جو کبھی حیفہ کے عرب افسروں کی ملکیت تھے۔ یہ کوٹھیاں بنگلے انہوں نے لبنان جانے سے پہلے تعمیر کیے تھے۔ وہاں جا کر پھر انہوں نے کوٹھیاں بنگلے تعمیر کیے۔ پھر وہ کوٹھیاں بنگلے بھی انہیں چھوڑنے پڑے۔ اب اندھیرا ہو گیا تھا۔ مجھے ڈر لگنے لگا۔ اس مہم نے مجھے تھکا دیا تھا اور ابھی مجھے بہت رستہ طے کرنا تھا۔

تھوڑی تھوڑی دیر کے بعد کوئی یہودی مزدور گزرتا نظر آتا۔ میں اس کے لباس سے اندازہ لگاتا تھا کہ وہ یہودی مزدور ہے۔ یہ ادھیڑ عمر کے لوگ تھے۔ جوان مرد اور عورتیں تو سب فوج میں جا چکے تھے۔ میں سوچ رہا تھا کہ کسی سے وقت معلوم کیا جائے اور پتا کیا جائے کہ اب کوئی بس آئے گی یا اب انہوں نے دن کے بعد بسیں چلانا بند کر دی ہیں لیکن میں ان سے کس زبان میں وقت پوچھوں۔ اگر عربی میں پوچھتا ہوں تو انہیں پتا چل جائے گا کہ میں کون ہوں۔ اگر انگریزی

میں پوچھتا ہوں تو وہ شک میں پڑ جائیں گے۔ میں نے ذہن پر زور ڈالا کہ عبرانی کے چند حرف جو میں نے سیکھے تھے، یاد آ جائیں۔ بس اچانک مجھے وہ جملہ یاد آ گیا جو اس موقع پر کہنا چاہیے۔ جملہ یہ تھا ''ماشاہ'' ایک دفعہ ارمن سینما کے قریب ایک لڑکی سے میں نے یہی جملہ کہا تھا اور اس نے جواب میں فصیح و بلیغ عربی میں میری ماں کی عزت بکھان ڈالی۔

تو اس کے بعد جو مزدور دکھائی دیا اس پر میں نے یہ سوال داغ دیا۔ اس نے تامل کیا، پھر مسکرایا اپنی کلائی پر بندھی گھڑی پر نظر ڈالی اور اونچی آواز سے کہا ''اخت'' مجھے یاد آیا کہ جرمن زبان میں یہ اختہ آٹھ کو کہتے ہیں۔ اس وقت میں اپنے پڑوسی کے لیے جو شنلرز اسکول (26) کا گریجویٹ تھا، دعائے خیر کی اور عبرانی سیکھنے کے عزم کے ساتھ پیدل مارچ کرتا ہوا وادی نزناس کی طرف بڑھتا رہا۔

بعد میں مجھے یاد آیا کہ اسکول میں ہمیں تصویری زبان کی تفہیم کا طریقہ پڑھایا گیا تھا۔ اس طریقے کو میں نے یہاں آزمایا، دکانوں کے نام انگریزی اور عبرانی دونوں میں لکھے ہوئے تھے۔ میں نے یوں کیا کہ دکان کا نام پہلے انگریزی میں پڑھتا پھر عبرانی میں لکھے ہوئے نام کے حروف کو ان انگریزی حروف کی مدد سے شناخت کرتا۔ یہی طریقہ میں نے عبرانی اخباروں کو پڑھتے ہوئے آزمایا لیکن عبرانی پڑھنا مجھے بعد میں آیا۔ یہ زبان بولنا مجھے جلدی آ گئی۔ اس کے کہیں دس سال بعد وہ وقت آیا کہ میں نے پہلی بار خطبۂ استقبالیہ عبرانی میں لکھ کر پڑھا۔ یہ خطبہ میں نے حیفہ کے میئر کی موجودگی میں پڑھا اور اس نے ایک مثال کے طور پر یاد رکھا۔

لیکن حیرانی کی بات یہ ہے کہ اب پچیس برس بعد عبرانی پڑھنا لکھنا اتنا آسان ہو گیا ہے کہ نابلس کے دکاندار دو برس سے بھی کم مدت میں عبرانی پر عبور حاصل کر لیتے ہیں۔ ایک دکاندار نے جب سنگِ مرمر کے ٹائل کا کام شروع کیا تو اس نے تختی خطِ کوفی میں لکھ کر لگا دی۔ پہلے لکھا کہ شیٹس تیار ہوتے ہیں۔ پھر اسی مضمون کو طول طویل پرشوکت عربی میں لکھا گیا۔ واضح ہو کہ عبرانی میں سنگِ مرمر کو شیٹس کہتے ہیں۔ یہ صرف ضرورت ایجاد کی ماں ہے والی ضرب المثل کا معاملہ نہیں ہے۔ اس کے ساتھ خواص کے معاشی مفادات کا معاملہ بھی ہے۔ ان کی بلا سے کہ حکومت کون کر رہا ہے، وہ عرب کی اس ضرب المثل کے قائل ہیں کہ جس کسی نے میری ماں کو اپنی جورو بنا لیا، وہ میرا باپ بن گیا۔

●◆●◆●

(16)

سعید اب گدھا نہیں رہا

اس دن کے واقعات کا سلسلہ یہاں آ کر رکا نہیں۔ کچھ اور بھی ہوا۔ وہ یہودی مزدور عبرانی سے کتنا بے خبر نکلا۔ میں اس کی اس بے خبری سے اتنا متاثر ہوا کہ میں نے یہ طے کر لیا کہ یہ مملکت نہیں بچے گی تو پھر مجھے اپنی واپسی کا راستہ کھلا رکھنا چاہیے۔

میں نے دل میں کہا کہ اب میرا آخری سہارا وکیل عظام البادنجانی ہے۔ اس نام کا مطلب ہے بینگن۔ یہ وکیل میرے چچازاد بھائی کا جوار دن میں وزیر ہے، بہت دوست تھا۔ ایسا دوست کہ بھائی سے بڑھ کر عزیز تھا۔ عباس اسٹریٹ میں اس کی حویلی تھی جو اس کے لیے ایک پناہ گاہ یا مورچہ کی حیثیت اختیار کر گئی تھی۔ جب کوئی غیر ملکی صحافی ایڈون سفر شک کے پاس جاتا تو وہ اس کے خلاف یہاں سے مہم شروع کر دیتا۔ کمیونسٹوں کے بارے میں وزیر امور اقلیت کا خیال تھا کہ وہ مملکت کے پیچ ففتھ کالم کی حیثیت رکھتے ہیں اور میرے چچازاد بھائی اردنی وزیر کے اس دوست کا یہ خیال تھا کہ عربوں اور ان کے مذہب دونوں کے دائرے سے خارج ہیں۔

یہ دوست نہ تو اس مملکت کو مانتا تھا اور نہ اس کے اخباروں کو۔ غیر ملکی صحافیوں کو چھوڑ کر وہ کسی سے ملنے کے لیے تیار نہیں تھا۔ اس لیے اس کے بیانات ایک تو لندن کے ''ٹائمز'' اور نیویارک کے ''ٹائمز'' میں چھپتے تھے اور دوسرے دنیائے عرب کے بڑے اخباروں میں چھپتے تھے۔ فلسطینی مزدوروں کی یونین کے ہم جیسے لیڈروں کا معاملہ یہ تھا کہ جب اس نے اپنے بیٹے کو یروشلم کی عبرانی یونیورسٹیوں میں تعلیم دلوانے سے انکار کیا تو ہم تو حیرت زدہ رہ گئے اور ہمارے ہونٹ سِل گئے لیکن اس سے زیادہ حیران ہم اس وقت ہوئے جب اس نے اسی بیٹے کو تعلیم کے لیے کیمبرج بھجوایا۔

جب رات ہوئی تو میں نے اس کے گھر جا کر کنڈی کھٹکھٹائی۔ نرد کے تختے پر گوٹیں پھینکنے کی جو آوازیں آ رہی تھیں، وہ تھم گئیں اور جب دروازہ کھلا تو میں نے دیکھا کہ وہ گوٹوں کو ہلا

جلا رہا ہے۔ میں نے سلام کیا۔ صاف نظر آ رہا تھا کہ وہ میری آمد پر حیران ہے۔ میرا ایک رفیق کار یعنی فلسطینی مزدوروں کی یونین کا ایک لیڈر اس کے ساتھ کھیل رہا تھا اور اب وہاں سے اٹھ ہی رہا تھا کہ میں جا پہنچا۔ وہاں اسے دیکھ کر میں بہت حیران ہوا اور میں نے اپنی اس حیرانی کو چھپایا بھی نہیں۔ اس نے مجھ سے علیک سلیک کی اور کہنے لگا کہ بھئی یہ ہمارے پڑوسی ہوتے ہیں۔ میں معنی خیز انداز میں کھنکارا اور جب تک وہ چلا نہیں گیا، کھنکھارتا ہی رہا۔

میں نے اپنے چچازاد بھائی کے جواردن میں وزیر تھا، گن گانے شروع کر دیئے۔ بادنجانی نے میری کم نصیبی پر بہت افسوس کیا اور معافی ملنے کے بارے میں اپنی نیک توقع ظاہر کی۔ میں نے اسے اپنے معرکے سنا ڈالے اور ان معرکوں کے بارے میں اپنے تاثرات بھی پیش کر ڈالے۔

''اللہ تمہاری مشکل آسان کرے۔'' اس نے مجھے یہ دعا تو ضرور دی مگر اپنی طرف سے کسی مدد کا وعدہ نہیں کیا۔

دوسرے دن صبح ہی صبح جب میں کلب پہنچا تو ابھی میں نے ڈیوڑھی لانگھی تھی کہ میرے باس جیکب نے مجھے اپنے دفتر میں طلب کر لیا۔ میں نے دیکھا کہ اس کے برابر ڈیسک کے پیچھے ایک اور شخص بیٹھا ہے۔ درمیانہ قد، آنکھوں پر کالی عینک چڑھی ہوئی۔ کمرے کے سب پردے کھنچے ہوئے تھے۔ میں نے دل میں کہا کہ ہو نہ ہو یہ شخص اندھا ہے۔ میں نے سوچا کہ بیچارہ اندھا ہے۔ اسے شرمندہ نہیں کرنا چاہیے تو محض اسے شرمندگی سے بچانے کے لیے میں نے خود ہی آگے بڑھ کر مصافحہ کر لیا۔ یہ انتظار نہیں کیا کہ وہ مصافحہ کے لیے ہاتھ بڑھائے لیکن جیکب اس پر برہم ہو گیا اور مجھے ڈانٹ پلائی۔ ''تمہیں تمیز ہونی چاہیے۔'' میں فوراً مودب ہو گیا۔

''یہ بہت بڑی شخصیت ہیں۔'' جیکب نے وضاحت کی۔ ''وہ تم سے تنہائی میں بات کریں گے۔ کوئی بات ان سے چھپانا مت۔''

اور جیکب مجھے اس کے ساتھ اکیلا چھوڑ کر چلا گیا۔ جیسے ہی جیکب باہر گیا اور دروازہ پھر سے بند ہوا وہ بڑی شخصیت اچھل کر کھڑی ہو گئی مگر کھڑے ہونے کے بعد اس کے قد میں مشکل سے ہاتھ بھر کا اضافہ ہوا۔

گرج کر بولا ''ہمیں خوب پتا ہے کل تم کہاں تھے۔'' میں نے دل میں کہا کہ اگر یہ شخص اندھا نہیں تو پھر بہرہ ضرور ہے۔ میں نے اس کے قریب جا کر چلا کر کہا کہ ''میں سمندر کی ہوا کھانے کے لیے گیا تھا۔ کیا اس کی ممانعت ہے۔''

اس نے کس کر ایک تھپڑ مجھے رسید کیا۔ تھپڑ بالکل ٹھیک لگا تھا اور میں نے دل میں کہا کہ یہ شخص نہ اندھا ہے نہ بہرہ ہے۔ یقیناً یہ بڑی شخصیت ہے تو میں نے خود اپنے قد کو گھٹا لیا اور جواب دیا کہ ''آپ میرے متعلق ایڈون سفسر شک سے پوچھ لیں۔''

''وہ بوڑھی ام اسعاد۔''

''ہاں ام اسعاد۔''

''اخت۔'' وہ چلایا اس کا جرمن تلفظ باون تولے پاؤ رتی درست تھا۔

میں سوچنے لگا کہ اب وہ مجھ سے پوچھے گا کہ تم بادنجانی کے گھر گئے تھے۔

''اور نرد کے تختے کا کیا قصہ ہے۔'' وہ پھر گرجا اور وہ جو مجھے اندیشہ تھا، آخر صحیح نکلا۔

میں کرسی پر ڈھیر ہو گیا اور سر کو دونوں ہاتھوں میں تھام کر دائیں بائیں گھمانے لگا کہ میری ماں نے ہمیں یہی سکھایا تھا۔ پھر میں نے بڑی بیچارگی سے کہا ''اللہ پاک کی قسم، میں اپنے چچازاد بھائی کے بارے میں کہ اردن میں وزیر ہے، کچھ نہیں جانتا۔ بس اس کا نام جانتا ہوں۔''

''وہ تمہارے سگے چچا کا بیٹا ہے۔''

''نہیں۔ اللہ پاک کی قسم نہیں۔''

''کیوں نہیں۔''

اس سوال نے مجھے لاجواب کر دیا۔ اب اس کا غصہ فرو ہو چکا تھا۔ وہ میرے قریب آیا، مجھے تھپکی دی اور کہنے لگا۔ ''اس سے تمہیں سبق حاصل کرنا چاہیے۔ تمہیں جان لینا چاہیے کہ ہمارے پاس جدید ترین ایسے آلات ہیں کہ تمہاری ہر نقل و حرکت حتیٰ کہ خواب میں جو تم بڑبڑاؤ گے، اس کا بھی پتا چلا سکتے ہیں۔ اپنے ان جدید آلات کی مدد سے ہمیں ذرا سی بھی بات ہو تو اس کا پتا چل جاتا ہے۔ خواہ وہ بات ملک کے اندر ہو یا ملک سے باہر ہو۔ خبردار آئندہ ایسی حرکت مت کرنا۔''

جواب میں مَیں نے اپنا سر جھنجھوڑ ڈالا اور بار بار کہا ''میں گدھا ہوں، نرا گدھا۔''

جب تک وہ اپنا چشمہ اتار کر چلا نہیں گیا، میں یہی بنکارتا رہا۔ پھر میں نے اپنے باپ کے حق میں دعائے خیر کی تو دعائے خیر کی کہ سب سے پہلے تو اسی کو القا ہوا تھا کہ میں گدھا ہوں۔

خیر پروا کرے میری بلا۔ ام اسعاد، خدا تمہیں خوش رکھے اور اے ''اخت'' والے تمہیں۔ تمہیں بھی قادر مطلق کی قسم میرے دماغ میں جو آئے گی سوچوں گا۔ جہاں جی چاہے گا جاؤں گا لیکن یہ صحیح ہے کہ بادنجانی کے گھر پہ جانا میرا گدھا پن تھا۔

اللہ بخشے میرا باپ صحیح کہتا تھا۔ وہ ہمیشہ مجھے نرد کے تختے سے پیٹتا تھا۔ ایک مرتبہ میں نے کہا ''پدر بزرگوار آپ بے شک نرد بازی میں طاق ہیں۔'' اور اس نے جواب دیا کہ ''اے میرے فرزند میں اس کھیل میں کوئی طاق واق نہیں ہوں۔ ہمیشہ میں اپنے ساتھیوں سے ہارا۔ وہ بات صرف اتنی ہے کہ تم گدھے ہو۔''

اب میں نے طے کر لیا تھا کہ اب میں مزید گدھا نہیں بنوں گا۔ چنانچہ میں نے اس بڑی شخصیت کے جدید آلات کے بارے میں اس پر کوئی رائے ظاہر نہیں کی۔

●◆●◆●

(17)

کیا سعید ٹوپے والا مخبر ہے؟

اب میں نے اس کے آلات کے بارے میں پوری طرح ایک رائے قائم کر لی تھی۔ اگر واقعی وہ میری ہر نقل و حرکت کا پتا چلا سکتا تھا تو اسے عالمِ بالا کے آدمی سے میری ملاقات کا ضرور علم ہوتا لیکن اس کا تو اس نے کوئی ذکر نہیں کیا۔

اس طرف سے اطمینان ہو جانے کے بعد میں نے طے کیا کہ عکسہ کی سرنگوں میں جا کر خلائی دوست سے ایک دفعہ پھر ملاقات کی جائے۔ اسے بھی تو خبردار کر دینا چاہیے اور میں تو خیر اس کی ہدایت اور مشورے کا محتاج تھا ہی۔

پس آنے والے ہفتے میں مَیں نے یہ طور اختیار کیا کہ اپنے افسروں کے اشاروں پر چلنے لگا۔ اسی کے ساتھ یہ منصوبہ بنایا کہ سینچر کے دن وہ دن چھٹی کا ہوتا ہے۔ عکسہ سٹک لو۔

عکسہ جانے کے لیے میں نے جو دن چنا تھا، وہ اس منحوس برس کی 11 دسمبر کی تاریخ تھی۔ یہ وہ ناقابلِ فراموش تاریخ تھی جس تاریخ کو میری زندگی کا ایک ورق تمام ہوا تھا اور دوسرا ورق شروع ہوا تھا۔

اس جمعہ کی شام کو میں گھر میں بند بیٹھا رہا اور حساب لگاتا رہا کہ عکسہ کو سٹک لینے کے لیے کونسا راستہ زیادہ محفوظ رہے گا۔ میں نے شام ہی سے روشنی گل کر دی اور بستر پر دراز ہو گیا۔ اصل میں مجھے اندیشہ یہ تھا کہ کہیں اپنی پڑوسن ارمنی دوشیزہ نہ آن دھمکے۔ سچی بات ہے جب میں پیے ہوئے ہوتا ہوں۔ بس اس وقت میں اس دوشیزہ کی محبت سے حظ اٹھاتا ہوں۔ ان لمحات میں مجھے اس میں اپنی محبوبہ یعاد کا جلوہ نظر آتا ہے اور وہ مجھے اپنا یار سارکس تصور کر لیتی ہے جو اس کے بقول عربوں کے ساتھ رفو چکر ہو گیا۔ نشہ کے عالم میں وہ انگریزی میں سرگوشیاں کرتی ہے اور کلارک گیبل چارلس بایر اور جانے کس کس فلمی ہیرو کا راگ الاپتی ہے۔ میں بھی اسی رو میں بہنے لگتا ہوں اور سرگوشیوں میں کیا کیا باتیں کرتا ہوں، گفتنی بھی ناگفتنی بھی۔ کل رات میں بادنجانیوں

یعنی بینگنیوں اور بینگنیوں کے مداحوں کے خلاف بول رہا تھا۔ ادھر اس نے بینگنیوں کی وکالت شروع کر دی۔ کہنے لگی کہ گوشت اور دلے گندم سے بھرے بینگن بہت لذیذ ہوتے ہیں۔ یوں اس نے میرا منہ بند کر دیا۔ آج میں نے حفظ ماتقدم کے طور پر طے کر رکھا تھا کہ رات کو جب وہ دستک دے گی تو میں دروازہ نہیں کھولوں گا۔

میں بس اسی قسم کے خیالات میں کھویا ہوا تھا کہ دروازے پر دستک ہوئی۔ اف خدایا وہ تو آ گئی مگر میں نے طے کر رکھا تھا کہ میں نہ تو دروازہ کھولوں گا نہ بینگنیوں کے خلاف جو میں نے کہا ہے، اس پر معذرت کروں گا۔

لیکن دستک ہوئے چلی جا رہی تھی اور آخر مجھ سے رہا نہ گیا۔ میں نے سوچا کہ چلو دروازہ کھولے دیتا ہوں لیکن اس سے پیار محبت کی کوئی بات نہیں کروں گا۔ دستک جاری تھی۔ سو میں اٹھا اور دل میں کہا کہ خفیہ برقی آلے کو ارمنی زبان کونسی سمجھ میں آ جائے گی اور ہم کسی کو کیا نقصان پہنچا رہے ہیں۔ وہ اور میں دونوں بے ضرر حقیر مخلوق ہیں۔ میں نے دروازہ کھول دیا۔ کیا دیکھتا ہوں کہ ایک درمیانہ عمر کی خاتون سامنے کھڑی ہے۔ چہرہ پیلا پڑا ہوا۔ آنکھیں سبزی مائل، لرزتی آواز میں بولی ''سعید۔'' میں حیران تھا کہ یہ کون خاتون ہے اور میں نے اسے پہلے کہاں دیکھا ہے۔ منہ سے ایک لفظ نہیں نکلا۔ بس اس کی سبزی مائل آنکھوں کو تکے جا رہا تھا۔ آخر میں نے یہ نتیجہ نکالا کہ یہ بی بی میرے قریے کی ہے اور میری دور پرے کی رشتہ دار ہے یا ممکن ہے سرحد کے پرے سے آئی ہو لیکن ایسی کیا افتاد پڑی کہ رات گئے آ کر دستک دی۔

''آیئے۔'' میں نے آہستہ سے کہا، اگرچہ میں گھبرایا ہوا تھا۔

''میری بہن یعاد نیچے کھڑی ہے۔ کہو تو اسے بھی بلا لوں۔''

میں حیران، کانوں اور آنکھوں پر اعتبار نہیں آ رہا تھا۔

میرا طور یہ چلا آتا تھا کہ جب یعاد کی یاد بہت ستانے لگتی یا فرصت ہوتی تو اس کے تصور میں گم ہو جاتا۔ بس پھر مجھے وہی وہ نظر آتی ہے۔ میں اس کا ہاتھ تھام لیتا، اسے سینے سے چمٹا لیتا اور پھر ہم دونوں ایک نشے سے سرشار ہو جاتے۔ ایک دفعہ تو ایسا ہوا کہ میں فلسطینی مزدوروں کی یونین کے دفتر میں بیٹھے بیٹھے اس کیفیت میں غرق ہو گیا اور اس کا انجام یہ ہوا کہ لنگڑے علی ابو مصطفےٰ نے اپنی چھڑی میرے سر پہ دے ماری۔ وجہ یہ تھی کہ میں نے کہا تھا کہ ذرا چند منٹ باہر انتظار کرو۔ پھر میں تمہیں بلاتا ہوں، یہ کہہ کر میں تو اپنی کیفیت میں غرق ہو گیا۔ ادھر وہ کتنی دیر تک باہر

انتظار میں سوکھتا رہا۔

میں نے آخر اس سے پوچھا ''کیا آپ واقعی یعاد کی بہن ہیں؟''

''اسے لے آؤں؟''

''یعاد۔یعاد۔''

''دیکھیں آپ نہ جائیں۔آپ جانگیہ بنیان میں ہیں۔آپ اندر جا کر کپڑے بدلیں۔میں اسے بلا کر لاتی ہوں۔''

میں نے یعاد کی بہن کا مشورہ مان لیا۔اب میرا حال یہ تھا کہ لباس بدلتے بدلتے ایک کمرے سے دوسرے کمرے میں، دوسرے سے تیسرے کمرے میں جاتا۔ ایش ٹرے میں سگریٹ کے جوٹوٹے پڑے تھے اور جن پر لپ سٹک لگی ہوئی تھی انہیں جا کر باتھ روم کے فلش میں پھینکا لیکن کب فلش گھمایا تو وہ گھوما ہی نہیں۔سو میں نے بالٹی میں پانی بھر کر اس میں انڈیل دیا لیکن اس سے یہ ہوا کہ پانی ابل پڑا اور فرش پر بہنے لگا۔میرا پاؤں پھسل گیا۔میں دھڑام سے گرا اور میں نے دیکھا کہ یعاد کے قدموں میں گرا پڑا ہوں۔یعاد جسے میں نے سالوں بعد دیکھا تھا۔

''اللہ تمہیں جزائے خیر دے۔''اس نے میرے حق میں دعا کی۔

میں اٹھ کر کھڑا ہوا اور حالت یہ تھی کہ میرا چہرہ پسینہ سے اور باتھ روم کے پانی سے تر بتر تھا۔قریب ہی پڑی کرسی پر میں ڈھیر ہو گیا اور رونے لگا۔

یعاد اور اس کی بہن دونوں میری طرف لپک کر آئیں۔میرے آنسو پونچھنے اور رخساروں پر بہتا ہوا باتھ روم کا پانی بھی اور مجھے ڈھارس دلانے لگیں کہ سب ٹھیک ہو جائے گا لیکن اس کا مطلب کیا تھا۔کیا ٹھیک ہو جائے گا۔

یعاد نے مجھے طعنہ دیا ''سعید، اللہ تمہیں معاف کرے، تم نے میرے باپ اور باقی لوگوں کے ساتھ کیا کیا۔''

لیکن اللہ مجھے معاف کرے میں کچھ نہیں سمجھا اور اب اس کی بہن نے بتایا کہ یعاد آج ہی یہاں پہنچی ہے۔ وہ ناصرہ سے چلی اور شفاعمر اور البطین کے قریوں سے ہوتی ہوئی تن تنہا پہاڑوں کو عبور کر کے یہاں پہنچی۔ یہاں آ کر اس نے بہن کو بتایا کہ ان لوگوں نے ان کے باپ کو ناصرہ میں گرفتار کر لیا اور یہ کہ سعید یعنی کہ میرا اس گرفتاری میں ہاتھ ہے، اس لیے کہ میں نے اس شخص کے بارے میں مخبری کی تھی۔

''میں نے؟''

''ہر شخص کی زبان پر یہی ہے کہ تم نے مخبری کی ہے۔'' یعاد نے اپنی بات پر اصرار کرتے ہوئے کہا ''تو کیا واقعی ٹوپے والے مخبر تم ہو؟''

''میں!''

''تمہارے ابا جان بھی تو یہی کام کرتے تھے۔''

میں رویا اور میں نے قسمیں کھائیں اور انہیں یقین دلایا کہ میں اس جوگا کہاں ہوں کہ کسی کو نقصان پہنچا سکوں اور یعاد کے گھرانے کے کسی فرد کو نقصان پہنچاؤں۔ ایسا تو خیال بھی میرے ذہن میں نہیں آسکتا۔ بہرحال اس الزام تراشی اور قسما قسمی میں یہ پتا چل گیا کہ حیفہ کی ریفائنری میں جب پہلی مرتبہ آگ لگی تھی تو اس کے بعد یعاد کے والد صاحب حیفہ سے نکل کر ناصرہ کے مقام پر آن بسے تھے۔ ناصرہ گیلیلی کا صدر مقام ہے۔ جب اس علاقے پر اسرائیلیوں کا قبضہ ہوا تو اسرائیلی فوج نے لوگوں کو حکم دیا کہ اپنے ہتھیار ہمارے حوالے کر دو۔ میئر نے اس کا یہ جواب دیا کہ ہمارے پاس ہتھیار ہیں کہاں۔ بس نرد کے تختے ہیں کہ لوگ کو فیوا ٹھتے ہی ان کے گرد جم کر بیٹھ جاتے ہیں۔ یہ جواب سننے کے بعد فوج نے شہر پر دباؤ ڈالنا شروع کر دیا۔ سب سے پہلے انہوں نے مشرقی کوارٹر کے گرد گھیرا ڈالا اور یہی وہ علاقہ تھا جہاں یعاد کے گھرانے نے پناہ لی تھی۔ پھر انہوں نے سب کو خالی عمارت میں جو قبطی گرجا گھر کے عقب میں کنویں کے برابر کھڑی تھی، ٹھونس دیا۔ وہاں انہیں اس گرمی میں دن بھر پیاسا بند رکھا۔ طرفہ ستم یہ کہ وہیں اس جگہ کے قریب مقدس پانی سے چھلکتا ہوا ایک چشمہ بہہ رہا تھا جسے چشمہ مریم کہا جاتا تھا۔ یعاد نے بڑے فخر سے یہ سنایا کہ اس نے کمیونسٹوں کو ایک پرانا شعر سنایا تھا جسے بعد میں انہوں نے اس پمفلٹ کا عنوان بنایا جو محاصرے کے درمیان وہاں تقسیم ہوا تھا۔ شعر یہ تھا:

''آہ وہ صحرا کے اونٹ کہ پیاس سے بلبلا رہے تھے
درانحالیکہ پانی کی مشکیں ان پیٹھوں پر لدی تھیں''

تب ملٹری گورنر نے سب کو اکٹھا کیا اور تردید کرتے ہوئے کہا کہ آپریشن کے دوران میں ایسا کوئی واقعہ نہیں ہوا کہ فوج نے اونٹوں اور ایسے دوسرے جانوروں کو چشمہ سے سیراب ہونے سے روکا ہو۔ لوگوں نے اسے سمجھانے کی کوشش کی کہ یہ شعر تمثیلی رنگ کا حامل ہے۔ اس پہ وہ بہت بگڑا اور کہا کہ آدمی کے لیے اونٹ کی مثال لانا انسانی وقار کے منافی ہے۔ کسی آدمی کے

لیے بھی چاہے وہ کوئی عرب ہی کیوں نہ ہو۔ اونٹ کی تشبیہ استعمال نہیں کرنی چاہیے۔ کہنے لگا" اب آپ لوگ اس ملک کے شہری ہیں، اسی طرح جس طرح ہم ہیں۔" اور یہ کہہ کر اس نے ہمیں اپنی نگاہوں سے دور کر دیا۔

گھیرے میں لینے کی کارروائی کے دوران فوج نے یہ کیا کہ ٹوپے والے مخبر نے جن جن کا نام بتایا انہیں جنگی قیدی کیمپوں میں بھیج دیا۔ انہیں قیدیوں میں یعاد کا باپ بھی تھا۔

میں نے پوچھا" ٹوپے والے مخبر کا کیا چکر ہے؟"

یعاد نے وضاحت کی" یہ آدمی ہے جس نے سر پہ ٹوپا منڈھ رکھا ہے۔ اس ٹوپے میں تین سوراخ ہیں۔ دو آنکھوں کے لیے اور ایک منہ کے لیے۔ وہ اسے ایک میز کے سامنے بیٹھا دیتے ہیں۔ چاروں طرف سپاہی کھڑے ہوتے ہیں۔ جب ہمارے لوگ میز کے سامنے سے گزرتے ہیں تو سپاہی ان کا جائزہ لیتے ہیں اور اگر ٹوپے والا ہمارے کسی آدمی کو دیکھ کر دو مرتبہ سر کو جنبش دیتا ہے تو سپاہی اسے پکڑ کر الگ لے جاتے ہیں۔ صرف ایک کارروائی کے دوران فوجیوں نے کم از کم پانچ سو مردوں اور لڑکوں کو جنگی قیدی بنا لیا۔

سعید تم نے ایسا کیوں کیا؟"

●◆●◆●

(18)

سعید کی یعاد کے ساتھ اکیلے میں پہلی رات

آخر کار میں نے یعاد اور اس کی بہن کو کسی نہ کسی طور پر یہ اطمینان دلا دیا کہ ٹوپے والا مخبر میں نہیں ہوں لیکن پھر یوں ہوا کہ اس رات کے بعد میری اوقات ایک پرانے دہرانے ٹوپے کی سی رہ گئی۔

یعاد حکام سے اجازت حاصل کیے بغیر ناصرہ سے حیفہ آئی تھی۔ اس لیے اس کی حیثیت ایک گھس پیٹھیے کی تھی۔ حاکم لوگ گھس پیٹھیوں کی تلاش میں دن رات تخصیص کے بغیر کسی بھی وقت کسی گھر میں گھس آتے تھے اور اگر کوئی ایسا شخص ان کے ہتھے چڑھ جاتا تو وہ اسے پکڑ کر راتوں رات جنین کے نواح میں پہنچا دیتے۔ یہاں ایک میدان تھا کہ شہر اور بنگلہ قریے کے درمیان واقع تھا اور یہاں برطانوی فوج کا بیس کیمپ ہوا کرتا تھا۔ برطانوی فوج اس کو چھوڑ گئی۔ عرب اور یہودی سپاہیوں نے یہاں آ کر سرنگوں میں اپنے اپنے طور پر اور اضافہ کر دیا۔ اصل میں پہلی لڑائی تو یہیں ہوئی تھی۔ جب جنگ تھم گئی تو یوں ہوا کہ ساندل کے قریے کے کچھ لڑکے اسکول سے واپس گھر جا رہے تھے کہ ان کے قدموں تلے آ کر ایک سرنگ پھٹ گئی۔ سرکاری بیان کے مطابق سترہ لڑکے ہلاک ہو گئے، جو زخمی ہو کر بعد میں مرے، وہ ان پر مستزاد۔

اس واقعہ کے فوراً بعد جیکب نے ہم سب کو طلب کر کے کمیونسٹوں کے خلاف ہمیں ایک لیکچر پلایا۔ اس کی دانست میں یہ لوگ سامی مخالف لوگ ہیں۔ یہ لوگوں کو ہڑتال اور مظاہروں پر اکساتے ہیں اور اب وہ یہ پروپیگنڈا کرتے پھر رہے تھے کہ یہ سرنگ اسرائیلیوں نے بچھائی تھی۔ جیکب نے اپنی تقریر میں بھی کہا کہ ہماری تنظیم یعنی فلسطینی مزدوروں کی یونین ایک جمہوری ملک کی جمہوری تنظیم ہے۔ اس لیے ہم آزاد یہ اعلان کر سکتے ہیں کہ اس سرنگ کو یا تو انگریزوں نے بچھایا تھا یا عربوں نے۔

ہمارا ایک رفیق کار الشغوی نام کا تھا جو کھبا تھا اس لیے کہ اس کا دایاں ہاتھ مفلوج ہو گیا تھا۔ وہ بولا کہ کمیونسٹوں کے بیان میں یہ الزام بھی لگایا گیا ہے کہ حکومت نے جنگ کے زمانے میں بچھی ہوئی سرنگوں کے سلسلہ میں غفلت برتی اور سڑک سے ان کو پاک کرنے کی زحمت گوارا نہیں کی گئی۔ جیکب نے اس کا جواب یہ دیا ''ہمیں اچھی طرح معلوم ہے کہ تمہارا بہنوئی اسی پارٹی سے تعلق رکھتا ہے۔'' اس کے بعد یوں ہوا کہ الشغوی کی زبان بھی مفلوج ہو گئی۔

تو خیر ہم کیا بات کر رہے تھے۔ بالآخر ہمارے درمیان اس بات پر اتفاق ہو گیا کہ یعاد کے لیے جسے گھس پیٹھیا سمجھا جائے گا، اپنی بہن کے گھر قیام کرنا مناسب نہیں ہے۔ اس بہن نے ابھی الحلیشہ میں اپنا گھر خالی نہیں کیا تھا، وہ اپنے شوہر کی واپسی کا انتظار کر رہی تھی۔ اس کا شوہر ایک صبح یہ کہہ کر گھر سے نکلا تھا کہ میں جلدی واپس آؤں گا۔

طے یہ پایا کہ یعاد آج کی رات میرے گھر پر ایک الگ کمرے میں قیام کرے گی اور جب یہ بات ہو رہی تھی تو میں نظریں نیچی کیے رہا۔ مجھے اندیشہ یہ تھا کہ انہیں یہ پتا نہ چل جائے کہ میرا دل زور زور سے دھڑک رہا ہے۔ یعاد کی بہن میری منت سماجت کرنے لگی کہ بھیا تم میری بہن کی عزت سے مت کھیلنا۔ آخر میں ٹکڑا لگایا ''چاہو تو بعد میں قانونی طور پر اسے اپنا بنا لینا۔''

پھر وہ رخصت ہو گئی۔ اس سارے قصے نے مجھ پر بہت اثر کیا۔ میرے ذہن میں میری بہن کی گئی آبرو یعاد کی آبرو کے ساتھ گڈمڈ ہو گئی تھی اور یعاد سے اتنے عرصے کے بعد آج اچانک ملاقات ہوئی تھی۔ اس نے اپنے کمرے میں جا کر اندر سے اسے بند کر لیا اور زور زور سے سسکیاں لے کر رونے لگی۔ ادھر میں اس کے ساتھ دروازے کے برابر اپنے بستر پہ لیٹا تھا۔ نہ نیند آ رہی تھی نہ وہاں سے اٹھ سکتا تھا۔ کتنی دیر تک یہ صورت رہی کہ ادھر سسکیاں بھر رہی تھی۔ ادھر میں ساکت پڑا تھا۔

اچانک اس کی آواز سنائی دی۔ ''سعید'' میں نے بہانہ بنایا کہ میں سو گیا ہوں۔ پھر آواز آئی ''سعید۔'' میں سانس روکے پڑا رہا۔

آخر اس نے دروازہ کھولا۔ میں نے آنکھیں میچ لیں۔ مجھے لگا کہ وہ بستر کی چادر مجھے اڑھا رہی ہے۔ پھر احساس ہوا کہ وہ دبے پاؤں باتھ روم کی طرف گئی ہے۔ مجھے اس کے نہانے دھونے کی آواز سنائی دے رہی تھی۔ پھر باتھ روم سے نکل کر اپنے کمرے میں چلی گئی اور اب کے

اس نے کمرے کا دروازہ تھوڑا کھلا چھوڑ دیا۔

مگر اب میں کیسے اٹھ سکتا تھا۔ اسے پتا چل جاتا کہ میں جاگ رہا تھا اور وہ سوچے گی کہ آخر اس نے میرے پکارنے پر جواب کیوں نہیں دیا۔ سب سے پہلے تو میں نے اسی سے محبت کی تھی اور آج کی رات کے بعد میری اس کی محبت ابدی محبت کی شکل اختیار کر لے گی تو پھر یہ کیونکر ہو سکتا تھا کہ رات میرے گھر گزارے اور میں اس سے ایک بات بھی نہ کروں بلکہ ایک بوسہ تک نہ لوں۔ کیا میں بہت خائف تھا مگر میں سارکس کی محبوبہ کے معاملہ میں خائف کیوں نہیں ہوا۔

●◆●◆●

(19)

سعید گھبرانا مت، میں تمہارے پاس واپس آؤں گی

تو خیر میں سانس روکے لیٹا تھا۔ اس بچہ کی طرح جس کا بچھونے میں پیشاب نکل جائے اور وہ دعا کر رہا ہو کہ کوئی ایسا معجزہ ہو جائے کہ جب صبح ہو اور وہ ابدی گھس پیٹھیا جسے سورج کہتے ہیں، مشرق کی طرف سے آ کر دریچہ میں سے جھانکے تو کسی پر اس کے پیشاب کا حال نہ کھلے۔ اچانک کسی نے زور سے کنڈی کھٹکھٹائی۔ بس میں تیر کے موافق یعاد کے کمرے میں جا پہنچا۔ خوف کے مارے میں کانپ رہا تھا۔ وہ سارے کپڑے پہنے تیار کھڑی تھی۔

''وہ آ گئے ہیں۔'' اس نے پوچھا۔

''پتا نہیں۔''

''پھر کنڈی کون کھٹکھٹا رہا ہے۔''

''مجھے کچھ معلوم نہیں۔''

''مجھے کہیں اندر بند کر دو۔ بتانا مت کہ میں یہاں ہوں۔''

کسی نے کنڈی اور زور زور سے کھٹکھٹائی اور ہمیں اونچی اونچی آوازیں سنائی دیں۔

''میری جان، میری پیاری۔'' میں نے سرگوشی میں کہا۔

''اس وقت نہیں۔ نہیں اس وقت نہیں۔''

''تم میری ہو۔''

''پھر۔ پھر۔''

''نہیں، ابھی اسی وقت۔''

وہ میری آغوش سے تڑپ کر نکل گئی۔ پھر میرا ہاتھ پکڑ کے میرے کمرے کی طرف دوڑی۔ وہاں جا کر ہم دونوں بستر پر لوٹ پوٹ ہو گئے۔ اسی گھڑی دروازے کے ٹوٹنے کی آواز آئی اور اسی کے ساتھ مجھے یوں لگا جیسے میری پسلی بھی چٹخ گئی ہے۔ میں نے اسے کمرے میں چھوڑا

اور باہر نکل کر کمرے کا دروازہ بند کر دیا۔ دروازے کے سامنے تن کر کھڑا ہو گیا کہ وہ آئیں گے تو میں ان کا مقابلہ کروں گا۔

وہ سپاہی تھے ''تلاشی لو۔''

''تم لوگوں نے دروازہ کیوں توڑا؟''

ایک سپاہی نے مجھے ایک طرف دھکیلا اور پھر وہ سارے گھر میں پھیل گئے۔ ایک ایک کونہ چھان مارا۔

''تم یہاں اکیلے ہو؟''

''بالکل اکیلا۔''

میں نے اس وقت پاجامہ پہن رکھا تھا۔ جلدی جلدی قمیص پہنی، پتلون چڑھایا اور اس کمرے کے دروازے کے سامنے آن کھڑا ہوا جس میں یعاد چھپی بیٹھی تھی۔ میں نے اپنا شناختی کارڈ نکال کر انہیں دکھایا اور بتایا کہ فلسطینی مزدوروں کی یونین سے تعلق رکھتا ہوں اور ایڈون سفرشک کا حوالہ دیا۔ انہوں نے تلاشی لینی بند کر دی۔

لیکن ایک سپاہی کو جوان سب کا انچارج معلوم ہوتا تھا، کمرے کو بند دیکھ کر کچھ شک گزرا۔ اس نے مجھے دھکا دے کر کمرہ کھولنے کی کوشش کی مگر میں بھی ٹس سے مس نہ ہوا۔

''کمرہ کھول دو۔'' اس نے گرج کر کہا۔

''کمرے میں کچھ نہیں ہے۔'' میں نے زور دے کر کہا۔

وہ تو آگ بگولہ ہو گیا۔ سیدھا دروازے کی طرف آیا۔ میں دونوں بازو پھیلا کر کھڑا ہو گیا۔ دل میں ٹھان لی کہ جان دے کر شہادت کا درجہ حاصل کروں گا۔ وہ اپنے آدمیوں کی طرف دیکھ کر ہنسا لیکن وہ اپنی جگہ کھڑے رہے۔ اس نے انہیں مجھے پکڑنے کا حکم دیا مگر وہ لوگ مجھے پکڑنے سے ہچکچا رہے تھے۔ تب اس نے چیخ کر کہا ''پکڑ لو اسے۔'' اور اب وہ اکٹھے ہو کر میری طرف بڑھے۔ مجھے پکڑ دھکڑ کے باہر دھکیلا۔ پھر مجھے نیچے دھکیل دیا۔ وہ تیسری منزل تھی۔ میں سیڑھیوں پر سے لڑھکا۔ کچھ ہاتھ میری طرف بڑھتے اور مجھے نیچے دھکیل دیتے، اسی طرح لڑھکتا ہوا۔ بالکل نیچے جا پڑا۔ وہاں میں نے اپنے آپ کو جیکب کے پیروں میں پڑا پایا۔ اس حال میں کہ میں نے ابھی تک اپنی یونین کا شناختی کارڈ ہاتھ میں پکڑا ہوا تھا اور ہاتھ اونچا کر کے کوشش کر رہا تھا کہ جیکب اس کارڈ کو دیکھ لے مگر وہ کہاں دیکھنے والا تھا۔

"گدھے مجھے پتا ہے تو کون ہے۔" وہ گرجنے لگا۔ "اٹھو اور مجھے بتا کہ یہ کیا چکر چل رہا ہے۔"

لیکن میں بھی اٹھ کر نہیں دیا۔ اسی گھڑی ادھر سے ایک عورت کی چیخوں کی آواز سنائی دی۔ عورت کی چیخوں کے ساتھ تھپڑ اور لاتیں رسید کرنے کی بھی آوازیں آ رہی تھیں۔ غرض ایک اچھا خاصا شور مچا ہوا تھا۔ ہم نے اوپر کی طرف نظر ڈالی۔ وہاں یعاد اور سپاہیوں کے درمیان گستم کشتا ہو رہی تھی۔ یہ سپاہی اسے سیڑھیوں پر دھکیل رہے تھے۔ اردگرد دوسرے سپاہی کھڑے تھے، کچھ اس انداز سے جیسے انہیں پتا ہی نہیں کہ کیا ہو رہا ہے۔ یعاد سخت مزاحمت کر رہی تھی۔ چیخ چلا رہی تھی، دولتیاں مار رہی تھی۔ اس نے ایک سپاہی کے شانے پر ایسا کچکچا کر کاٹا کہ وہ بلبلا اٹھا اور پیچھے ہٹ گیا۔ دیر تک ادھر سے دھکیلنے اور ادھر سے مزاحمت کرنے اور دولتیاں پھینکنے کی کارروائی ہوتی رہی لیکن وہ لڑھکی نہیں۔ اپنی سیدھی کمر کے ساتھ سر اونچا کیے ہوئے اپنے قدموں سے چل کر نیچے اترنے لگی۔

"یہ گھس پیٹھی ہے۔" ایک سپاہی نے ہانپتے ہوئے کہا۔ اس نے پلٹ کر اونچی آواز سے کہا "یہ میرا ملک ہے، یہ میرا گھر ہے اور یہ میرا شوہر ہے۔"

جیکب نے ایک گندی گالی دی۔ یعاد نے وہی گالی اس کی ماں پر پلٹا دی۔ انہوں نے اس پر نرغہ کیا اور اسے پکڑ دھکڑ کے اس کار میں دھکیل دیا جس میں اسی جیسے ٹھنسے ٹھنسائے بیٹھے تھے۔ اس کے بعد کار چل پڑی۔

جب کار چلنے لگی تو اس نے اپنی پوری طاقت کے ساتھ چلّا کر کہا "سعید، گھبرانا مت، میں تمہارے پاس واپس آؤں گی۔ سن رہے ہو سعید۔"

ادھر میں اسی طرح فرش پہ چاروں شانے چت پڑا تھا۔

●◆●◆●

(20)

زخم

برسوں میں انتظار دیکھتا رہا کہ وہ واپس اب آئے اور اب آئے۔

وہ لوگ اسے دوسرے گھس پیٹھوں کے ساتھ حیفہ لے گئے تھے۔ ان گھس پیٹھوں کا تعلق مختلف قریوں، شہروں سے تھا۔ ناصرہ سے، ژرفہ، معلول، شفائے عامر، ابلین اور تمارا سے بہت عرب مزدور بھی کہ روزی کمانے کے چکر میں لُپ چُھپ کر شہر میں آ گئے تھے، پکڑے گئے۔ وہ لوگ ان سب کو جنین کے میدان میں چھوڑ آئے تھے جہاں انگریزوں، عربوں، یہودیوں سب نے سرنگیں بچھائی تھیں۔ ان میں سے بعض کھنڈروں میں اور بعض درختوں میں چُھپ کر بیٹھ رہے۔ بہرحال انہوں نے اردن کا رخ نہیں کیا۔ دن میں سوتے اور رات ہونے پر چلتے پھرتے جہاں سے نکالے گئے تھے چھپ کر وہیں پہنچ جاتے لیکن پھر نکالے جاتے اور پھر وہ چھپ چھپا کر وہاں واپس پہنچتے۔ یہ عمل آج تک جاری ہے۔

چند ایک ایسے ضرور تھے جو آگے نکل گئے۔ چلتے چلتے اردن کی سرحد پر جا پہنچے۔ جہاں اردن کے سپاہیوں کی سخت سست سننی پڑیں۔ اردن کے سپاہی آج بھی انہیں اسی طرح سخت سست سناتے نظر آتے ہیں۔

یعاد ان لوگوں میں تھیں جو پلٹ کر نہیں آتے۔ ایک گھس پیٹھا پلٹ کر آیا، اس نے چپکے سے میرے ہاتھ میں ایک کاغذ تھما دیا۔ یہ اس کی چٹھی تھی۔ میں نے اس وقت اسے کھول کر نہیں دیکھا جب تک یہ یقین نہیں ہو گیا کہ آس پاس کوئی جاسوسی آلہ نصب نہیں ہے۔ اس وقت تک میں نے اسے کھول کر نہیں پڑھا۔ بس یہ ایک خفیہ کاغذ ہے جسے میں نے آج تک سنبھال کر رکھا ہوا ہے کہ مجھے یہ حوصلہ رہے کہ میں جاسوسی آلہ کی خلاف ورزی کرنے کی بھی جرأت رکھتا ہوں۔ مزید یہ کہ میں اسے اپنی شادی کی سند جانتا ہوں۔ یعاد نے لکھا تھا:

''جس کسی کے ہاتھ یہ چٹھی پڑے، اس سے میری التجا ہے کہ وہ یہ چٹھی میرے شوہر

بدنصیب قنوط رجائی سعید کو کہ حیفہ میں ہے، پہنچا دے۔

سعید، اے میرے شوہر نامدار سعید، میرے پیارے الوداع، الوداع۔ میں سرحد کے نواح میں ہوں، موت سر پر کھڑی ہے لیکن میں اس یقین کے ساتھ اس دنیا سے جاؤں گی کہ تم میرے باپ کو قید سے چھٹکارا دلاؤ گے۔ میری بہن کو میرا سلام پہنچا دینا۔ اس کے بچوں کی خبر گیری کرنا۔ الوداع، الوداع، میرے پیارے الوداع۔

تمہاری کنیز یعاد۔"

ویسے بعد میں پتہ چلا کہ وہ مری نہیں ہے۔ سو میں نے طے کر لیا کہ میری ایک بیوی ہے جو جنین میں کسی پناہ گیروں کے کیمپ میں بیٹھی ہوئی ہے۔ بس پھر میں نے حکومت کے شروع کیے ہوئے اس پروگرام میں دلچسپی لینا شروع کر دی جس کا مقصود بچھڑے خاندانوں کو ملانا ہے۔ میں عمان ریڈیو سے نشر ہونے والے ان پیغامات کو بھی بغور سننے لگا جو گئے ہوئے لوگوں کی طرف سے اپنے خاندان والوں کے نام ہوتے ہیں۔ مجھے کبھی یہ حوصلہ نہ ہوا کہ اسرائیلی ریڈیو سے اپنے پیاروں کے نام کے عنوان کے ساتھ جو پروگرام ہوتا ہے۔ اس میں اپنا پیام محبت نشر کرواؤں۔ یہ پروگرام مشہور مغنی فرید العطرش کے جذبات سے معمور اس اداس نغمے کے ساتھ شروع ہوتا تھا:

اے مرے دل ہمارے پیارے ہمارے پاس نہیں ہیں
ہم ان کی طرف گئے اور وہ ہمیں چھوڑ کر چلے گئے
مرے دل، اے مرے دل
کسی نے ہمارا انتظار نہیں کیا

میں یہ نغمہ سن کر چپکے چپکے اپنے آنسو پونچھا کرتا تھا۔ اس ڈر سے کہ کہیں مرے جاسوس آلے کو مری سسکیوں کا پتا نہ چل جائے۔ اس پروگرام کا اثر یہ ہوا کہ عربوں کے ہر ریڈیو سٹیشن سے اس قسم کے پروگرام نشر ہونے لگے اور ہر پروگرام کچھ اس رنگ کے نغمہ سے شروع ہوتا تھا۔

ہم واپس آئیں گے

یا

مقبوضہ دیس کے لوگو، تمہیں ہمارا سلام پہنچے
اپنے گھروں میں جمے رہنا
ہمارے دل تمہارے ساتھ ہیں

یا

اے اس سمت جانے والے قاصد

مجھ سے رومال لیتا جا

میرے محبوب کو یہ رومال دے دینا

آخر میں یہ سب نغمے آپس میں گڈمڈ ہو کر ایک عجیب سا ملغوبہ بن جاتے اور یعاد کو میں بالکل کھو بیٹھا۔

جب چھ روزہ جنگ شروع ہوئی اور پیغام دینے والے کی یہ آواز فضا میں گونجی کہ ''نصر من اللہ وفتح قریب'' تو میں نے یعاد کے لیے رونا دھونا بند کر دیا اور میں نے جاسوسی والوں کے ڈر سے نہیں بلکہ خود اپنے طور پر ایسا کیا۔

لیکن ہم اس سے پہلے کے زمانے کی طرف لوٹتے ہیں۔ جیکب کو آخر مجھ پہ ترس آ گیا۔ وہ ہمارے پیچھے پیچھے چوک تک آیا۔ جہاں انہوں نے ہمیں جیل اسٹریٹ اور عباس اسٹریٹ کے درمیان ٹھونس ٹھانس کر بٹھا دیا تھا۔ ٹوپے والے مخبر کے آنے سے پہلے ہی اس نے مجھے ان لوگوں کے بیچ سے نکال لیا۔ میں نے اسے بتایا کہ یعاد کے ساتھ کیا واقعہ گزرا۔ اس پر اس نے مجھے آڑے ہاتھوں لیا۔ کہا کہ تم نے پہلے ہی سپاہی کو ساری بات کیوں نہیں بتا دی۔ بہر حال اس نے وعدہ کیا کہ حکام سے کہہ سن کر وہ یعاد کو برآمد کرے گا۔ چاہے وہ قطر ہی کیوں نہ چلی گئی ہو اور اسے میرے سپرد کرے گا۔

''لیکن سعید، ایک شرط ہے، تم اچھے بن کر رہو۔''

''جی جناب۔''

''اور ایمانداری سے ہماری خدمت بجا لاؤ۔''

''جی جناب۔''

اور یہ ساری کھکھیڑ اس لیے اٹھائی جا رہی تھی کہ غریب یعاد کا مستقبل محفوظ ہو جائے اور اس نے یعاد کو میرے حوالے کرنے کا وعدہ کیا تھا۔ پھر اس نے ٹکڑا لگایا'' ویسے اس میں تھوڑا وقت تو لگے گا۔''

لیکن اس معاملہ نے تو وہ طول کھینچا کہ کسی صورت طے ہونے ہی میں نہ آیا۔ ہر الیکشن سے پہلے وہ مجھے یقین دلاتا کہ بس ووٹوں کی گنتی ہوتے ہی میں تمہیں لے کر یروشلم جاؤں گا اور وہاں مندیل بام سے یعاد کو برآمد کروں گا اور پھر کہتا'' تو اب ذرا کام کر کے دکھاؤ۔ پتا چلے کہ تم کیا کچھ کر سکتے ہو۔''

چنانچہ کمیونسٹوں کے تعاقب میں مَیں نے وہ سرگرمی دکھائی کہ نہ دن کو چین نہ رات کو آرام۔ میں نے ان کے خلاف سازشوں کا جال بچھایا، ان پر حملے کرائے۔ ان کے خلاف گواہیاں دیں۔ میں جلوسوں میں گھس جاتا، ان کے رستے میں کوڑے کرکٹ کے ڈرم اوندھا دیتا اور ایسے نعرے لگاتا جن میں ملک کو تباہ و برباد کرنے کے عزم کا اظہار ہوتا۔ مقصد یہ ہوتا کہ پولیس کو ان پر ہلہ بولنے کا بہانہ مل جائے۔ میں پرانے خیالات والے بزرگوں کے کان بھرتا کہ کمیونسٹوں نے قرآن کو پارہ پارہ کر دیا اور بیلٹ بکسوں پر صبح چھ بجے سے آدھی رات تک مسلط رہتا لیکن اس ساری محنت کا اجر مجھے بس اس قدر ملتا کہ یعاد کو واپس دلانے کا پھر وعدہ کر لیا جاتا۔

اس دوران میں میرے سب ساتھیوں کو کہ اسی قسم کی خدمات انجام دیتے رہے تھے، ترقیاں مل گئیں اور عربوں کے لیے جو عہدے مخصوص کیے گئے تھے، وہ انہیں مل گئے۔ الشغوی کیبنٹ (27) کا ممبر بن گیا۔ ناظمی الشوش کو سارجنٹ بنا دیا گیا۔ ابوالفتح ذہن ذقجا ایک اسکول کا پرنسپل بن گیا۔ اس کی بیوی کو بھی ایک اسکول کی پرنسپلی مل گئی اور اس کی بیٹی کو معلم کی جگہ دے دی گئی لیکن اس کا بیٹا کمیونسٹوں کے ہتھے چڑھ گیا اور انہوں نے اسے میڈیکل کی تعلیم کے لیے ماسکو بھیج دیا۔

بس میں اور جیکب ہی رہ گئے، باقی سب نوازے گئے۔ اس کا انعام میں تھا۔ جب انہوں نے فلسطینی مزدوروں کی یونین کو ہیضہ رت میں ضم کیا تو انہوں نے اسے محکمۂ امور عرب میں افسر بنا دیا اور مجھے اس کی ماتحتی میں دے دیا۔

میں اس کی خدمت بہت تندہی سے کرتا تھا لیکن اس کے باوجود اس کا غصہ مجھ پر اترتا اور کالے چشمے والے بڑے آدمی کا غصہ اس پر اترتا۔ جب الیکشن کے نتائج آئے تو جیکب بہت کڑھتا اور چلّانا شروع کر دیتا "یعاد تمہیں نہیں ملے گی۔ کمیونسٹوں کو تم نے اتنے ووٹ کیسے لینے دیئے۔"

"میں نے؟"

"خیر اس بات کو چھوڑو۔ چلو ایک مرتبہ پھر کوشش کرتے ہیں۔"

لیکن سارے کرتوتوں کے باوجود میرا ضمیر صاف تھا۔ میں یعاد سے پھر ملنے کا متمنی تھا۔ آخر میں نے شادی کر لی اور پھر جیکب اور میرے درمیان یعاد کو واپس لانے کے لیے جو خفیہ معاہدہ ہوا تھا، اس کا خیال مجھے ستانے لگا۔ جیسے میں نے اپنی شادی سے دغا کی ہو اور یہ جو میرے اندر ایک زخم تھا، اس سے جیکب خوب خوب فائدہ اٹھاتا۔

●♦●♦●

دوسرا حصہ

(28) باقیہ وہ لڑکی جس نے قیام کیا

جس طرح ایک ماں پیار کرتی ہے
اپنے مسخ شدہ بچے سے
اسی طرح میں
اپنے پیارے ملک سے محبت کرتا ہوں

سلیم جبران

(21)

سعید اطلاع دیتا ہے کہ حفاظتی اسباب کی بنا پر اس نے لکھنا بند کر دیا

بدنصیب قنوطی رجائی سعید نے آگے چل کر مجھے ایک اور خط لکھا۔ اس میں لکھا تھا:

السلام علیکم، رحمتہ اللہ و برکاتہ،

میں نے بہت دنوں سے تمہیں خط نہیں لکھا۔ سمجھ لو کہ حفاظتی وجوہ کی بنا پر میں نے خط لکھنا موقوف کر رکھا تھا اور اس معاملہ میں حفاظتی وجوہ ملک کے نہیں میرے اپنے تھے اور میرے آسمانی بھائیوں کے۔ میں اب انہیں کے ساتھ عکسہ کے تہہ خانوں میں رہتا ہوں۔ یہاں ہم مامون تو ہیں، محفوظ نہیں ہیں۔

حکومت نے ان تہہ خانوں کی مرمت شروع کر دی ہے۔ دیواریں دوبارہ بنائی جانے لگیں۔ بجلی کی روشنی کا انتظام کیا جانے لگا۔ کمروں اور ایوانوں کی بحالی کا کام شروع ہوا۔ یہ دیکھ کر ہم وہاں سے سرنگوں میں جا چھپے جو نظروں سے اوجھل ہیں۔ اب ہمارا حال یہ ہے کہ ایک جگہ نہیں رکتے اور ایک منٹ کے لیے بھی ہم چین سے نہیں بیٹھتے۔ اپنے روزمرہ میں تم یوں سمجھو کہ مارا اور بھاگے یا بھاگتے بھاگتے کھانا یا بھاگتے ہوئے لکھتے جانا والا مضمون ہے لیکن سچ پوچھو تو ایسا ممکن نہیں ہے۔

جب گرمیاں گزر گئیں تو اس کے ساتھ آدمی بھی غائب ہو گئے۔ شور تھم گیا۔ لے دے کے مینڈکوں کی ٹرٹراہٹ تھی یا جھینگر کی آواز سنائی دیتی تھی۔

میرے آسمانی رفیق نے مجھے بلا کر کہا "چلو سمندر پر چلتے ہیں۔" تو ہم سمندر پہ گئے اور لائٹ ہاؤس کے بائیں ہاتھ والی دیوار کے ساتھ سینٹی ہوئی جو ایک لمبی چوڑی اور چکنی سی چٹان ہے، اس پہ جا بیٹھے۔ مچھلیوں کو پکڑنے کی نیت سے ہم نے سمندر میں کانٹے ڈال دیئے۔

اکتوبر کا مہینہ تھا۔ مشرق کی طرف سے بادِ صبا اٹھکیلیاں کرتی ہوئی چل رہی تھی۔ سمندر خاموش تھا۔ سطحِ آب پر ستاروں کے عکس جھلملا رہے تھے۔ ہماری آنکھیں سامنے کی طرف دیکھ رہی تھیں۔ حیفہ روشنیوں سے اس رنگ سے جگمگا رہا تھا کہ ایک کے بجائے دو شہر نظر آ رہے تھے۔ ایک شہر تو کوہِ کارمل کے سہارے اپنی جگمگاہٹ میں مگن تھا۔ دوسرا سمندر میں تیرتا نظر آ رہا تھا۔ اس رنگ سے کہ وہاں وہ اپنے گہنے سے بے نیاز ہو گیا تھا۔

اس وسیع و عریض سمندر کو کہ اس وقت پرسکون تھا، تکتے ہوئے مجھے احساس ہوا کہ وہ کس قدر پرشکوہ، کتنا طاقتور ہے۔ سچی طاقت سکون و اعتماد کی صورت میں اپنا اظہار کرتی ہے۔ سمندر کا سکون سکون ہی اصل میں اس کی طاقت اور شکوہ کا مظہر تھا۔ میری جیسی کتنی پریشان روحوں نے گوشۂ عافیت کی تلاش میں سمندر کا رخ کیا اور یہاں اس کے پر اعتماد سکوت میں انہیں سکون میسر آیا۔ جون کی لڑائی کی لرزہ خیز راتوں میں عرب مرد یہاں دوڑ دوڑ کر آتے تھے۔ بظاہر وہ یہاں مچھلیاں پکڑنے آتے تھے لیکن کہتے ہیں کہ وہ اپنی بیویوں کے طعنوں سے بھاگ کر یہاں آئے تھے مگر اصل حقیقت یہ ہے کہ سمندر کو دیکھ کر وہ اطمینان حاصل کرنا چاہتے تھے کہ ایک طاقتور اور ہے جو ہمارے ملک سے زیادہ طاقتور ہے۔

اکثر راتوں میں یہ ہوا کہ لوگ نہریہ کی چٹانوں میں اس مقام پر اہلے گہلے پھر رہے ہوتے جہاں سمندر شہر کے گندے پانی کو نگل کر مچھلیوں کے لیے غذا فراہم کرتا ہے کہ اچانک پولیس آن دھمکتی لیکن سمندر کے سکون کو دیکھ کر مچھلیاں پکڑنے والے ہمت پکڑتے اور پولیس کی پوچھ گچھ سے ذرا نہ گھبراتے اور خوشی خوشی باقی رات جیل میں بسر کرتے۔

مچھلیاں پکڑنے کے اس شغل نے مجھ پر ایک عجیب راز منکشف کیا اور یہ ایسا راز ہے کہ میں ایک عمر تک اسے چھپائے چھپائے پھرتا رہا۔ وہ تو یہ کہیے کہ مجھے عکسہ کے تہہ خانوں میں عالم بالا سے آئے ہوئے بھائی برادر مل گئے ورنہ میں راز اپنے ساتھ قبر میں لے جاتا۔

میں نے اپنے راز کا ذکر کیا اور اپنے رفیق سے کہا ”دنیا کے اس حصے میں اس طرح کے پراسرار واقعات گزر رہے ہیں۔“

میرے آسمانی دوست نے اس پر یہ کہا ”تم سے پہلے ابن جبیر نے جس نے 1158ء میں عکسہ کا سفر کیا تھا، یہی نتیجہ نکالا تھا۔ وہ اسی ساحل پر آ کر بیٹھا تھا۔ انتظار کرنے لگا کہ سمندر میں ذرا ٹھہراؤ آئے تو وہ اس شہر سے جسے باز عظیئیوں نے خراب کر رکھا ہے، نکل بھاگے۔ اس کے بعد

اس نے اپنے سفرنامہ میں لکھا کہ اس علاقہ میں ہوا جس انداز سے چلتی ہے، وہ ایک عجیب اسرار لیے ہوئے ہے۔ ہوتا یوں ہے کہ ہوا صرف بہار و خزاں کے موسموں میں مشرق کی سمت سے چلتی ہے اور اس لیے لوگ صرف انہیں موسموں میں سفر کر سکتے ہیں۔ موسم بہار میں سفر کرنے کا زمانہ وسط اپریل سے اواخر مئی تک کا یا اس کے آس پاس کے دنوں کا ہوتا ہے، موسم خزاں میں سمندری سفر وسط اکتوبر سے شروع ہوتے ہیں لیکن خزاں کا موسم مختصر ہوتا ہے۔ بس یہی کوئی پندرہ دن کی مدت ہوتی ہے۔ کبھی چند ایک دن زیادہ ہو جاتے ہیں، کبھی کم ہو جاتے ہیں۔ سال کے دوسرے دنوں میں ہوائیں ملی جلی ہوتی ہیں۔ ان میں مغرب سے چلنے والی ہوا کا زیادہ زور ہوتا ہے شمالی افریقہ سسلی اور یونان کے عازمین سفر مشرق سے چلنے والی ہواؤں کا انتظار کرتے ہیں۔ ''تعریف اس حد کی جو حکمت والا ہے اور قادر مطلق اور واحد و لاشریک ہے۔''

میں بھی اس حمد میں شامل ہو گیا۔ مجھے یاد آیا کہ اس قلیل سی مدت میں عکسہ کے عرب مچھیرے اپنی چھوٹی چھوٹی کشتیوں میں بیٹھ کر سمندر میں دور تک نکل جاتے اور بیلا میڈ اس نام والی مچھلی پر جال پھینکتے۔ یہ ایک بدیسی مچھلی ہے جو اتنی بھاری بھرکم ہوتی ہے کہ مچھیروں کے لیے اسے کھینچ کر کشتی میں لانا دوبھر ہو جاتا ہے اور عرب عورتیں اسے پکانے کی ترکیب بھی نہیں جانتیں۔

میرے رفیق نے یہ بھی کہا کہ اس سمندر میں ٹھہراؤ بہار اور خزاں کے موسموں میں آتا ہے اور تمہارے خوبصورت ملک میں یہی دو موسم سب سے خوشگوار ہوتے ہیں۔ انہیں موسموں میں لوگ جوق در جوق آتے ہیں اور اس مقام پر ایسے فریفتہ ہوتے ہیں کہ موج در موج اور تہہ در تہہ یہاں آباد ہوتے چلے جاتے ہیں۔ یہی وجہ ہے کہ صرف طبقات الارض کا علم وہ علم ہے جو کہ کھنڈروں اور تاریخ کے مطالعہ کے لیے مناسب ہے'' اور میں نے جواب دیا۔ ''جی ہاں'' موسم بہار ہی میں تو میں نانترہ والی عورت سے ملا تھا اور خزاں کے موسم میں مَیں اس کے بیٹے کو کھو بیٹھا۔ اب لگتا ہے کہ ان دو موسموں کی درمیانی مدت کتنی مختصر تھی۔''

●◆●◆●

(22)

کینڈیڈ اور سعید کے درمیان حیرت انگیز مشابہت

جب کوئی جیٹ جہاز گرجتا شور کرتا سمندر کے اوپر سے گزرتا اور شمال میں راس النقرہ کو عبور کر کے پہاڑوں میں کھو جاتا تو میرا خلائی دوست چونک چونک پڑتا۔ ہر مرتبہ جب وہ اچھلتا تو مجھے یہ گمان گزرتا کہ اس کے کانٹے میں کوئی خوف کی ماری مچھلی پھنس گئی ہے اور میں آہستہ سے اپنے کانٹے کو جنبش دیتا اور پھر آرام سے بیٹھ جاتا۔

ایک مرتبہ وہ کہنے لگا ''میں سوچ رہا ہوں کہ تم نے جو پہلا خط اپنے دوست کو بھیجا تھا، اس کا جو حصہ اس نے شائع کرایا ہے اس پر اس کے دوستوں کا کیا ردِ عمل ہوا۔ انہوں نے کہا، یہ کہ اس شخص نے بہت لمبی چھلانگ لگائی ہے لیکن بیچارہ کینڈیڈ سے کئی سو برس پیچھے رہ گیا۔''

''لیکن اس بات کا اس سے کیا تعلق ہے۔'' میں نے اعتراض کیا، میرا دوست ایک پیغام رساں ہے، ایک میسنجر بوائے اور پیغام رساں کا کام تو بس اتنا ہوتا ہے کہ پیغام پہنچا دے۔

میرے رفیق نے ایک اور شکایت کی۔ بولا کہ کینڈیڈ تو رجائیت پسند تھا لیکن تم قنوطر جائی ہو۔ میں نے جواباً کہا ''یہ ایسی صفت ہے جو میرے لوگوں کو دوسروں کے مقابلے میں امتیاز بخشتی ہے۔''

''لیکن لگتا یہ ہے...... '' اس نے ایک اور اعتراض کیا'' کہ تم کینڈیڈ کی نقالی کرتے ہو۔''

''اس کا الزام مجھے مت دو۔ اس کا الزام اس طرزِ زندگی پر جاتا ہے جس میں والٹیئر کے وقت سے اب تک کوئی تبدیلی نہیں آئی ہے۔ سوائے اس کے کہ جنت اتر کر اب کرۂ ارض پر آ گئی ہے۔''

''ذرا اس کی وضاحت ہو جائے۔''

میں نے اس کی وضاحت اس طرح کی کہ اپنے اور کینڈیڈ کے درمیان جو تشابہ ہے، اسے بھرپور طریقے سے بالکل ٹھیک ٹھیک بیان کر دیا جائے۔ البتہ پچھلی ربع صدی میں بار بار سال کے سال جو حالات پیدا ہوتے رہے ہیں، انہیں نظر انداز کر دیا۔ آخر میں مَیں نے کہا، کیا جب

اباریوں کی عورتوں کی عصمت دری کی گئی جب ان کے پیٹ چاک کیے گئے اور سر قلم کیے گئے اور ان کے محلات مسمار کیے گئے تو کیا اس پر پنگلوس نے اپنی تشفی کا اظہار نہیں کیا تھا۔ یہ کہہ کہ ہم نے اپنا انتقام لے لیا کیونکہ اباریوں نے بھی ایک ہمسایہ ریاست کے ساتھ یہی سلوک کیا تھا۔ ریاست جس کا حاکم بلغاریہ کا ایک لارڈ تھا۔

بہر حال خود ہم نے اس کے دوسو سال بعد بالکل اسی انداز میں اپنی تسکین کا سامان کیا تھا۔ یہ ستمبر 1972ء کا واقعہ ہے جب میونخ میں ہمارے کھلاڑیوں کو ہلاک کیا گیا تھا، ہمارے فوجی طیاروں نے شام اور لبنان کے پناہ گزینوں کے کیمپوں پر بمباری کی اور عورتوں اور بچوں کو جنہیں ابھی زندگی کی بہار دیکھنی تھی، ہلاک کر کے ہماری طرف سے بدلہ چکا دیا۔ اسی برس اکتوبر کے مہینے میں ہمارے طیاروں نے شام کے پناہ گزینوں کے کیمپوں پر بمباری کی اور ہمارے پنگلوس نے یعنی وزیر تعلیم وثقافت یگائل ایلن نے ہلاک ہو جانے والے کھلاڑیوں کی بیواؤں کی یہ کہہ کر تشفی کی کہ ہمارے طیاروں نے سارے نشانے ٹھیک ٹھیک لگا کر شاندار کارنامہ انجام دیا ہے۔

”اس سے پہلے بھی اوائل جولائی 1950ء میں جب ہمارا دیس ابھی گھٹنیوں چل رہا تھا اور دنیا کا ایک طفلانہ معصومیت کے ساتھ نظارہ کر رہا تھا، ہمارے نامی گرامی جان کمچی نے اسی پنگلوس والی دانش کا مظاہرہ کیا تھا۔ ”یروشلم پوسٹ“ میں شائع ہونے والے اس کے مضمون میں ذرا اس کا بیان دیکھیے ”عربوں نے یہودیوں کے خلاف ایک خونریز جنگ لڑی اور شکست کھائی۔ اس لیے اگر ان سے اس شکست کا خمیازہ بھگتنے کا تقاضا کیا جاتا ہے تو انہیں اس کے خلاف شکایت کا کوئی حق نہیں پہنچتا۔“

اب ذرا اس کا اس واقعہ سے موازنہ کرو کہ قریۂ الطبار کے چند بچے اپنے انسانی اور حیوانی حق کو کام میں لاتے ہوئے سمندر کی سیر کی غرض سے ناتنیہ کے شہر پہنچے۔ سمندر کی موجوں کے متعلق ابھی تک انہوں نے سنا ہی سنا تھا۔ اب ان موجوں کے زور شور کو انہوں نے اپنی آنکھوں سے دیکھا۔ انہیں گرفتار کر لیا گیا۔ ایک فوجی عدالت کے سامنے پیش ہوئی جس نے ان پر جرمانہ کر دیا۔ جو جرمانہ نہ بھر سکے اس کے متعلق حکم ہوا کہ ایک مہینہ جیل کی ہوا کھائے۔ ایک بچہ جرمانہ ادا نہ کر سکا۔ اس کے باپ نے کہا کہ اس کی جگہ میں ایک مہینہ کی جیل بھگتتا ہوں لیکن جج نے اس کی درخواست قبول نہیں کی۔ جج کا موقف یہ تھا کہ اس کی ماں یہ سزا بھگتے، اس نے نو مہینے اسے پیٹ میں رکھا تھا۔ اب ایک مہینہ اس کی خاطر جیل میں گزارے۔ یہ حکم مئی 1953ء میں جاری ہوا تھا۔

یہ انسانی حق آج تک قائم ہے مگر یہ کہ یہ حق گورنر کی اجازت سے مشروط ہے۔

اور کینڈیڈ میں اس موقع کو دھیان میں لاؤ جب بحری قزاق کھلے سمندر میں ایک جہاز کو قبضہ میں لے لیتے اور مردوں، عورتوں کی جامہ تلاشی شروع کر دیتے ہیں۔ ایک خادمہ نے اس جامہ تلاشی کا احوال یوں بیان کیا ہے۔ حیرت ہوتی ہے کہ یہ لوگ کتنی پھرتی سے لوگوں کو برہنہ کر ڈالتے ہیں لیکن میں سب سے زیادہ حیران اس بات پر ہوئی کہ ان لوگوں نے اپنی انگلیاں ہمارے جسموں کے اس حصے میں کس بے تکلفی سے ٹھونس دیں جس کے متعلق بہت سی عورتیں اتنی احتیاط برتتی ہیں کہ سوائے سرنج کے کسی آلہ کو اس میں دخول نہیں کرنے دیتیں۔ مجھے یہ رسم بہت عجب لگی لیکن اس طرح وہی لوگ سوچتے ہیں جنہوں نے دنیا نہیں دیکھی ہے۔ مجھے بعد میں پتا چلا کہ وہ یہ حرکت یہ معلوم کرنے کے لیے کرتے ہیں کہ ہم نے ہیرے موتی تو نہیں چھپا رکھے ہیں۔ یہ جانا مانا رواج ہے کہ زمانۂ قدیم سے ان مہذب قوموں میں چلا آتا ہے جنہوں نے سمندروں کو اپنی آماجگاہ بنایا ہوا ہے۔ مجھے بتایا گیا کہ مالٹا کے مذہب پرستا مراء ترکوں کو اپنا قیدی بنا لیتے تھے تو کیا عورت اور کیا مرد دونوں کے سلسلے میں ادبدا کر اس رسم کو پورا کرتے تھے۔ یہ قوموں کا ایسا قانون ہے جس سے انہوں نے کبھی انحراف نہیں کیا۔

ہماری حکومت اس زمانے میں بھی اس بین الاقوامی قانون کو عرب قیدیوں کے سلسلہ میں روا رکھتی ہے، خواہ وہ قیدی مرد ہو یا عورتیں ہوں۔ فضائی سفر ہو یا بری سفر یا بحری سفر ہر صورت پر بندرگاہ اور ہر ہوائی اڈے پر وہ لڑا کا ہوائی اڈا ہو یا حیفہ کی بندرگاہ یا کھلے پل ہو سب مقامات پر اس قانون پر عملدرآمد ہوتا ہے۔ یہی وجہ ہے کہ ترک مرد اور ترک عورتیں جب عازمِ سفر ہوتی ہیں۔ بہت احتیاط سے اپنی جیبوں، اپنے سوٹ کیسوں اور اپنے لباس کو اندر باہر سے جھاڑ لیتی ہیں اور ترک خواتین بڑے اہتمام سے نفیس قسم کے نائیلون کے انڈرویئر زیب تن کرتی ہیں تاکہ جامہ تلاشی لینے والی پولیس پر رعب پڑے اور وہ تلاشی لیتے ہوئے ذرا احتیاط برتیں۔

میرا غیبی دوست یہ سن کر ہنسا اور ازراہِ تنفس پوچھنے لگا ”کیا تم واقعی یہ سمجھتے ہو کہ انہوں نے کینڈیڈ سے یہ مضمون اڑایا ہے کہ وہ لوگوں کو برہنہ کرنے کے بعد ان کے مختلف سوراخ والے اعضا میں انگلیاں گھسیڑتے ہیں۔“

”بہر حال......“ میں نے کہا ”ان کا آپس میں کسی طور موازنہ نہیں کیا جا سکتا۔ پنگلوس نے ان عورتوں کو جن کے پیٹ کھولے گئے تھے، یہ دلاسہ دیا تھا کہ ہمارے سپاہیوں نے دشمن کی عورتوں کے ساتھ یہی برتاؤ کیا لیکن اسرائیل میں تو عربوں کے ساتھ دونوں فوجیں یہ برتاؤ کرتی ہیں یعنی اباریوں کی فوج بھی اور بلغاریہ والوں کی بھی۔“

''مثال دے کر بتاؤ۔''

''بارتا کے قریے کی مثال لے لو۔ یوں سمجھو کہ جس طرح حضرت سلیمان علیہ السلام کے دربار میں بچے کو دو حصوں میں بانٹنے کا فیصلہ سنایا گیا تھا۔ اسی طرح اس قریے کو دو حصوں میں بانٹ دیا گیا۔ ایک حصہ اردنی ہے، دوسرا اسرائیلی ہے۔''

''ٹھیک ہے مگر حضرت سلیمان علیہ السلام کے دربار میں اس فیصلہ کے باوجود بچہ سالم رہا تھا۔ اس کی اصل ماں نے اس کے دو ٹکڑے کرنے کی اجازت نہیں دی تھی۔''

''لیکن بارتا کے معاملہ میں یہ ہوا کہ ان لوگوں نے اس کے دو ٹکڑے کر ڈالے مگر وہ اس کے باوجود سالم رہا۔ ایک دفعہ کچھ چور دس مویشی چرا کر رفو چکر ہو گئے۔ اردن والوں نے ان کے قدموں کے نشانات سے سراغ لیا کہ وہ بارتا کی طرف گئے ہیں۔ انہوں نے اس قریے پر چڑھائی کے لیے گھڑ سواروں کے ایک رسالہ کو اس طرف روانہ کیا۔ یہ حملہ 21 نومبر 1950ء کو ہوا۔ سپاہیوں نے اہل قریہ کو لاتوں گھونسوں سے اتنا مارا پیٹا کہ ان کی طبیعت صاف ہو گئی۔ پھر اہل قریہ کپڑے جھاڑ کر اٹھے اور انہوں نے سپاہیوں کو اتنا کھلایا چٹایا کہ ان کی طبیعت سیر ہو گئی۔ ہر سپاہی کے لیے دو دو عدد چوزے اور سب گھوڑوں کے لیے چارہ۔ پورے رسالے کی موج ہو گئی لیکن جب وہ چلے گئے تو پھر پنگلوس کی فوج والے آن دھمکے، پورے قریے کو چھان ڈالا۔ وہ یہ کھوج لگاتے پھر رہے تھے کہ اردنی حملہ آوروں کے ساتھ کس کس نے گٹھ جوڑ کیا تھا۔ جس اہل قریہ کے بارے میں یہ پتا چلا کہ اسے زمین پر پٹخا نہیں گیا تھا بلکہ خالی زدوکوب کر کے چھوڑ دیا گیا تھا تو اس کے متعلق طے کیا گیا کہ وہ دشمن سے گٹھ جوڑ کا مرتکب ہوا ہے اور جسے زمین پر پٹخ کر صرف لاتیں رسید کی گئیں وہ بھی گٹھ جوڑ کا مرتکب ٹھہرا۔ وعلیٰ ہذا القیاس۔

سو ہمارے اور کینڈیڈ کے درمیان جو موازنہ کیا گیا ہے اسے میں ایک بیان دے کر ختم کرتا ہوں۔ جناب والا! کینڈیڈ کہا کرتا تھا کہ دنیا میں سب ٹھیک ہو رہا ہے۔ تاہم اتنا مان لینا چاہیے کہ ہماری اس دنیا میں جو کچھ ہوتا ہے، اس پر تھوڑی فریاد کر لینے میں بھی کوئی مضائقہ نہیں ہے لیکن میرا معاملہ یہ تھا کہ نہ تڑپنے کی اجازت تھی نہ فریاد کرنے کی۔''

''اس کی ذرا وضاحت ہو جائے۔'' میرے غیبی دوست نے کہا۔

''میں یقیناً اس کی وضاحت کروں گا۔''

●♦●♦●

(23)

سعید میاؤں میاؤں کرتی بلّی بن گیا

باہر کی دنیا میں یعنی سرنگوں سے باہر میں نے بیس برس اس طرح گزارے کہ میرا دم گھٹا جا رہا تھا۔ میری کیفیت ڈوبتے آدمی کی سی تھی کہ میں سانس لینے کی کوشش کرتا تھا اور لے نہیں پاتا تھا۔ میں رہائی چاہتا تھا مگر رہائی مجھے مل نہیں پا رہی تھی۔ میں ایسا قیدی تھا جس پر بھاگنے کے سب رستے بند تھے مگر یہ کہ میری قید بے زنجیر تھی۔

کتنی مرتبہ میں نے لوگوں سے فریاد کی۔ ''میری سنو۔ میں ایک بڑے راز کا بوجھ کاندھوں پر لیے پھرتا ہوں۔ اس بوجھ تلے میں کراہ رہا ہوں۔ میری مدد کرو۔'' لیکن میں تو نالہ و فریاد جوگا بھی نہیں رہا تھا۔ میں جب چیخنے چلّانے کی کوشش کرتا تو میرے منہ سے ایسی آوازیں نکلتیں جیسے کوئی بلی میاؤں میاؤں کر رہی ہو۔

آخر میں آواگون کا قائل ہو گیا۔ ذرا اس بات کا تصور کرو کہ مرنے کے بعد تمہاری روح ایک بلی کے جسم میں حلول کر گئی ہے اور یہ بلّی جی اٹھی ہے اور تمہارا کوئی ننھا سا بیٹا ہے جسے تم بے حد چاہتے ہو اور وہ بچوں کے ساتھ کھیلنے کے چکر میں گھر سے نکلا ہوا ہے جیسا کہ بچے اکثر کرتے ہیں۔ ادھر تم ہو کہ بلی کے جسم ہو اور بار بار میاؤں میاؤں کر کے اسے پکارتے ہو اور وہ بار بار تمہیں ڈانتا ہے کہ چپ رہ، آخر وہ تمہیں پتھر مارتا ہے اور تم پتھر کھا کر وہاں سے کھسک جاتے ہو۔ بقول اعظم المتنبی (30) کے کہ ''صورت شکل، ہاتھ پیر، زبان ہر اعتبار سے اجنبی۔''

یوں میں نے بیس برس گزارے۔ بس میاؤں میاؤں کرتا رہتا تھا۔ رفتہ رفتہ آواگون کا عقیدہ میرے لیے ایک حقیقت بن گیا۔ اب جب کبھی میں کسی بلی کو دیکھتا ہوں تو مجھے بے کلی سی ہونے لگتی ہے کہ کہیں یہ میری والدہ مرحومہ تو نہیں ہے۔ سو میں اسے دیکھ کر مسکراتا ہوں۔ اسے تھپتھپاتا ہوں بلکہ اس کے ساتھ تھوڑی میاؤں میاؤں بھی کر لیتا ہوں۔

میری یہ کیفیت دیکھ کر میرا آسمانی دوست ہنسا اور بولا ''مجھے یوں لگتا ہے کہ[31] اسماعیلیوں کے باطنی سلسلہ میں جو نویں منزل سلوک ہے، تم اس میں قدم رکھنے والے ہو۔'' پھر کہنے لگا ''ہمارے جواجداد اخوان الصفا[32] سے تعلق رکھتے تھے، وہ تم جیسے لوگوں کو لدو جانوروں میں شمار کرتے تھے، ایسے جانور جن کے منہ میں لوہے کی لگام ڈال دی گئی ہو اور گردنوں میں رسی باندھ دی گئی تاکہ انہیں حسب مرضی کسی طرف سے بھی ہنکایا جا سکے اور جو وہ کہنا چاہتے ہوں، کہہ نہ سکیں۔ ان لوگوں کو اللہ جب تک چاہے گا اسی عالمِ غفلت میں رکھے گا۔ پھر اس کے کرم سے ایک روز وہ خوابِ غفلت سے بیدار ہوں گے۔ انگڑائی لے کر اٹھیں گے اور خم ٹھونک کر کھڑے ہو جائیں گے۔ یہ واقعہ اس وقت رونما ہو گا جب ایک شخص اللہ کی آواز بن کر ظہور کرے گا۔ جن لوگوں کو بار برداری کے جانوروں کی طرح رسی سے باندھ دیا گیا ہے۔ جنہیں جابروں نے غلام بنا کر رکھا ہوا ہے جن کی تذلیل کی جاتی ہے جنہیں محکومی کی ذلت اٹھانی پڑ رہی ہے۔ انہیں یہ شخص آ کر رہائی دلائے گا۔ یہ شخص ان لوگوں کی سرکوبی کرے گا جنہوں نے ان لوگوں کو زنجیروں میں جکڑ رکھا ہے۔''

''اللہ کی آواز مَیں کیسے بن سکتا ہوں۔'' مَیں نے کہا۔

''اس طرح کے دوستوں کو خط لکھتے رہو۔''

لیکن وہ میرا تعارف لوگوں سے اس انداز سے کراتا جیسے میں ان سے مختلف مخلوق ہوں۔

''لیکن تم ان کے شاعروں سے تو شاید مختلف نہیں ہو۔ تم بلی بن گئے ہو۔ وہ شاعر بن گئے ہیں اور تمہارا اور ان کا دونوں کا معاملہ یکساں ہے۔ تم دونوں ہی راہِ فرار اختیار کرتے ہو کہ سانس لے سکو اور جان بچانے کے چکر میں اپنے لفظوں کا گلا گھونٹ دیتے ہو۔ بہت سوں کا معاملہ یہ ہوتا ہے کہ اور کچھ کرنے جوگے نہیں ہوتے اس لیے ادیب بن جاتے ہیں اور بہت سے ایسے ہیں کہ مقابلہ کرنے کی تاب نہیں رکھتے۔ اس لیے ملک سے باہر چلے جاتے ہیں۔ کچھ لوگ اپنی بزدلی پر کاغذی دانش کا پردہ ڈال دیتے ہیں۔ بعض اسے فلسفہ میں چھپانے کی کوشش کرتے ہیں۔ اس یقین کے ساتھ کہ وقت کی گھڑی انہیں اپنی سوئی پر بٹھا کر زود یا بدیر حساب کی ساعت تک پہنچا دے گی۔ وہ یہ بہانہ بناتے ہیں کہ لوگ اس سے زیادہ کے اہل ہی نہیں تھے۔ اسی قسم کے بہت سے عذر جو کمزوروں کا ہتھیار ہوتے ہیں، تراشتے ہیں۔

لیکن اب سے ہزار سال پہلے جو ہمارا ایک راہنما ابورژواہ[33] تھا، اس نے ایسا

نہیں کیا تھا۔ جب اس نے یہ دیکھا کہ سلطان جواپنے آپ کو مامورمن اللہ جانتا ہے، ظلم و جبر کر رہا ہے تو اس نے کسی بیچارگی کا اظہار نہیں کیا نہ یہ انتظار کیا کہ پہلے لوگ لڑنے کی سکت حاصل کر لیں۔ اس نے اللہ کے باغی کا لقب اختیار کیا اور طاقت سے طاقت پر غلبہ حاصل کر لیا۔ چونکہ خطا زیادہ حاکم کی تھی، اس لیے بہت سے لوگوں نے باغی کا ساتھ دیا۔ ساتھ دینے والوں میں ہم بھی تھے۔''

''لیکن جو راز میں سینے میں لیے پھرتا ہوں، اس کا کیا کیا جائے۔'' میں نے پوچھا۔

''یہ راز دنیا کو بتا دو۔'' اس نے مشورہ دیا اور میں یہی کچھ کر رہا ہوں۔

●●●●●

(24)

ایک جنوبی زمانے میں کام کرنے کے جنون کے راستے سے سعید حقیقی عرب قومیت کی پیشگوئی کرتا ہے

ایک موسمِ بہار میں میری ملاقات تنتورہ[34] کی ایک دوشیزہ سے ہوئی۔ اسے تنتوریہ کے نام سے پکاریں تو کیا مضائقہ ہے۔ یہ اس کا اصلی نام تو نہیں ہے لیکن اس کے گاؤں کے نام سے تو بہرحال اس کی نسبت ہے۔ یہ گاؤں سمندر کے کنارے واقع تھا۔ اس گاؤں کی بربادی سے تیرہ برس پہلے وہاں اس کی پیدائش ہوئی تھی۔ تنتوریہ اس وقت جسر الزرقہ گئی ہوئی تھی کہ ادھر تنتوریہ سے اچانک لوگوں کو نکال باہر کیا گیا۔ جسر الزرقہ ایک چھوٹا سا گاؤں ہے۔ یہ گاؤں بھی سمندر کے کنارے واقع ہے۔ تنتوریہ پھر یہیں رہنے لگی۔ اسے میرے مصائب میں جو شریک ہونا تھا، چاہے ایک ہی موسم کے لیے سہی۔

جسر الزرقہ کی کہانی بھی بہت عجب ہے۔ یہ چھوٹا سا گاؤں اور اس کے ساتھ والا گاؤں فردوس۔ یہ دونوں گاؤں جنگ اور انخلا کی قیامتوں کو کیسے سہہ گئے۔ ان قیامتوں نے تو حیفہ سے تل ابیب تک ساحل کی ساری عرب بستیوں کو تہہ و بالا کر ڈالا تھا۔ برباد بستیوں کی[35] فہرست طویل ہے۔ لاطیرہ، عین ہود، الطرز جبع، اجزم، سارفنہ، کفرلم، عین غزل، تنتوریہ، بریکہ، خربتہ، البرج، قیصرہ، ام خالد، خبریۃ الزبیدہ، الحرم، جلیل القبیلہ۔ یہ بستیاں فردوس کی نسبت کہیں زیادہ مستحکم بنتی تھیں لیکن یہ بستیاں برباد ہو گئیں اور فردوس بستی بچ گئی۔ شاید اس لیے کہ جیکب کے ایک مقصد کی اس کے ذریعہ تکمیل ہونی تھی۔

اچھا یہ جیکب وہ جیکب نہیں ہے جو میرا باس تھا اور جس کا تعلق فلسطینی مزدوروں کی یونین سے تھا۔ یہ جیکب کوئی جیمز (جیکب) روتھلڈ تھا جس نے وہیں قرب و جوار میں انیسویں صدی کے اواخر میں ایک نوآبادی ذکرِ یعقوب (یعقوب کی یاد میں) کے نام سے آباد کی تھی۔

آباد کار سب یورپ سے آئے ہوئے لوگ تھے اور شرابیں بہت اچھی تیار کرتے تھے۔ آج کل یہ شرابیں جو مختلف ناموں سے مشہور ہیں، دنیائے عرب کے موسم گرما کے عیش گاہوں میں عرب شہزادوں کے دسترخوانوں کی زینت بنتی ہیں۔ یہ شرابیں وہاں اردن کے راستے، کھلے پلوں سے پہنچتی ہیں اور شہزادے انہیں پی کر دادِ عیش دیتے ہیں۔

جب یہ شہزادے پی کر بدمست ہو جاتے ہیں تو پھر آگ بگولہ ہو کر ان لوگوں پر غداری کا الزام لگاتے ہیں جو اقوامِ متحدہ کی سلامتی کونسل کی قراردادوں پر عمل درآمد کا مطالبہ کرتے ہیں۔

حقیقت یہ ہے کہ یعقوب کے مٹکوں میں بھری مئے ناب کے طفیل ہی فریدس کے لوگ جنگ کے طوفان سے بچے رہے۔ یہ کہنا درست ہوگا کہ زخرون یعقوب والے فریدس کے لوگوں کے پسینے کی کمائی کھاتے ہیں اور خوب منافع کماتے ہیں۔ ان آباد کاروں کے متعلق ایک لطیفہ مشہور ہے اور اس لطیفہ پر خود بھی بہت ہنستے ہیں۔ مجھے یہ لطیفہ میرے آقا جیکب نے سنایا، لطیفہ یوں ہے کہ زخرون یعقوب کے بزرگوں میں ایک مسئلہ پر اختلاف پیدا ہو گیا۔ مسئلہ یہ تھا کہ دن میں شوہر کا بیوی سے ہم بستر ہونا جائز ہے یا یوں ہے کہ ہم بستری بھی کام کے ذیل میں آتی ہے اور اس لیے جس طرح کے دن اور کاموں کی ممانعت ہے اس کام کی بھی ممانعت ہے۔ یہ بزرگ ربی کی خدمت میں پہنچے اور سوال کیا کہ ہم بستری کام کے ذیل میں آتی ہے یا لطف کے ذیل میں۔ ربی نے بہت سوچ بچار کے بعد فتویٰ دیا کہ یہ کام نہیں ہے، لطف کا مشغلہ ہے۔ بزرگوں نے پوچھا، قبلہ آپ نے کیا سوچ کر یہ فتویٰ دیا۔ ربی نے جواب دیا ”میں نے سوچا کہ اگر میں نے فتویٰ دیا کہ بیوی سے ہم بستری بھی کام ہے تو پھر تم لوگ یہ کام بھی فردس کے لوگوں کے ذمے ڈال دو گے۔“

اس لطیفہ پر ہم کتنا ہنستے تھے۔ جیکب تو اس لیے ہنستا تھا کہ اسے مغربی یہودی سے سخت نفرت ہے اور میں اس لیے ہنسا کہ جیکب ہنستا تھا اور ایسا کون مورکھ ہوگا جو فریدس کے لوگوں پر نام دھرے گا کہ شراب انگوری ان کی حفاظت کی ضامن ہے۔ آخر اس ملک کی یہ اونچی اونچی عمارتیں کن لوگوں نے بنائی ہیں۔ کن لوگوں نے یہ چوڑی سڑکیں بنائی ہیں۔ خندقیں کھودی ہیں اور پناہ گاہیں تعمیر کی ہیں۔ وہ کون لوگ ہیں جو کپاس کی بوائی کرتے ہیں۔ پھر اسے چنتے ہیں۔ پھر دھنتے ہیں اور پھر وہ کپڑے بُنتے ہیں جنہیں عمان کے محلات میں رہنے والے زیب تن کرتے ہیں۔ سنا گیا تھا کہ نیشنل یونین کی تجویز تھی کہ اس کپڑے سے ایک ہی قسم کی یونیفارم تیار کی جائے تا کہ

یونین کے سب اراکین برابر کی حیثیت کے نظر آئیں۔ جس طرح کنگھی کے سب دندانے یکساں ہوتے ہیں اور پھر کوئی عرب کسی غریب عرب سے اپنے آپ کو برتر نہیں سمجھے گا۔ ہاں عرب سلاطین کا معاملہ دوسرا ہے۔ وہ اپنے خاص انداز سے سر پر کفیہ سجاتے ہیں۔ کفیہ ان کی قومی شناخت ہے۔ جب ان کا عرب خون جوش مارتا ہے تو اپنے چہرے کو کفیہ سے ڈھانپ لیتے ہیں اور اللہ کو یاد کرتے ہیں اور جب ان کا عرب خون پھٹ پڑنے کو ہوتا ہے تو دوزانو ہو کر بیٹھ جاتے ہیں۔ لال پیلے ہوتے ہیں اور غیر ملکی درآمدات کے خلاف لیکچر جھاڑتے ہیں تو سلاطین کا معاملہ دوسرا ہے۔ ان کے کفیہ کا کپڑا خاص ہوتا ہے اور پھر اور تام جھام بھی ہوتے ہیں۔ ہوائی جہاز، شراب خانے، تصویریں کھینچنے کھنچوانے کے اہتمام، دستِ مبارک کو بوسہ دینے کے تکلفات اور پھر ولی عہد بہادر کو اپنی ٹیم ٹام اور ارشاد فرمایا علیؑ ابن ابو طالب [36] نے کہ امرا کس طرح غریبوں کی بھوک سے لطف لیتے تھے اور مزدوروں کا جس طرح استحصال ہوتا ہے، اس کا کیا ذکر کیا جائے۔ ہاں تو کن لوگوں نے یہ عمارتیں کھڑی کیں اور یہ سڑکیں بنائیں۔ کن لوگوں نے اسرائیل کے کھیتوں کو جوتا بویا، وہ عرب ہی تھے جو یہاں سے ٹلے نہیں تھے۔ وہاں وہ عرب جوان زمینوں پر جمے بیٹھے رہے جن پر ہماری مملکت نے قبضہ کر لیا تھا مگر کیا مجال ہے کہ احمد شکری [37] کی گرجدار تقریروں میں ان کا کہیں حوالہ آیا ہو۔

جافہ کے عجمی اسکوائر میں مَیں نے اکثر یہ منظر دیکھا ہے کہ غزہ، جبیلیہ اور ایسے دوسرے شہروں سے آئے ہوئے شاداب چہروں والے یہ نوجوان ٹھیکیداروں کے ٹرکوں کے عقبی حصوں میں ٹھسے ٹھسائے بیٹھے ہلکورے کھاتے چلے جا رہے ہیں۔ ٹرکوں میں وہ اس طرح بھرے ہوتے ہیں جیسے مزاروں پر لگنے والی تختیاں بھری ہوں۔ اب مجھے رفتہ رفتہ یہ یقین ہوتا جا رہا ہے کہ زندہ لوگ بھی اپنی سرزمین پر رہ سکتے ہیں۔

حیفہ کے جنوبی علاقے میں جو پیرس اسکوائر ہے، کہ آگے حناطیر اسکوائر کہلاتا تھا اور اس سے بھی پہلے خمرہ اسکوائر کہلاتا تھا۔ ہاں تو اس چوک میں مَیں یہ منظر دیکھتا ہوں کہ غزہ اور جبیلیہ وغیرہ سے آئے ہوئے یہ لوگ ٹھیکیداروں کے ٹرکوں کے انتظار میں کھڑے سوکھ رہے ہیں۔ ان ٹھیکیداروں کا طور یہ ہے کہ وہ ایک ایک شخص کے بدن کا جائزہ لیتے ہیں۔ ایک ایک کے بازوؤں کو دبا کر دیکھتے ہیں۔ ان میں سے جن کے بازو زیادہ گھٹے ہوئے اور ٹانگیں زیادہ چست ہوتی ہیں انہیں وہ چن لیتے ہیں۔ یہ منظر دیکھ کر مجھے یاد آتا ہے کہ اب سے بیس برس پہلے ہم کیسے تھے اور مجھے

یقین ہو جاتا ہے کہ ہماری قوم کبھی نہیں مرسکتی۔ اکثر شام پڑے میں یہ دیکھتا ہوں کہ وہ لوگ اب پھر ٹرکوں میں بھرے ہوئے ہیں۔ بالکل اس انداز سے جیسے آلوؤں اور چقندروں سے ٹھاٹھس بھری پیٹیاں ٹرکوں میں ڈھیر ہوئی پڑی ہوں۔ یہ ٹرک پرانے دہرانے ہوتے ہیں اور ان کا کام یہ ہوتا ہے کہ اس مخلوق کو رات رات میں واپس ان کے شہروں اور قریوں میں پہنچا دیں۔ ہاں انہیں روک لیا جاتا ہے جن کے متعلق ٹھیکیدار کہہ دیتا ہے کہ میں نے ابھی تک ان کا معائنہ نہیں کیا ہے۔ پھر یہ لوگ رات کسی ادھ بنی عمارت میں بسر کرتے ہیں۔ یہ مزدور لوگ اینٹوں کو برا بھلا جما کر اپنی حفاظت کا سامان کرتے ہیں اور اس طرح رات گزارتے ہیں۔ رات کے وقت انہیں دو بڑے دشمنوں سے پالا پڑتا ہے جن سے اپنی جان بچانی ہوتی ہے۔ ایک پچھلے پہر کی سردی اور دوسرے رات کے پہرے والی پولیس۔ جب صبح چڑھتی ہے تو وہ آستین چڑھا کر پھر کام پر جتے جاتے ہیں۔

ان لوگوں کو دیکھ کر مجھے بیس برس پہلے کا زمانہ یاد آ جاتا ہے۔ اس وقت ہماری کیا حالت تھی اور کس طرح میرا آقا جیکب میرے سامنے دو شرطیں رکھتا تھا اور کہتا تھا کہ دو صورتیں ہیں یا تو تنتوریہ سے ہاتھ دھو لو جس طرح اس سے پہلے تم نے یعاد کو کھو دیا تھا یا صبح صبح اٹھ کر مزدوروں کے پاس جاؤ، ان مزدوروں کے پاس جو ٹھیکیداروں کے شکنجہ میں کسے ہوئے ہیں اور انہیں کمیونسٹوں کے جال میں پھنسنے سے بچاؤ۔ اسی طرح جس طرح بوڑھی عیسائی عورتوں نے پادریوں کی داڑھیوں کو نچنے سے بچایا تھا۔ وہ جب عبادت میں مصروف ہوتے ہیں تو یہ عورتیں نگہبانی کرتی تھیں کہ کمیونسٹ آ کر ان کی داڑھیوں کو نہ نوچیں۔

رفتہ رفتہ مجھے یقین آ گیا کہ ہماری قسمت میں یہی لکھا تھا اور جو ہونا ہے، وہ تو ہو کر رہے گا۔ ایک اطالوی گیت ہے جس کا مضمون کچھ اس قسم کا ہے کہ جو رستہ ہمارے مقدر میں لکھا گیا ہے، اس پر ہمیں لشٹم پشٹم چلنا ہے جو رستہ جس کا مقدر ہے اسے اس پر چلنا پڑتا ہے۔

لیکن جسر الرزقہ کے لوگ وہ جو میری تنتوریہ کے قریبی عزیز ہیں، وہ تو ایک قدم بھی نہیں چلتے۔ انہوں نے تو اپنے قریے سے قدم نکالا ہی نہیں۔ ان کی بقا کا راز ہے۔ وہ اطمینان اور آرام سے دریا میں جال ڈال کر مچھلیاں پکڑتے رہے۔

سب نے یہی طور اپنایا ہوا تھا سوائے میری تنتوریہ کے۔

●◆●◆●

(25)

بیان کرنا سعید کا کہ کسی زمانے میں دریائے رزقہ میں مگر مچھ رہا کرتے تھے

پانچویں دہائی کے اوائل کی یہ بات ہے کہ میں اکثر مچھلیوں کے شکار کے لیے ڈھلواں پہاڑوں سے آگے وہاں نکل جایا کرتا تھا جہاں دریائے رزقہ کا دہانہ ہے اور سمندر بہت گہرا ہے۔ یہاں کبھی مگر مچھ رہا کرتے تھے۔ ہمارے یہودی بھائیوں نے اپنے طور پر ایک نام دے دیا تھا دریائے اجگر۔ ویسے یہاں اب اژدھا قسم کی کوئی مخلوق نہیں ہے نہ اژدھا نہ مگر مچھ بس چھوٹی چھوٹی مچھلیاں نظر آتی ہیں جنہیں ملیٹ کہا جاتا ہے اور ہاں کچھ ایل مچھلیاں بھی دکھائی دے جاتی ہیں۔ یہاں دریا کے دہانے پر غروب آفتاب کے ہنگام لڑکے لڑکیاں نظر آتے تھے، ننگ دھڑنگ اپنے تانبے ایسے اور آبنوسی جسموں کے ساتھ پانی میں ڈبکیاں لگاتے ہوئے دریا میں نہاتے ہوئے وہ ایک دوسرے ہاتھ میں ہاتھ دے کر سمندر کی طرف بڑھتے نظر آتے۔ وقفہ وقفہ کے ساتھ ہاتھوں کو نیچے پانی میں لے جاتے اور پھر اس طرح اوپر لاتے کہ ان کے ہاتھوں میں مچھلیاں تڑپتی نظر آئیں۔ ان مچھلیوں کو وہ ساحل کی طرف پھینک دیتے۔ وہاں بیٹھی عورتیں ان مچھلیوں کو لپک لیتیں اور اپنے اپنے تھیوں میں اکٹھا کر لیتیں۔

ایک اپنی تنتور یہ تھی، بازغطینوں کی طرح گوری چٹی۔ وہ کبھی اس مشغلہ میں شامل نہیں ہوتی تھی۔ وہ سب سے الگ تھلگ تھوڑے فاصلہ پر کھڑی دکھائی دیتی۔ بس اس کی آنکھیں اس شغل میں شامل ہوتیں۔ کیسی چمکتی تھیں اور کیسی ان میں توانائی تھی۔ کبھی کبھی اس کے لبوں کو بھی جنبش ہوتی۔ جب کوئی تڑپتی پھڑکتی مچھلی ساحل پر آ کر گرتی تو وہ بے کل ہو کر اک ذرا مسکرا اٹھتی اور ہونٹ ہلنے لگتے۔ دوسرے لڑکے لڑکیوں ہی کے سن کی تھی یعنی یہی کوئی چودہ برس کا سن کا تھا اور ان علاقوں میں صبح جیسی شاداب ہوتی ہے۔ ویسی ہی شادابی اس میں نظر آتی تھی اور پھر اس کی

بلوریں رنگت۔ یہ دونوں باتیں اسے باقیوں سے ممیّز کرتی تھیں۔

میرے علم میں یہ بات تھی کہ یہ لڑکے، لڑکیاں ان لوگوں کی اولاد ہیں جنہیں ابراہیم پاشا مصر کے مشرقی علاقہ سے فلسطین میں لایا تھا اور یہ لوگ جسر الزرقہ اور آس پاس کی دوسری ساحلی بستیوں میں آباد ہوئے تھے۔ اس سے میں نے یہ نتیجہ نکالا کہ ہوسکتا ہے کہ یہ اکیلی گوری لڑکی کسی یونانی غلام کی اولاد ہو اور اس نسبت سے ہماری رشتہ دار ہو۔ سو میں نے ایسے ہی مختلف اسباب کی بنا پر جن میں سے بعض تاریخی تھے اور بعض غیر تاریخی اس لڑکی کو غور سے دیکھنا شروع کر دیا۔

ایک دفعہ جب اسے میری موجودگی کا احساس ہوا تو حیا سے اس کی آنکھیں جھک گئیں اور اس کے شاداب نوخیز چہرے پر ایک سرخی دوڑ گئی اور جب اس نے نظریں اٹھائیں تو میں نے دیکھا کہ ان میں ایک حیرانی، ایک جھجک اور ایک شگفتگی کی کیفیت ہے، بس میں تو ہلاک ہو گیا۔

ان دنوں کو میں کس حسرت سے یاد کرتا ہوں کیونکہ اب نہ وہ قریہ باقی ہے نہ وہ لڑکیاں دکھائی دیتی ہیں، جسر الزرقہ کے لوگ بھی بدل گئے ہیں۔ انہوں نے کپڑے لتے سنبھالے، سمندر سے کنارا کیا اور اپنے ہمسایوں یعنی فردوس کے لوگوں سے جا ملے اور ان کے ساتھ مل کر کھیتوں میں کام کرنے لگے۔ اب کوئی دریا کا رخ نہیں کرتا۔ کوئی اس مقام پر جہاں دریا سمندر سے ملتا ہے، کھڑا نظر نہیں آتا۔ بس کچھ بچے اور کچھ بڈھے ٹھڈے ضرور دکھائی دیتے ہیں۔ بچے کھیل میں مصروف ہوتے ہیں۔ بوڑھے لوگ اپنے بڑھاپے کا بوجھ ہلکا کرنے کی نیت سے ادھر آ جاتے ہیں۔ وہ تو یہ کہیے کہ تحفظ فطرت کمیٹی کی شاندار مہم کی وجہ سے حکام کو یہاں الیکٹرک پاور سٹیشن کی تعمیر کا منصوبہ ترک کرنا پڑا اور نہ چونے کی چٹان پر اس کے ہاتھ کا لکھا ہوا میرا نام بھی مٹ چکا ہوتا۔ یہ وہ چٹان ہے جس سے ٹیک لگا کر تنتورہ بیٹھا کرتی تھی۔ وہ بیٹھی رہتی اور ہم دونوں آنکھوں ہی آنکھوں میں باتیں کرتے اور مستقبل کے سنہرے خواب دیکھا کرتے اور اس نے چٹان پر میرا نام یعنی سعید کنندہ کیا تھا۔

●♦●♦●

(26)

باقیہ جس نے سعید کی شریکِ حیات بننے سے پہلے اُسے اپنا شریکِ راز بنایا

ایک شام میں ساحل پر چہل قدمی کر رہا تھا۔ آس پاس کوئی نہیں تھا۔ اتفاق سے میری نظر اس چٹان پر گئی اور میں نے کیا دیکھا کہ اس کی چوٹی پر میرا نام کھدا ہوا ہے۔ اس وقت مجھے احساس ہوا کہ نوخیز تنتوریہ مجھ سے زیادہ جرأت مند ہے۔ میں جن بچوں کو اپنی مٹھی میں رکھنے کے لیے مچھلیاں پکڑنے کے کانٹے دیا کرتا تھا، ان سے اس نے پوچھ گچھ کی ہوگی اور اس ترکیب سے میرا نام معلوم کیا ہوگا۔

یوں مجھے پتا چلا کہ وہ مجھ سے محبت کرتی ہے اور اس لیے میں بھی اس سے محبت کرنے لگا ہوں۔ مجھے شروع سے یہ تو پتا تھا کہ جو بھی عورت مجھ سے محبت کرے گی، میں بھی لازماً اس سے محبت کروں گا لیکن اب میں سوچتا ہوں کہ کتنا اچھا ہوتا اگر مجھے یہ احساس ہو جاتا کہ اس کی جرأت نرالی اور غیر معمولی تھی لیکن واقعہ یہ ہے کہ جب میں اس چٹان پر جھک کر اپنا نام پڑھ رہا تھا تو میں اس کی محبت میں غرق ہو چکا تھا۔

میں نے یہ ترکیب کی کہ ایک لڑکے کو پابندی کے ساتھ کانٹے اور نائیلون کی ڈوری دینی شروع کر دی۔ اس لڑکے کے متعلق مجھے یقین تھا کہ جب کبھی میری مچھلی کانٹے میں پھنسے گی تو یہ میری خاطر سمندر میں چھلانگ لگا دے گا۔ آخر میں نے ایک روز اس سے پوچھا ''اس لڑکی کا کیا قصہ ہے۔ وہ نہ تمہارے ساتھ مل کر مچھلیاں پکڑتی ہے نہ تمہارے ساتھ کھیلتی ہے۔''

''تنتورہ والی لڑکی۔ اسی کے متعلق پوچھ رہے ہونا۔''

اور پھر جو کچھ اس لڑکی کے متعلق معلوم تھا، اس نے مجھے بتایا اور اس سے مجھے پتا چلا کہ اس کی قریے کی نسبت، یہ سب لڑکے اسے تنتوریہ کہتے ہیں۔ اس کا اصلی نام انہیں معلوم نہیں ہے۔

اس لڑکے نے بتایا کہ یہ لڑکی جسر الرزقہ آئی ہوئی تھی کہ ادھر اس کے قریے پر دھاوا بول دیا گیا اور اس کے گھر والے وہاں سے فرار ہو کر کہیں نکل گئے۔ پھر یہ لڑکی جسر الرزقہ ہی میں اپنی ننھیال میں رہنے لگی۔ ''وہ اپنے آپ کو بہت سمجھتی ہے جیسے وہ کسی بڑے شہر کی رہنے والی ہے اور ہم پر رعب جتاتی رہتی ہے۔ تھوڑی سنکی بھی ہے۔ ہمیشہ یا تو ہنستی نظر آئے گی یا روتی ہوئی ہماری سمجھ میں نہیں آتا کہ اس سے کیا بات کریں، اس لیے ہم اس سے دور ہی رہتے ہیں۔ وہ ہم میں سے نہیں اور قماش کی ہے یا تو پڑھتی رہتی ہے یا ہنستی رہتی ہے یا پھر آپ ہی رونے لگتی ہے۔''

میں نے اس لڑکے سے کہا کہ ذرا معلوم کرو کہ اس لڑکی کا نام کیا ہے اور اس کے چچا، تایا کون لوگ ہیں۔ پھر آ کر مجھے بتاؤ۔ یہ سن کر وہ چلا گیا اور لوٹ کر اس طرح آیا کہ دوسرے لڑکے اس کے ساتھ تھے اور ان سب نے مل کر مجھے اینٹیں روڑے مارنے شروع کر دیئے۔ اس کے بعد تنتوریہ پھر اس چٹان سے ٹیک لگائے نظر نہیں آئی اور پھر مجھے بھی ساحل کی طرف جانے کی ہمت نہیں پڑی۔

فلسطینی مزدوروں کی یونین کے دفتر میں جو میرا کمرہ تھا، بس اس میں بند ہو کر بیٹھ گیا۔ یاس کا عالم تھا۔ سوچتا تھا کہ کیا یعاد کی طرح تنتوریہ بھی میرے ہاتھ سے گئی۔ پھر ایک روز ایسا ہوا کہ میرا باس جیکب چیختا چلاتا کمرے میں داخل ہوا ''جسر الرزقہ میں تم کیا لینے گئے تھے؟''

''میں وہاں مچھلیاں پکڑنے جاتا تھا، یہ میرا مشغلہ ہے۔''

''ٹھیک ہے مگر اس قریے کی لڑکیوں کے ساتھ تم نے کیا چکر چلایا تھا۔''

''مجھے کیا پتا ہے کہ وہ کمیونسٹ ہے۔''

جیکب نے قہقہہ لگایا، میں بھی ہنس پڑا۔ پھر کہنے لگا کہ میں تو یہ سوچ کر ہنس رہا ہوں کہ تم اتنے احمق الذی کیوں ہو۔ اصل میں اس کا اشارہ اس طرف تھا کہ اس قریے میں کمیونسٹوں کا کوئی خطرہ نہیں ہے۔ بولا ''جب تک ریت رات اور مکڑی کا جالا ہے اس وقت تک کمیونسٹوں کا وہاں کوئی خطرہ نہیں ہے۔''

''مکڑی کا جالا؟''

''ہاں مکڑی کا جالا۔ یہ سب لوگ ایک خاندان کے فرد ہیں، وہ خاندانی بندھنوں میں اس طرح جکڑے ہوئے ہیں جیسے مکڑی کے جالے میں پھنسے ہوئے ہوں۔''

''اور تنتوریہ والی لڑکی؟''

جیکب نے بھی وہی داستان دہرادی جو مجھے پہلے سے معلوم تھی۔ ہاں اس میں ایک اضافہ کیا۔ کہنے لگا کہ اس کا خاندان ہمارا طرفدار تھا لیکن اس کے نام سے وہ تھوڑا پریشان تھا۔ اس کا نام تھا باقیہ، جس کا مطلب ہے قائم رہنے والا۔ کہنے لگا ''نام میں اس کے کچھ تضاد سا ہے لیکن خیر ابھی تو وہ بچی ہے۔''

اس نے مجھ سے اسے ملانے کا وعدہ کیا مگر ایک شرط پر۔ شرط یہ تھی کہ میں صبح منہ اندھیرے اٹھ کر ان دیہاتی مزدوروں کے پاس جایا کروں جو حیفہ کے گندے علاقوں میں جا کر سوتے ہیں۔ انہیں خوابِ غفلت سے بیدار کروں اور کمیونسٹوں کے خطرے سے خبردار کروں۔ میں نے اس سے یہ فریضہ انجام دینے کا وعدہ کرلیا اور راتیں ان لوگوں کے ساتھ بسر کرنے لگا اور وہ لوگ روز صبح منہ اندھیرے مجھے سوتا چھوڑ کر اپنے روزگار کے لیے نکل جاتے۔

جب جولائی 1951ء میں دوسری کیبنٹ کے الیکشن ہوئے اور کمیونسٹ پارٹی کو جسر الرزقہ سے صرف سولہ ووٹ ملے تو وہ ہنستا ہوا آیا اور بولا ''بہت بڑی خبر۔ شاندار خبر...... پستہ قد والے دیو قامت آدمی نے جسر الرزقہ پر تمہیں مسلط کرنے کا منصوبہ بنایا ہے تا کہ یہ سولہ ووٹ بھی باقی نہ رہیں۔''

''وہ کیسے؟''

''باقیہ سے تمہاری شادی کرا کے۔''

جولائی کے ختم ہوتے ہی میری باقیہ سے شادی ہوگئی۔ جب ہم حجلۂ عروسی میں اکٹھے ہوئے اور میں نے اس سے پیار کی باتیں شروع کیں تو وہ پھٹ پڑی۔ ''ابھی نہیں پہلے میں اپنا ایک راز تمہیں بتا دوں۔''

•♦•♦•

(27)

سعید کے سینے میں دو راز دفن ہیں

شاید کبھی کسی دلہن نے شب عروسی میں دولہا سے ایسی بات کہی ہوگی۔ جیسی اس شب باقیہ نے مجھ سے کہی۔ کوئی یہ تصور کر سکتا ہے کہ باقیہ جیسی نوخیز لڑکی ایسی بات کرے گی۔ کہنے لگی:

''میرے سرتاج سنو! میں واقعی تمہارے عشق میں گرفتار ہو گئی تھی۔ اپنے ماں باپ جان کی قسم مجھے تم سے عشق ہو گیا تھا اور اب بھی ہے مگر مجھے یہ بات نہیں بھائی کہ تم نے ان لوگوں کے ذریعہ میرے چچا کے پاس میرے لیے پیغام بھجوائے اور میرے سرتاج میں تمہیں یہ بھی بتا دینا چاہتی ہوں کہ قانونی اعتبار سے شادی کے لیے جو عمر مقرر ہے میں ابھی اس عمر کو نہیں پہنچی ہوں لیکن میں یہ جانتی ہوں کہ جو لوگ قانون بناتے ہیں، انہیں اگر یہ شادی اپنے مفاد میں نظر آئی تو وہ اس قانون سے چشم پوشی اختیار کر لیں گے۔ آخر کار چاہتے کیا ہیں؟''

''اچھا مجھے میری بات پوری کر لینے دو۔ میں تم سے عشق کرتی رہی حتیٰ کہ ایک دن تم بھی میرے عشق میں گرفتار ہو گئے اور اب میں تمہاری دلہن بن کر تمہارے گھر آ گئی ہوں اور اب ہمیں مل کر اپنا گھر بنانا ہے، اے میرے شوہرِ نامدار، اب تم ہی میری آسوں، مردوں کا مرکز و محور ہو۔ تو اب میری خواہش یہ ہے کہ اپنے ویران قریے تنورہ کی طرف واپس چلیں، اسی ساحل کی طرف، اسی پرسکون سمندر کی طرف وہاں چٹانوں کے بیچ ایک غار میں ایک آہنی صندوق رکھا ہے جس میں میری دادی، میری ماں، میری بہنوں اور خود میرے گہنے اور بہت سا سونا بند ہے۔ میرے باپ نے یہ صندوق وہاں چھپا کر رکھا تھا تاکہ جس کسی کو ضرورت ہو وہ اسے وہاں سے نکال لے اور استعمال میں لائے۔

سرتاج میں جانتی ہوں کہ کوئی ایسا بندوبست ہو جائے کہ ہم چُھپ چُھپ کر تنورہ کے ساحل پر پہنچ جائیں یا تم جا سکتے ہو تو اکیلے چلے جاؤ اور وہاں سے صندوق نکال لاؤ۔ اس میں اتنا مال ہے کہ ہمارے سب دلدر دور ہو جائیں گے۔ میں یہ نہیں چاہتی کہ ہماری اولاد خزانے کی تلاش

کے چکر میں سدا قدموں تلے زمین کو ٹٹولتی رہے اور اسی میں کبڑی ہو جائے۔ میرے سرتاج میں آزادی کی زندگی کی عادی ہوں۔"

میں اس کی کھری کھری باتوں پر ہکا بکا رہ گیا۔ اس لڑکی کے تیور دیکھ کر اور اس کی باتیں سن کر جناب والا میں آپ کے دوستوں کا قائل ہو گیا۔ پہلے میں اس پر بہت حیران ہوتا تھا کہ وہ افسروں کی آنکھوں میں آنکھیں ڈال کر کس طرح بات کر لیتے ہیں۔ بڑے آدمیوں سے ذرا جو مرعوب ہوتے ہیں۔ کیسا ہی بڑا آدمی ہو اور ایسا بڑا آدمی جس کا قد بھی ایسا چھوٹا نہ ہو، اس سے اپنی غریبی کے باوجود قطعی رعب نہیں کھاتے لیکن اب یہ بات سمجھ میں آ گئی۔

پھر مجھے آپ کے راز کی بات سمجھ میں آئی۔ آپ میں سے ہر کسی کا اپنا ایک تنتورہ ہوگا اور ایک آہنی صندوق جس میں آپ کے ابا جان نے سونا چاندی بھر دیا ہوگا۔ جب مجھے یہ احساس ہوا کہ اس خزانے کے طفیل میں آپ لوگوں میں شامل ہو سکتا ہوں اور اس طرح کہ آپ کو اس کا پتا بھی نہ چلے تو میرے ذہن پر جو ایک بوجھ تھا، وہ اٹھ گیا۔

میں سب سے زیادہ قائل آپ کی اس بات پر ہوا کہ آپ راز کو سینے میں رکھنے کی بہت صلاحیت رکھتے ہیں۔ اس کے باوجود کہ ہزاروں بلکہ لاکھوں کو اس راز کا علم ہوگا، پھر بھی آپ نے اسے چھپا کر رکھا ہوا ہے تو میں نے دل میں کہا کہ اگر وہ لوگ راز کو سینے میں دفن رکھ سکتے ہیں تو میں کیوں نہیں رکھ سکتا بلکہ مجھے تو یہ فائدہ ہے کہ دو کے سوا یعنی میرے اور باقیہ کے سوا اور کسی کو اس کی کانوں کان خبر نہیں ہے۔ اب میں اسے یہ یقین دلانے کی کوشش کرنے لگا کہ میں قابلِ اعتبار آدمی ہوں اور ساتھ میں مرد بھی ہوں۔ میرے آنسو اس کے آنسوؤں میں گھل مل گئے۔ شادی کے تحفظ کے سلسلہ میں جتنی اہمیت اس بات کی ہے کہ دونوں کا خون اولاد کی رگوں میں دوڑ رہا ہے، اس سے زیادہ اہمیت دونوں کے آنسوؤں کے گھلنے ملنے کی ہے۔ روتے روتے وہ فوراً چپ ہو گئی۔ اسے اطمینان ہو گیا کہ وہ میری بانہوں میں محفوظ رہے گی۔ بس وہ میری شریکِ حیات بن گئی۔

اس رات کے بعد سے میں اپنے آپ کو دو رازوں والا آدمی سمجھنے لگا۔ میرا راز دوسرے کا راز۔ دوسرے کا راز جب میرے علم میں آیا تو میرے دل کا بوجھ ہلکا ہو گیا لیکن باقیہ کے راز کا علم ہونے کے بعد مجھے خوف بہت آیا۔

●◆●◆●

(28)

سعید کا اب اپنا ایک مشن تھا

''آؤ اب تھوڑا سو لیں۔'' میں نے کہا۔ ''صبح سب ٹھیک ہو جائے گا۔''

لیکن مجھے کہاں نیند آتی تھی۔ مجھے محسوس ہو رہا تھا کہ اس خزانے تک پہنچنے کا راستہ خطرے سے بھرا ہوا ہے۔ مجھے پھونک پھونک کر قدم رکھنا ہے۔ نہیں تو تم تباہ ہو جاؤ گے۔ نہ خزانہ ہی ہاتھ لگے گا نہ راز پھر راز رہے گا۔ اگر ساحل پر تعمیر کیا ہوا میرے بھائی کا مکان پستہ قد والے بڑے آدمی کے ملک کی ملکیت ہے تو ساحل سے چند گز کے فاصلہ پر جو آہنی صندوق دفن ہے، اس کی کیا حیثیت ہوگی۔ اسے بھی تو اسرائیل کی سمندری حدود میں ہونا چاہیے۔

میری طرح تو باقیہ کو بھی خوب احساس تھا کہ اس کام میں کتنا جوکھوں ہے۔ وہ تو یہاں تک سمجھتی تھی اور صحیح سمجھتی تھی کہ جو عرب اسرائیل میں رہ گئے ہیں، وہ بھی سرکاری ملکیت ہیں۔ اس نے مجھے بتایا کہ اسے یہ بات قریے کے سردار نے بتائی تھی اور قریے کے سردار کو یہ بات حکومت نے بتائی تھی۔

ایک رات میں نے اس سے پوچھا ''کیا جسر الرزقہ میں تمہارے چچا تایوں کی کوئی زمین نہیں تھی۔''

اس نے جواب میں کہا کہ کسی زمانے میں تھی تو سہی لیکن حکومت نے قریے کی باقی اراضی کے ساتھ ان کی زمین بھی قرق کر لی۔

''تمہارے چچا تایوں نے عدالت سے رجوع کیوں نہیں کیا؟''

میرے اس سوال پر وہ سراپا حیرت بن گئی۔ بولی ''قریے کے سردار نے ہم سے کہا، وہی جوان لوگوں نے اس سے کہا تھا کہ تم لوگوں نے ہم سے جنگ کی اور شکست کھائی۔ اس لیے تم اور تمہاری جائیداد اب سب ہماری ملکیت ہے۔ وہ کون سا قانون ہے جس کے تحت شکست کھانے والے فاتح سے حقوق طلب کر سکتے ہیں۔''

''سبحان اللہ، سبحان اللہ، تو یہ بات ہے۔'' میں اچھل پڑا تو یہ وجہ تھی جو بڑے آدمی کو اتنی فکر تھی کہ کمیونسٹ کہیں تمہارے قریے میں ان جیسے دوسرے قریوں میں جنہیں قدرت نے الگ تھلگ کر رکھا ہے، داخل نہ ہو جائیں۔ اگر قدرت نے کسی قریے کو الگ تھلگ نہیں کیا تو حکومت نے خاردار تار لگا کر اسے الگ تھلگ کر دیا۔

لیکن فوراً ہی مجھے خیال آیا کہ مجھے یہ بات نہیں کرنی چاہیے تھی کیونکہ فوراً ہی باقیہ نے آنکھیں پھاڑ کر مجھے دیکھا اور مجھ پہ سوالوں کی بارش کر دی۔ ''یہ کمیونسٹ کون لوگ ہیں؟''

''ناشکرے لوگ، جو کفرانِ نعمت کرتے ہیں۔''

''کون سی نعمت؟''

''زندگی کی نعمت جو فاتح اپنے مفتوحوں کو عطا کرتے ہیں۔''

''لیکن یہ نعمت تو خدا کی عطا کردہ ہوتی ہے۔''

''یہ لوگ خدا کو نہیں مانتے، ملحد ہیں۔''

''ملحد کس طرح ہیں؟''

''اللہ ان کے فتنہ سے ہمیں محفوظ رکھے۔ کہتے ہیں کہ جو مقدر ہو چکا ہے، ہم اسے بدل سکتے ہیں۔'' اس وضاحت نے اس کے یہاں اور تجسس پیدا کر دیا، پوچھنے لگی ''وہ اتنے طاقتور کیسے ہو گئے؟''

''شاید ان کے باپ جو صندوق ان کے لیے چھوڑ گئے تھے، وہ انہیں اپنے تنتورہ کے ساحل پر کہیں دستیاب ہو گئے۔''

اس جواب سے اس کا تخیل اور بہک گیا۔ اس کی آنکھوں میں چمک پیدا ہوئی۔ اس نے ایک عزم کے ساتھ بھنویں سکیڑیں اور بولی ''پھر تو ہمیں کمیونسٹوں سے مدد مانگنی چاہیے۔''

اب مجھے احساس ہوا کہ میں نے ایک اتھاہ کنویں میں چھلانگ لگا دی ہے اور اب چاہے میں کمیونسٹوں کے جھمیلے سے کتنا بھی نکلنے کی کوشش کروں، میں نکل نہیں پاؤں گا اور نیچے دھنستا چلا جاؤں گا۔ مجھے یہ سوچ کر پریشانی ہونے لگی کہ اگر جیکب نے میرا یہ مکالمہ سن لیا تو وہ مجھ پر کمیونسٹوں کا پروپیگنڈا کرنے کی تہمت جڑ دے گا۔ میں نے اس کے کان میں کہا کہ بہت پھونک پھونک کر قدم رکھنے کی ضرورت ہے۔

اللہ بخشے میرے باپ نے کوئی دنیوی دولت تو پیچھے چھوڑی نہیں تھی۔ بس یہی احتیاط پسندی اس سے مجھے ورثے میں ملی تھی۔ میں روز صبح شام یہ ورثہ اس کی طرف منتقل کرتا تھا۔ میں

نے اس سے کہا''میرے باپ نے مجھے خبردار کیا تھا کہ لوگ لوگوں کو کھا جاتے ہیں۔اس لیے اپنے اردگرد والوں پر کبھی اعتبار مت کرو۔ ہر ایک سے محتاط رہو یہاں تک تو ہے اپنے بھائی بہن اور ماں باپ سے بھی۔ اس لیے کہ وہ تمہیں بے شک نہ کھائیں لیکن اگر چاہیں تو کھا سکتے ہیں۔''

میں نے محتاط اور چوکس رہنے کی ضرورت پر اتنا زور دیا اور ایسا لیکچر پلایا کہ غریب کو میری بانہوں میں پڑے پڑے نیند آ گئی لیکن مجھے جو پل بھر کے لیے بھی نیند آئی ہو۔ رات بھر پڑا جاگتا رہا اور صندوق کو برآمد کرنے کی ترکیبیں سوچتا رہا۔

◆◆◆◆

(29)

قصہ ثریا کا جسے مٹی چاٹنی پڑی

اب بیس برس بعد میں نے لڈا کی بوڑھی خاتون ثریا عبدالقادر مقبول کے بارے میں پڑھا کہ اپنی نیک دلی بلکہ یوں کہیے کہ اپنی حماقت کے سبب اپنے خزانے سے محروم ہو گئی۔ تو اب جب میں نے اس خاتون کا واقعہ پڑھا تو مجھے احساس ہوا کہ میں نے کتنی عقلمندی کی کہ کوئی ایسا ویسا قدم نہیں اٹھایا ورنہ جانے کیا پیش آتا اور کن خطروں سے دوچار ہوتا۔ بس اپنی احتیاط پسندی کے زور پر میں نے اپنا راز ابھی تک چھپا کر رکھا ہوا ہے، کسی پر ظاہر نہیں ہونے دیا۔ بس جناب والا اب آپ پر ظاہر کیا ہے۔

آپ پر کیوں ظاہر کر رہا ہوں۔ اس کی وجہ سن لیجیے۔ جون کی جنگ کے پانچویں برس یعنی 1971ء میں آپ کے اخبار ''الاتحاد'' نے اپنی 10 ستمبر کی اشاعت میں ایک واقعہ ''معارف'' کے حوالے سے نقل کیا اور ''معارف'' نے اسے ''حارث'' سے نقل کیا تھا اور ''حارث'' کو یہ اطلاع پولیس ہیڈ کوارٹر سے ملی تھی اور پولیس ہیڈ کوارٹر کو یہ خبر لڈا پولیس سے ملی تھی۔ تو جو واقعہ آپ کے اخبار میں نقل ہوا ہے، وہ یہ ہے کہ ایک بوڑھی خاتون ثریا عبدالقادر مقبول عمر ستر سال اردن سے واپس اپنے قریے مولد لڈا میں آئی۔ واپسی کی گنجائش اس طرح نکلی کہ گرمی کی چھٹیوں میں کھلے پلوں کے ذریعے لوگوں کو آنے کی اجازت دے دی گئی تھی۔ یہ خاتون تیس سال بعد اپنے شہر واپس آئی تھی۔ یہ سارا عرصہ اس نے عمان میں گزارا جہاں وہ اپنے شوہر اور بچوں کے ساتھ پناہ گیر کے طور پر رہتی تھی۔ اس گھرانے نے بہت غربت دیکھی تھی لیکن جب دو بچے بڑے ہوئے تو وہ روزگار کی تلاش میں کویت کی طرف نکل گئے، وہاں انھوں نے تیل کی دولت میں سے تھوڑا حصہ بٹایا اور عمان میں واپس آ کر اپنا ایک مکان بنایا۔ اسی گھر میں رہ کر انھوں نے باپ کو سفر آخرت پر جاتے اور قبر میں اترتے دیکھا۔

1970ء کے سیاہ ستمبر کا ذکر ہے کہ ایک ہاشمی ٹینک نے یعنی ایک سیدھے سچے شرمن

RTL

نے اس گھر کو مسمار کرکے پیوندزمین بنادیا۔اس گھر کے ملبے سے سوائے نیک دل خاتون ثریا کے اور
کچھ برآمد نہ ہوااور ثریا اس ملبے سے بالکل صحیح و سالم برآمد ہوئی۔ایک مرتبہ وہ پھر اجڑ گئی تھی اور
اب پھر وہ اپنی زندگی کے ویرانے میں اکیلی کھڑی تھی۔اس عالم تنہائی میں اسے اپنی فردوس گمشدہ
یاد آئی۔لڈا کے وہ ایام جب وہ ایک عالیشان مکان میں خوش و خرم رہتی تھی۔اسے یاد آیا کہ ایک
طاق میں اس نے اپنے زیور چھپا کر رکھے اور دوسرے طاق میں چابی چھپا دی تھی۔اس نے یہ
زیورات ٹین کے بکسوں میں بند کرکے رکھے تھے۔انہیں وہاں چھپا کر وہ اطمینان سے پناہ گیروں
کے قافلہ کے ساتھ روانہ ہوگئی۔یہ 1948ء کی بات ہے۔اسے اطمینان تھا کہ جس طرح دوسرے
واپس آئیں گے بس اسی طرح وہ بھی جلد واپس آ جائے گی۔تو خدا خدا کرکے تیس برس بعد وہ دن
آ گیا،اس نے واپسی پر کمر باندھی، کھلے پل کو عبور کیا، واپس آئی اور سب کچھ کھو بیٹھی۔

جب لڈا میں جاکر اس نے اپنے پرانے گھر کا دروازہ کھٹکھٹایا اور اندر قدم رکھنے لگی
تو اس کی قانونی وراثت نے یعنی اس نے جو حضرت نوح علیہ السلام کی اولاد ہونے کے ناطے اس
کی وراثت تھی،اسے دیکھ کر دھاڑ سے دروازہ اندر سے بند کرلیا۔لیکن اس نے یہ بات دل کو لگائی
نہیں۔اسے خوب پتا تھا کہ اپنے رشتہ کنبہ والوں کی سردمہری کو برداشت کرنا بہت مشکل ہوتا ہے۔
اسرائیل میں جو اس کے عرب رشتہ دار تھے۔انہوں نے اسے مشورہ دیا کہ قانون کے محافظوں سے
یعنی پولیس سے رجوع کرواور اس نے ایسا ہی کیا۔قانون کے محافظوں نے ایک پولیس والے کو
اور کسٹوڈین آف انیمی پراپرٹی کے ایک اہلکار کو اس کے ساتھ کردیا۔ان دونوں نے قانونی وارث
کے آرام میں خلل ڈالنا مناسب نہیں سمجھا۔سو وہ دونوں عقب سے داخل ہوئے۔اس طرح کہ وہ
پہلے اس خاتون کے عرب رشتہ دار کے گھر میں گھسے جہاں ان کا گرمجوشی سے خیرمقدم کیا گیا۔اس
مکان کے راستے وہ اس خاتون کے پرانے گھر میں داخل ہوئے۔

ثریا نے دیوار میں ایک جگہ نشاندہی کی۔انہوں نے دیوار کو وہاں سے توڑا تو اندر سے
زیورات سے بھرے ٹین کے بکس برآمد ہوئے۔پھر اس نے ایک اور جگہ کی نشاندہی کی۔اس جگہ
دیوار ادھیڑی گئی تو اندر سے چابی برآمد ہوئی۔وہ سب بہت خوش ہوئے۔سب نے اللہ کا شکر ادا
کیا۔فرطِ جذبات سے آنکھوں میں آنسو تیرنے لگے۔پولیس والے نے اپنے رومال سے
کسٹوڈین کے آنسو پونچھے۔کسٹوڈین پولیس والے کی اس نرم دلی سے بہت متاثر ہوا۔اس نے
اپنے رومال سے پولیس والے کے آنسو پونچھے۔عربوں اور یہودیوں نے فرطِ محبت سے ایک

دوسرے کو گلے لگایا۔ دونوں کی آنکھوں میں خوشی اور احسان مندی کے آنسو چھلک رہے تھے۔ پھر انہوں نے صحافیوں سے رابطہ پیدا کیا اور ایک ریڈیو اسٹیشن سے صحافیوں نے اخباروں میں یہ خبر شائع کی اور ریڈیو نے اپنے یہاں سے نشر کیا۔ ان ناقابلِ فراموش دنوں میں کنڈر گارٹن کے استادوں نے اپنے بچوں کو یہ قصہ سنایا اور بتایا کہ اسرائیل پولیس کتنی فرض شناس ہے۔ جس تن دہی سے گمشدہ یہودی بچوں کو تلاش کرتی ہے۔ اسی تن دہی سے اپنے بیٹوں کے غم میں گھلنے والی ستم زدہ عرب ماؤں کے چھپائے ہوئے خزانوں کو تلاش کرتی ہے۔ اتنی چوکس رہتی ہے کہ رات کو سوتی بھی نہیں ہے۔

مگر جب اس بدقسمت خاتون ثریا نے اپنی شادی کے زیورات کے لیے ہاتھ پھیلایا تو کسٹوڈین صاحب نے زیورات کی رسید اس کے حوالے کی اور خود زیورات لے کر چلتے بنے۔ ثریا نے زیورات کی رسید مٹھی میں دبائی، کھلے پل کو پار کیا اور وحدت پناہ گزیں کیمپ میں جا کر خاک مٹی چاٹنے لگی اور اپنے کنبہ والوں کی درازی عمر کے لیے دعا کرنے لگی۔

جہاں تک میرا تعلق ہے تو تجربے سے میں نے یہ سیکھا کہ کسی پر اعتبار مت کرو، اپنے راز کو اپنے سینہ میں چھپا کر رکھو۔ میں نے جان لیا تھا کہ فلسطینی مزدوروں کی یونین والا میرا شناختی کارڈ میرے کسی کام کا نہیں ہے۔ اس کی منفی افادیت ہے یعنی جب دوسروں کو اس سے فائدہ پہنچتا نظر آئے تو وہ کام دے جاتا ہے یا یوں کہہ لیجیے کہ اس سے صرف پستہ قد والے بڑے آدمی کو فائدہ پہنچتا تھا اور وہ ایسا بڑا آدمی تھا کہ اس کی ذات سے کسی کو کوئی فیض نہیں پہنچ سکتا تھا۔

حیفہ کے علاقہ وادی الترناس میں میرا مکان اس انداز کا تھا کہ مویشیوں کے رہنے کے لیے زیادہ مناسب تھا۔ آخر میں نے یہاں سے ٹانڈا باندا اٹھایا اور جبل اسٹریٹ کے ایک مکان میں منتقل ہو گیا کہ یہ مکان ازدواجی زندگی گزارنے کے لیے زیادہ مناسب تھا۔ اس منتقلی کی خاطر مجھے پگڑی دینی پڑ گئی۔ اس کے بعد تو میں بالکل پھانک ہو گیا۔ اتنے پیسے بھی جیب میں نہ تھے کہ سامان ڈھونے کے لیے کوئی گدھا کرائے پر لے لیتا۔ اپنا سامان خود ڈھونا پڑا۔ جب میں اپنا سامان سر پر لاد کر اپنے نئے گھر کی طرف جا رہا تھا تو ایک کار قریب آ کر رکی اور اس میں سے ایک نئی مصیبت برآمد ہوئی۔ ایک آدمی قلم اور کاغذ لیے میرے پاس آیا اور بولا ہم کسٹوڈین آف اینیمی پراپرٹی والے ہیں۔ ذرا ہم کے صیغہ پر غور فرمائیے جبکہ وہ اپنی ذات میں اکیلا تھا۔

میں نے اپنے پتلون کی پچھلی جیب سے یونین کا ممبر شپ کارڈ نکال کر دکھایا کہ "بھائی

ہم تو تمہارے طرفداروں میں ہیں۔"

"نہیں نہیں۔" اس نے باصرار کہا۔ "مجھے ثبوت چاہیے کہ یہ سامان تمہارا ہی ہے۔ مطلب یہ کہ چوری کا مال نہیں ہے۔"

میری سمجھ میں نہ آتا تھا کہ کیا کروں۔ میں نے اپنا شناختی کارڈ پھر اپنی عقبی جیب میں ٹھونس لیا۔ اس ٹھونس ٹھانس میں میرا پتلون بھی تھوڑا کھسک گیا۔ میں حیران ہو کر دل میں سوچنے لگا کہ کیا لوگ اب یہ ثبوت ساتھ لے کر چلتے ہیں کہ ان کا فرنیچر ان کا اپنا ہے، چوری کا مال نہیں۔ میں نے کھسکا ہوا پتلون اوپر چڑھا لیا۔ اس ڈر سے کہیں اس کے متعلق بھی ثبوت پیش کرنے کی ضرورت نہ پڑ جائے کہ پتلون میرا ہی ہے۔

"نہیں نہیں، یہ فرنیچر کسی عرب کے گھر کا بھی تو ہو سکتا ہے۔"

خیر یہ بات تو درست تھی۔

"اگر ایسی بات ہے تو پھر یہ سرکاری ملکیت ہے۔"

میں بولا کہ "یار سرکاری ملکیت تو ہم سب ہی ہیں۔"

میرا فرنیچر سرکاری ملکیت بننے سے بال بال بچا اور وہ اس طرح کہ میں نے جیکب کو بلا بھیجا اور اس نے پولیس والے کو یہ باور کرایا کہ میں خود پہلے ہی سرکاری ملکیت ہوں۔ خیر تو میں فرنیچر لے کر گھر پہنچا لیکن اب بھی مجھے یہ اطمینان نہیں ہوا کہ تھا کسٹوڈین مجھے چین لینے دے گا۔ اس کے بعد یہ ہوا کہ رات گئے جب میرے دروازے پر دستک ہوئی تو میں ہڑبڑا کر اٹھ بیٹھا۔ گمان ہوا کہ وہی آدمی میرا فرنیچر ہتھیانے کے لیے نازل ہو گیا ہے۔

اس کے علاوہ یہ بات بھی تھی کہ میری شریکِ حیات باقیہ یعنی تنتورہ والی لڑکی اپنے خزانے کا راز مجھے بتا چکی تھی اور اب وہ راز میرا بھی راز تھا تو دروازے پر جب بھی کوئی دستک ہوتی مثلاً اگر ہمارے پڑوسی کا لڑکا اپنی بہن کی شادی کا بلاوا لے کر آتا اور کنڈی کھٹکھٹاتا تو ہم دونوں ہڑبڑا کر بستر سے نکل کر کھڑے ہو جاتے اور خوف سے تھر تھر کانپنے لگتے۔ آپس میں کھر پھسر کرتے کہ انہیں پتا چل گیا ہے۔

غلط واقعہ یہ ہے کہ انہیں پتا نہیں چل سکا۔

●◆●◆●

(30)

قصّہ سونے کی مچھلی کا

جب باقیہ کا راز میرا بھی راز بن گیا تو میں اپنی دو ٹانگوں پر کھڑا ہو کر مجسم احتیاط بن گیا اور جب مجھے یہ احساس ہوا کہ احتیاط کا تقاضا یہ ہے کہ آدمی چار ٹانگوں پر چلنے لگے تو میں چار ٹانگوں پر چلنے لگا۔

جب باقیہ نے ہمارے بیٹے کو جنا تو اس نے اس کا نام اپنے باپ کے نام پر رکھنے کا ارادہ کیا۔ اس کا باپ پناہ گیر تھا اور نام اس کا فاتح تھا جس کا مطلب ہے فتح پانے والا۔ جب چھوٹے قد والے بڑے آدمی کے کان میں یہ بھنک پڑی تو اس کی تیوری چڑھ گئی۔ سو ہم نے اس نام کو جانے دیا اور بیٹے کا نام والعہ رکھ لیا جس کا مطلب ہے تابعدار۔

چونکہ میں نے محسوس کر لیا تھا کہ ضبط تولید آئین وفاداری کا تقاضا ہے اس لیے میں نے ایسا بندوبست کیا کہ اور کوئی بچہ پیدا نہ ہو۔ جب میرا راز میرے سینے میں بہت تلملانے لگتا اور اسے ضبط کرنا مشکل ہو جاتا تو کوئی تقاضا کرتا یا نہ کرتا، میں اپنی وفاداری کا ڈھنڈورا پیٹنا شروع کر دیتا۔ میں اپنے آپ کو دروں بیں سمجھا کرتا تھا مگر انہوں نے مجھے یورپ جانے والے ایک وفد کے ساتھ نتھی کر دیا۔ انہوں نے ہمارے ہمراہ تنبل کے بہت سے ہیٹ بھی کر دیئے۔ مطلب یہ تھا کہ جب ہم وہاں جا کر اپنے یہودی بھائیوں دودھ اور شہد کی کنواریوں کی شادی کی، کینسر کے علاج کی باتیں کریں تو ان کی خدمت میں یہ ہیٹ بھی نذر کریں۔ میں نے ان ہیٹوں کے ساتھ اپنا سب کچھ نذر کر دیا، اپنی قمیص اپنا پینٹ، اپنا انڈرویئر، مطلب یہ کہ سوائے اس ایک راز کے باقی اپنا کچھ بھی ان سے چھپا کر نہیں رکھا۔

جب میں باقیہ کے ساتھ خلوت میں ہوتا تو اس سے کانا پھوسی کیا کرتا کہ خزانہ کا کس طرح پتہ لگانا ہے۔ رفتہ رفتہ ہم نے اپنی ایک خفیہ زبان وضع کر لی جسے بس ہم دو ہی سمجھ سکتے تھے۔

بعض اوقات کام کرتے کرتے میرا دھیان بھٹک کر اپنے راز کی طرف چلا جاتا۔ ایسے

موقعوں پر مجھے یہ گمان گزرتا کہ میری آنکھیں میرے راز کی چغلی کھائیں گی اور وہ افشا ہو جائے گا۔ سو میں راز کو چھپائے رکھنے کے لیے آنکھوں کو زور سے میچ لیتا۔ یہ واقعہ اتنی دفعہ گزرا کہ لوگوں نے کہنا شروع کر دیا یہ آنکھ کا کوئی عیب ہے جو اس کے خاندان میں چلا آتا ہے۔

ہم اپنی گفتگو میں اس مقولہ پر عمل پیرا تھے کہ کام پھرتی سے پچھتاوا فرصت سے۔ بس اسی میں والعہ ماشاء اللہ اس لائق ہو گیا کہ گھٹنوں چلنے لگا۔ اب وہ چار کے سن میں تھا۔ پردہ پوشی کا میں نے ایک اور طریقہ اختیار کیا۔ والعہ کو میں تنتورہ کے ساحل پر لے جاتا اور کہتا کہ بیٹا مچھلیاں پکڑو۔ میں اسے راس مرتفع کی کسی چٹان پر بٹھا دیتا اور وہاں بیٹھ کر اپنی ڈوری ہلاتا رہتا۔ میں کپڑے اتار کر سمندر میں کود پڑتا اور بیٹے کو ہدایت کرتا کہ کسی کو آتے دیکھنا تو مجھے آواز دے لینا۔ میں تیرتا تیرتا اس ننھے بے آباد جزیرے میں جا نکلتا جو قریے کے کھنڈروں کے اس پار واقع تھا۔ میں غوطہ لگا کر گہرائی میں اتر جاتا اور چٹانوں کی تہہ میں جو ایک تاریک غار تھا، اس تک جا پہنچتا۔ یہی وہ جگہ تھی جس کا باقیہ نے مجھے پتا دیا تھا لیکن مجھے چٹانوں پر لگی سمندری کائی کے اور تیرتی مچھلیوں کے اور کچھ تو نظر آیا نہیں۔ مجھے غار کے اندر جانے کی کبھی ہمت نہیں پڑی۔

میں وہاں تیرتا رہتا بھٹکتا پھرتا۔ یہاں تک میرا بیٹا تنہائی سے ڈر کر رونا شروع کر دیتا اور مجھے آوازیں دینے لگتا۔ اس کی پکار پر میں پلٹتا اور تیر کر ساحل پر پہنچ جاتا لیکن وہاں بوس و کنار میں مصروف کسی جوڑے کے سوا اور کوئی نظر نہ آتا۔ میں پھر پانی میں اتر جاتا اور وہ اسی طرح بوس و کنار میں مصروف رہتے۔

بیٹا ضد کرتا اور مجھ سے پوچھتا کہ آپ کیا ڈھونڈتے رہتے ہیں اور میں کہتا کہ بیٹا میں سونے کی مچھلی ڈھونڈ رہا ہوں۔ پھر مجھے الف لیلہ کی جتنی کہانیاں یاد آتیں اسے سنا ڈالتا۔ پھر میں اپنے رہوارِ تخیل کی باگیں ڈھیلی چھوڑ دیتا اور ہمارے جد امجد ابجار بن ابجار نے کسی گزرے زمانے میں سونے کا کوئی خزانہ چھپا کر رکھا تھا، اسے ڈھونا شروع کر دیتا۔

"لیکن ابا جان، آپ کو خزانہ مل بھی جائے گا؟"

"اگر میں اسی طرح غوطہ لگاتا رہا اور تم نے راز کو کسی پر ظاہر نہیں کیا تو ہمیں خزانہ ضرور مل جائے گا۔"

"ابا جان کسی کو خزانہ ملا بھی ہے؟"

"دوسرے لوگوں کو بھی سونے کی مچھلی ضرور ملی ہوگی۔"

''ابا جان، اگر آپ کو سونے کی مچھلی مل گئی تو آپ اس کا کیا کریں گے؟''

''وہی جو دوسروں نے کیا ہے۔''

''دوسروں نے اپنی سونے کی مچھلی کا کیا کیا؟''

''بیٹا کسی نے مجھے اپنا راز بتایا نہیں۔''

یہ سن کر بیٹا پھر سے کھیلنے میں یا مچھلی پکڑنے کے شغل میں لگ جاتا یا پھر شور مچانے لگتا کہ گھر واپس چلو اور ہم جلد ہی گھر واپس ہو لیتے۔

مجھے بالکل احساس نہ ہوا کہ وہ یہ ساری باتیں اپنی ماں سے بھی کرتا ہے۔ بس ایک روز ایسا ہوا کہ ہم تنتورہ کے ساحل پر بیٹھے تھے تو اس نے اچانک پوچھ لیا کہ ''ابا جان، آپ لوگوں سے اتنا کیوں ڈرتے ہیں کہ کہیں کوئی آپ کو سونے کی مچھلی ڈھونڈتے ہوئے نہ دیکھ لے۔''

''پھر وہ مجھے ڈھونڈنے نہیں دیں گے۔''

''ابا جان اگر آپ کو سونے کی مچھلی مل گئی اور سرکار کو اس کا پتا چل گیا تو وہ کیا کرے گی۔ کیا جس طرح اس نے ہمارے نانا جان سے تنتورہ چھین لیا، اسی طرح وہ آپ سے سونے کی مچھلی چھین لے گی؟''

''بیٹے تمہیں یہ باتیں کس نے سکھائی ہیں؟''

''امی جان نے۔''

اس رات میں اور باقیہ دونوں رات گئے بحث کرتے رہے۔ میں اسے قائل کرنے کی کوشش کرتا رہا کہ خزانے کی بات بچے سے چھپا کر رکھنی چاہیے۔ میں اپنے بیٹے کو یہ سمجھانا چاہتا تھا کہ جو بات تم نے منہ سے نکالی ہے، وہ منہ سے نہیں نکالنی چاہیے۔ زبان بند رکھنی چاہیے۔ ایسی بات کرنی بھی ہو تو کان میں کرنی چاہیے۔ میں چاہتا تھا کہ یہ بات سمجھانے میں باقیہ بھی میری مدد کرے۔ ہم یہی بحث کرتے رہے یہاں تک کہ صبح ہو گئی۔ اچانک ہم نے دیکھا کہ صاحبزادے کمرے میں داخل ہوئے ہیں، دبے پاؤں اور بند ہونٹوں پر انگلی رکھے ہوئے آ کر چپکے سے کہا ''خاموش، دودھ والی آ گئی ہے۔''

●◆●◆●

(31)

مشرقی تخیل کی خوبیوں پر ایک نرالی تحقیق

نہیں جناب نہیں، ہرگز نہیں میرے اکلوتے بیٹے کی گمشدگی کا سبب سونے کی مچھلی کا قصہ نہیں ہے بلکہ الف لیلہ کی کسی بھی کہانی کا اس میں کوئی قصور نہیں ہے۔ یہ کمال کی کہانیاں اس مشرقی تخیل کا کارنامہ ہیں جسے ہم نے دبا رکھا ہے۔ اگر اس تخیل کو آزادی مل جائے تو وہ ستاروں کو چُھو سکتا ہے۔

مثلاً آپ کا اس کہانی کے بارے میں کیا خیال ہے جس میں ایک کسان جس کی جورو کے متعلق طرح طرح کی باتیں مشہور ہیں۔ اس بدنامی سے تنگ آ کر کسان طے کرتا ہے کہ اسے گھر میں اکیلا نہیں چھوڑنا چاہیے۔ وہ اسے ایک صندوق میں مقفل کرتا ہے اور صندوق کو کاندھے پر لاد کر کھیت کی طرف روانہ ہو جاتا ہے۔ اب اس کا یہ دستور بن جاتا ہے کہ روز جورو کو صندوق میں مقفل کیا، صندوق کو کاندھے پر رکھا اور اپنے کام پر روانہ ہو گیا۔ کاندھے پر صندوق لدا ہے اور وہ کھیت میں ہل چلا رہا ہے۔ شہزادہ بدرالزماں نے اسے اس حال میں دیکھا تو پوچھا کہ اس صندوق میں کیا ہے۔ کسان نے سچ سچ ساری بات کہہ دی۔ شہزادے نے کہا کہ میں اپنی آنکھ سے دیکھنا چاہتا ہوں کہ صندوق میں کیا ہے۔ پھر مجھے اعتبار آئے گا۔ کسان نے کاندھے سے صندوق اتارا اور اس کا ڈھکن کھول دیا اور شہزادے نے کیا دیکھا کہ کسان کی جورو بدمعاش الہ دین کی آغوش میں لیٹی ہے۔ صاحب ذرا تصور کیجیے کہ عین شوہر کے کاندھے پر سوار ہو کر اپنے آشنا سے بوس و کنار کر رہی ہے۔

اور جناب والا، یہ آپ کے عرب بھائی ہیں۔ اسی مشرقی تخیل کے زور پر اس ملک میں گزارہ کر رہے ہیں۔ ان کے پاس یہ دولت نہ ہوتی تو یہاں ایک دن بھی نہیں گزار سکتے تھے۔ یوں دیکھیے کہ جب سال کے بعد یومِ آزادی آتا ہے تو یہ عرب کتنا خوش خوش اس ملک کے پرچموں کو اٹھائے پھرتے ہیں۔ یوم آزادی سے ایک ہفتے پہلے یہ شغل شروع کرتے ہیں اور ایک ہفتے بعد

تک جاری رکھتے ہیں۔تل ابیب سے بڑھ کر عربوں کی بستی ناصرہ میں جھنڈیاں بجی نظر آتی ہیں اور وادی نازنس میں حیفہ کے مقام پر جہاں غریب عربوں اور غریب یہودیوں نے بھائیوں کی طرح مل جل کر رہنا سیکھ لیا ہے، صورت یہ ہوتی ہے کہ اسرائیلی پرچم صرف عربوں کے مکانوں پر لہراتے نظر آتے ہیں۔ برابر میں یہودیوں کے مکان ان پرچموں سے بے نیاز ہوتے ہیں۔ یہودی کے گھر کے لیے تو بس اتنی بات کافی ہے کہ وہ یہودی کا گھر ہے۔یومِ آزادی پر کاروں کا نقشہ بھی کچھ اسی طرح کا ہوتا ہے۔ان لہراتے پرچموں کو دیکھ کر آپ ان کی قومیت کا اندازہ لگا سکتے ہیں۔ میں نے یہ نقشہ دیکھ کر اپنے ایک عرب بھائی سے پوچھا کہ برادر یہ کیا چکر ہے۔اس نے جواب دیا ''تخیل، اے اخی یہ تخیل کا چکر ہے۔ یہ یورپ کے جو باسی ہیں نا ان کا تخیل بہت ضعیف ہوتا ہے۔ ہم اپنے گھروں اور کاروں پر پرچم لہراتے ہیں کہ وہ خود اپنی آنکھوں سے دیکھ لیں۔''

''مگر یہ کیا۔'' میں نے پوچھا۔''وہ خود اپنے مکانوں اور کاروں پر جھنڈے نہیں لہراتے۔''

''اے اخی۔ یہ بھی تخیل کی کارستانی ہے۔ انہیں پتا ہے کہ ہمارا مشرقی تخیل بہت تیز ہے۔ہم وہ کچھ دیکھ سکتے ہیں جو وہ نہیں دیکھ سکتے۔ اسرائیلی پرچم تہہ کیا ہوا لوگوں کے بھیتر رکھا ہوا ہو وہاں بھی ہماری نظریں چیر کر پہنچیں گی اور پرچموں کو دیکھ لیں گی اور آنجہانی وزیرِاعظم اشکول نے یہی تو کوشش کی تھی کہ نام نہاد فوجی حکومت ایسا روپ دھارے کہ اس کی سب پر نظر ہو اور اسے کوئی نہ دیکھ پائے لیکن ہم پھر بھی اسے تاڑ لیتے ہیں، گھروں میں نظر بند رہنے کے جو احکامات جاری ہوتے ہیں اور ہمارے رخساروں میں جو گہرے گڑھے دکھائی دیتے ہیں، بس ان کے وسیلہ سے ہم ان کو جان لیتے ہیں، یہ وہ چیز ہے جسے میں تخیل کہتا ہوں۔''

اور اس عرب نوجوان کے بارے میں کیا خیال ہے جس کی کار تل ابیب کی للن بلم اسٹریٹ پر ایک اور کار سے ٹکرا گئی۔ بس وہ اپنے مشرقی تخیل کے زور پر بچ نکلا۔ وہ اپنی کار سے نکلا اور مخالف کار کے ڈرائیور کو دیکھ کر شور مچانے لگا ''عرب لوگو یہ عرب ہے۔'' اس نے کچھ اس انداز سے شور مچایا کہ لوگ اس کار والے کی طرف متوجہ ہو گئے اور یہ وہاں سے سٹک لیا۔

اور شلوموکو دیکھو تل ابیب کے بہترین ہوٹلوں میں سے وہ ایک ہوٹل ہے جس میں وہ کام کرتا ہے مگر وہ ہے کون وہ اصل میں منیرہ کا بیٹا سلیمان ہے کہ ہم میں سے ہے اور دودی کون ہے، کیا وہ وہی محمود نہیں ہے۔ موشے کو دیکھو۔ اس کا اصلی نام موسیٰ ہے موسیٰ ابن عبدالمسیح ۔ اگر ان

لوگوں کے پاس مشرقی تخیل جیسی نعمت نہ ہوتی تو کیا وہ کسی ہوٹل، کسی ریستوران، کسی فلنگ اسٹیشن میں کام کر کے روزی کما سکتے تھے۔ سونے کی مچھلی کا قصہ اسی تخیل کی دین ہے اور اسی تخیل نے مقناطیسی پہاڑ والی کہانی کو جنم دیا۔ مقناطیسی پہاڑ جو موجیں مارتے کف اگلتے سمندر کے بیچ کھڑا ہے۔ جہاں کوئی کشتی نہیں پہنچ سکتی۔ ہاں خدا پر بھروسہ کرو تو پھر چاہے کیسا ہی طوفان ہو اور کتنی ہی تند و تیز موجیں ہوں، تم وہاں پہنچ جاؤ گے۔

اسرائیل اور اردن کے درمیان جو ایک مثلث نما چھوٹا سا قطعہ ہے جہاں مغربی بقا کے قریب ایک چھوٹا سا پرسکون قریہ ہے، اسے کس چیز نے بچایا۔ الف لیلہ نے، صرف الف لیلہ نے۔ آپ کو یاد ہوگا کہ تیسرے الیکشن کے موقع پر حکومت وہاں پہنچی تھی اور اہلِ قریہ کو حکم دیا تھا کہ کمیونسٹ یہاں جلسہ کرنا چاہتے ہیں، تم انہیں یہاں سے مار بھگا دو اور جلسہ مت کرنے دو۔ اگر تم نے ایسا نہ کیا تو تمہیں یہاں سے نکال کر سرحد سے پرے دھکیل دیا جائے گا۔ جیکب نے جلسہ کے مقررہ وقت سے ایک گھنٹہ پہلے مجھے وہاں بھیجا یہ دیکھنے کے لیے کہ حکومت کے حکم کی بجا آوری کی گئی یا نہیں، وہاں کوئی نظر نہیں آیا۔ میں بھٹکتا پھر رہا تھا اور گھر گھر میں جھانک رہا تھا۔ گھروں کے دروازے بھاڑ سے کھلے تھے، لوگ ندارد۔ کئی گھروں میں اندر جا کر بھی دیکھا۔ آدمی تو کوئی دکھائی نہیں دیا۔ بس یہی دیکھا کہ کچھ مرغی کے بچے ہیں کہ اِدھر اُدھر بھاگتے پھر رہے ہیں یا کوئی کہتا ہے کہ ڈھلتی دھوپ میں اینڈ رہا ہے۔

عالم حیرت میں چلتا چلا گیا۔ الف لیلہ کی کہانی ''شہر برنج'' میں جو کیفیت شہزادہ موسیٰ کی ہوئی تھی وہی کچھ میری تھی۔ شہزادہ موسیٰ جب اس شہر میں داخل ہوا تو دیکھا کہ ایک ہو کا عالم ہے، آدمی نہ آدم زاد۔ کہیں دور سے الو کے بولنے کی آواز آ رہی تھی، اوپر آسمان پر عقاب منڈلا رہے تھے۔ زاغ و زغن شور کر رہے تھے جیسے ان پر جو کبھی یہاں آباد تھے نوحہ کر رہے ہوں۔

میں بھٹکتا پھر رہا تھا کہ ایک کچے گھر سے مجھے کسی کے کھانسنے کی آواز سنائی دی۔ میں نے اندر قدم رکھا تو ایک بوڑھا اپاہج آنکھوں سے اندھا دکھائی دیا۔ میری آہٹ سن کر بولا ''کمیونسٹو، آخر تم آ گئے۔''

''ہاں ہم آ گئے ہیں۔'' میں نے جھوٹ بولا۔ ''یہ سارے اہلِ قریہ کہاں چلے گئے؟''

''وہ سب یہاں سے چلے گئے۔ یہاں سے تھوڑے فاصلہ پر ایک پہاڑی ہے۔ وہاں چلے گئے تاکہ یہ قریہ تمہاری اور حکومت دونوں کی مصیبت سے بچا رہے۔ بیٹے چلے جاؤ، تم سب

یہاں سے چلے جاؤ۔ تم جاؤ گے تو وہ آئیں گے، جاؤ اور انہیں آنے دو۔"

میں نے پوچھا کہ آخر بات کیا ہے۔ تب اس نے بتایا کہ اہلِ قریہ نے اکٹھے ہو کر اس صورتحال پر غور کیا اور اس نتیجے پر پہنچے کہ ہم تو ان کمیونسٹوں کو جانتے نہیں، نہ وہ ہمیں جانتے ہیں۔ ہمارے ان کے درمیان کسی قسم کی دشمنی ہے نہ کوئی خاندانی جھگڑا ہے۔ اگر گورنر انہیں مروانا چاہتا ہے تو خود انہیں قتل کر ڈالے، ہم کیوں انہیں ماریں اور ویسے بھی یہ کام ہم سے بڑھ کر وہ انجام دے سکتا ہے لیکن ہم انہیں نہیں مارتے ہیں تو گورنر ہمیں مار ڈالے گا۔ تو یہ طے ہوا کہ سب دن بھر کے لیے بستی سے باہر نکل جائیں۔ باقی رہا میرا معاملہ، بوڑھا کہنے لگا۔ تو میں یہ سوچ کر رک گیا کہ مجھے تو اندھے پن نے کسی جوگا چھوڑا ہی نہیں، نہ میں کسی کو مار سکتا ہوں نہ کوئی مجھے مارے گا۔ تو بچے یہاں سے چلا کہ دن امن امان سے گزر جائے۔

میں نے یہ خوشخبری جیکب کو جا کر سنائی۔ وہ مجھ پر چیخنے لگا "ابے گدھے، وہ ہم سے چال کر گئے تو اور تو اسے خوشخبری کہتا ہے۔ ہم تو چاہتے تھے کہ ان میں لڑائی مار کٹائی ہو۔ یہ تھوڑا چاہتے تھے کہ وہ وہاں سے کنارہ کر جائیں اور پہاڑی میں منہ چھپا کر بیٹھ جائیں۔"

میں نے بھی اس بات کو خوشخبری تو نہیں جانا تھا لیکن میں اس پر یہ جتانا چاہتا تھا کہ میں اسے اچھی خبر سمجھ رہا ہوں۔ اس سارے عرصے میں میرے دماغ میں کچھ اسی قسم کے خیالات چکر لگاتے رہے جو شہزادہ موسیٰ کے دماغ میں مردہ شہر برنج میں لوحِ مرمر پر کنندہ عبارت کو پڑھ کر گزرے ہوں گے۔ یہ عبارت یوں تھی "وہ لوگ اب کہاں ہیں جو ملک پر راج کرتے تھے۔ لوگوں کی تذلیل کرتے تھے اور لشکروں کے ساتھ یلغار کرتے تھے۔ بے شک اللہ ہر قسم کے عیش و طرب کو اس کے انجام تک پہنچا دیتا ہے۔ گروہوں کو تتر بتر کر دیتا ہے اور عشرت کدوں کو تباہ و برباد کر دیتا ہے۔ اسی اللہ کے غضب نے انہیں آ لیا۔ اس نے انہیں ان کے عالیشان محلات سے نکالا اور تنگ و تاریک قبروں میں اُتار دیا۔"

ایک اور لوح تھی جس پر یہ عبارت کنندہ تھی۔ "وہ سلاطین جنہوں نے عراق کو پروان چڑھایا اور عالم پر حکمرانی کی، اب کہاں ہیں وہ جنہوں نے اصفہان اور خراسان کی اقلیموں کی تعمیر و تزئین کی۔ بیکِ اجل نے انہیں پکارا اور اس کی پکار پر وہ کھنچے چلے گئے۔ بربادی کے قاصد نے انہیں اشارہ کیا اور اس اشارے پر انہوں نے سر جھکا دیا۔ جو محلات انہوں نے کھڑے کیے تھے، جو کچھ انہوں نے تعمیر کیا تھا، اس میں سے کچھ بھی ان کے کام نہ آیا۔ جو انہوں نے جمع کیا تھا، جو

ذخیرے اکٹھے کیے تھے، وہ انہیں مطلق نہ بچا سکے۔"

شہزادہ موسیٰ نے یہ عبارتیں پڑھیں اور رویا مگر میں نہیں رویا۔ بس میری آنکھوں کے سامنے اندھیرا آ گیا۔ پہلے بھی ایک بار اس طرح ہوا تھا، اس وقت جب میں ایک سلسلہ میں ناصرہ فوجی عدالت میں گیا تھا، ہوا یوں کہ ایک لڑکا یہی کوئی نو دس برس کا کچھ ڈرا ہوا کچھ گھبرایا ہوا دوڑ کر آیا اور کچھ لوگوں سے جو وہاں تھے، کچھ پوچھنے لگا۔ انہوں نے میری طرف اشارہ کر دیا۔ وہ لڑکا میرے پاس آیا اور بولا "تمہیں جج صاحب نے بلایا ہے۔"

میں اکڑ میں آ کر عدالت کی طرف چلا۔ میں اس طرح پر اکڑا ہوا تھا کہ جج مجھ سے ملنے کا خواہش مند ہے۔ میں وہاں پہنچا تو عدالت لگی ہوئی تھی۔ میں نے لڑکے کو کہتے ہوئے سنا "عالی جناب، یہ شخص میرے رشتہ داروں میں سے ہے۔"

میں تو سکتہ میں آ گیا۔ جج نے فوراً فیصلہ دے دیا۔ تین مہینے قید یا پچاس پونڈ جرمانہ۔ آخر کیوں اس لیے کہ جس لڑکے نے مجھے اپنا رشتہ دار بتایا تھا وہ فوجی اجازت نامہ کے بغیر حیفہ میں آیا تھا اور چونکہ جمہوریت کے اصولوں کے مطابق نابالغ کو سزا نہیں دی جا سکتی۔ اس لیے اس کی جگہ مجھے سزا دینے کا فیصلہ کیا گیا۔ سچ مچ یہ ہوا۔ مورخہ 3 نومبر 1952ء کو یہ واقعہ گزرا۔

میں نے جب اس کا رشتہ دار ہونے سے انکار کیا تو جج نے عدالت میں حاضری دینے والوں کو ایک لیکچر پلا ڈالا۔ اس نے خطاب کرتے ہوئے کہا کہ سرکار اپنے عرب شہریوں سے یہ توقع رکھتی ہے کہ وہ اخلاقی جرأت کا مظاہرہ کریں گے۔ اس نے زور دے کر کہا کہ سرکار سب سے زیادہ ان لوگوں کا احترام کرتی ہے جو اپنے خونی رشتہ سے انکار نہیں کرتے۔ جب میں نے فلسطینی مزدوروں کی یونین کا دیا ہوا شناختی کارڈ اس کے سامنے پیش کیا تو اس نے مجھے ایک جھاڑ پلائی اور کہا کہ "میں تمہارے افسروں کے نوٹس میں یہ بات لاؤں گا اور ان سے گزارش کروں گا کہ وہ تمہیں جرأت کا سبق سکھائیں۔"

تو میں نے پچاس پونڈ کا جرمانہ بھرا اور جرأت مند آدمی بن کر عدالت سے لوٹا۔ واپس ہوتے ہوتے میں نے اس لڑکے کو تلاش کیا، اس کو جو میرا رشتہ دار تھا۔ دیکھا کہ چند لوگوں کے ساتھ بیٹھا ہے۔ بالکل ایسے جیسے وہ اس کے رشتہ دار ہوں۔ وہ مجھے دیکھ کر ہنسے اور بولے "حضرت یہ تخیل ہے تخیل۔"

لیکن میرے بیٹے کے تخیل نے کچھ اور ہی گل کھلایا۔

●◆●◆●

(32)

ایک واقعہ، موت سے زیادہ حیرت ناک

میری بیوی اور مجھ پر بس ایک ہی دھن سوار تھی کہ ہمارا بھید کھلنے نہ پائے اور کسی طرح ہم اس خزانے کو ڈھونڈ نکالیں جو سمندر کی تہہ میں کسی خفیہ جگہ چھپا رکھا ہے۔ اس دھن میں ہمیں ہوش نہ آیا کہ ہمارا بیٹا اب بڑا ہونے لگا ہے۔

جب وہ جوان ہوا تو اس کے طور عجب تھے۔ صرف اس صورت میں بولتا جب بولنا بہت ضروری ہو جاتا۔ جب بولتا تو اس انداز سے کہ لفظ برسات کے ان بادلوں کی طرح بنتے بگڑتے نظر آتے جو آسمان پر منڈلاتے ہوئے کبھی اس طرح آپس میں جڑ جاتے ہیں کہ کسی جانور کے سر کا تاثر پیدا ہوتا ہے، کبھی اس طرح کہ حملہ آور شہ سوار کی شکل بن جاتی ہے، کبھی اس طرح کہ جیسے فرشتہ لیٹا ہو۔

پھر 1966ء کے موسم خزاں کا وہ منحوس دن آ گیا۔ جون کی جنگ کے ناقابلِ فراموش موسم خزاں سے پہلے والا موسم خزاں۔ دفعتاً چاروں طرف سے ایک شور اٹھا۔ سپاہی بندوقیں تانے میرے دفتر میں آن گھسے۔ آگے آگے وہی بڑا آدمی تھا۔ اس وقت اس نے سیاہ چشمہ نہیں لگایا ہوا تھا اور اس کا چہرہ تارکول سے بھی زیادہ کالا نظر آ رہا تھا۔ وہ غصے سے کانپ رہا تھا۔ میرا باس جیکب اس کے پیچھے کھڑا تھا اور سر اس کا جھکا ہوا تھا۔ اس کے اردگرد اور اس کے پیچھے سپاہی ہی سپاہی نظر آ رہے تھے اور میری یہ حالت تھی کہ کرسی پہ جیسے جم گیا ہوں۔ سمجھ رہا تھا کہ بس قیامت آ گئی۔

میری آنکھیں انہیں تکے جا رہی تھیں۔ سر قطار اندر قطار ایک دوسرے سے جڑے ہوئے تھے۔ کمرے کی دیواروں پر، فرش پر ان کی پرچھائیاں پڑ رہی تھیں۔ میں نے ہاتھ میز پر ٹکا رکھے تھے۔ انگلیاں جیسے مفلوج ہو گئی ہوں۔ سروں کے سائے میری انگلیوں کے بیچ سے پھسلے جا رہے تھے۔ ان کے منہ کھلے ہوئے تھے اور تیز تیز عربی بول رہے تھے مگر ایسے لہجہ میں جس سے عربی نا آشنا تھی۔ یہ سب کچھ اپنا مضحکہ خیز تھا کہ میری ہنسی نکل گئی۔ بس پھر کیا تھا، میں ہنستا ہی چلا گیا۔

ہنسی سے لوٹ پوٹ ہو گیا۔ ہوش میں اس وقت آیا جب وہ مجھ پر پل پڑے اور مجھے زمین پر اس طرح پٹخا کہ مجھے غش آ گیا۔

دیر تک سکتہ کا سا عالم رہا۔ میرا دماغ ویسے ہی پراگندہ تھا، اوپر سے انہوں نے ایسی داستان سنا ڈالی کہ اس پر یقین نہیں آتا تھا۔ میرا بیٹا والعہ وہ دبلا پتلا جھینپو قسم کا نوجوان جس کے آگے سے بلی کھانا لے بھاگے تو دیکھتا رہ جائے۔ وہ نوجوان فدائی بن گیا تھا یعنی گوریلا یعنی اس نے ملک کے خلاف ہتھیار اٹھا لیے تھے۔ وہ کہہ رہے تھے کہ اس کے ذمہ دار تم ہو، تم اور وہ زہریلی ناگن، وہ تنتورہ والی جسے اس کے خاندان کے ساتھ نکال باہر کر دیا جاتا تو اچھا ہوتا۔ میرے باس جیکب کو الزام دیا جا رہا تھا۔ کہا جا رہا تھا کہ مشرقی کھانوں نے اس کی مت ماردی ہے کہ اپنے فرائض ہی سے غافل ہو گیا ہے۔ ان کی دانست میں ہم سب نے مل کر یہ سازش کی ہے۔ وہ بڑا آدمی چیخنے لگا "تم سب، تم سب میرے خلاف سازش کر رہے ہو۔ میں تمہیں برباد کر دوں گا۔" کہنے لگا کہ سرکار کو اپنی حفاظت کرنی خوب آتی ہے۔ دشمنوں کو ایسا مزہ چکھایا جائے گا کہ انہیں چھٹی کا دودھ یاد آ جائے گا۔

میں اسی طرح سکتہ میں تھا اور گالیوں کی بوچھاڑ ہوئے چلی جا رہی تھی۔ اس بوچھاڑ میں میں نے داستان کی کڑی سے کڑی ملائی۔ ایسی حیرت ناک داستان تھی کہ جن بھوت کی کہانیاں بھی اس کے سامنے ماند تھیں اور یہ پوری داستان میرے بیٹے سے متعلق تھی۔ اس نے اپنے اسکول کے دوساتھیوں کے ساتھ مل کر ایک خفیہ سیل قائم کیا تھا۔ پھر اس نے تنتورہ کے اجاڑ ساحل سے پرے کی چٹانوں کے بیچ کے ایک گہرے غار سے ایک صندوق برآمد کیا۔ صندوق اتنی سختی سے بند کیا گیا تھا کہ اس میں نمی کا گزر نہیں ہو سکتا تھا۔ اس صندوق میں ہتھیار اور سونا بھرا ہوا تھا۔

"باقیہ، او باقیہ۔ تجھے خدا سمجھے۔ کیا ہم نے آپس میں یہ طے نہیں کیا تھا کہ یہ راز اس پر ظاہر نہیں کریں گے۔"

"لیکن سعید، ہمارے بچے ہی تو ہماری آخری امید ہیں۔"

داستان یوں بتائی گئی کہ ان لڑکوں نے ہتھیار گولہ بارود اور ساتھ میں سونا خریدا اور تنتورہ کے ایک بے آباد اجاڑ مقام پر کسی تہہ خانے میں ایک مال گودام قائم کیا جس میں صندوق رکھا گیا تھا۔ انہوں نے اپنی ایک جماعت کو لبنان اس غرض سے روانہ کیا تھا کہ وہاں وہ گوریلوں سے رابطہ پیدا کریں مگر بقول بڑے آدمی کے حکام نے ان میں سے کئی ایک کو آسانی سے دبوچ

لیا۔ والعہ نے بھاگ کر تہہ خانے میں پناہ لی اور اب وہ ہتھیار ڈالنے پر آمادہ نہیں۔ شہید کی موت مرنے پر تُلا نظر آتا ہے۔

''تو اے قنوط رجائی سعید، ہم تم پہ اور اس کی ماں پہ رحم کھا کر تمہارے پاس آئے ہیں۔ تم جاؤ اور اسے سمجھاؤ کہ اس نابالغوں والی خواہش مرگ سے باز آجائے۔ اگر تم ہمارے اپنے آدمی نہ ہوتے تو ہم ہرگز تمہارے پاس نہ آتے۔ چونکہ تم نے ہماری تھوڑی بہت خدمت کی ہے، اس لیے ہم تمہیں اس کا صلہ دینا چاہتے ہیں۔ اٹھو، گھر جاؤ۔ اس کی ماں کو اپنے ساتھ لو اور تنتورہ کے اس اجاڑ مقام پر جاؤ۔ جلدی جاؤ، مبادا تم دونوں کی زندگی اجڑ جائے۔ اگر اس نے اپنے آپ کو ہمارے حوالے کر دیا تو ہم تمہاری خاطر اس کی جان بخش دیں گے لیکن اگر وہ انکار کرتا ہے اور ہمیں بدنام کرنے پر تلا ہے تو تم سب مارے جاؤ گے۔''

میں ابھی تک صدمے سے نڈھال تھا کہ کھڑا بھی نہیں ہو سکتا تھا۔ انہوں نے سہارا دے کر مجھے اٹھایا اور گھر لے گئے۔ باقیہ نے مشکل سے اپنے آپ کو میرے ساتھ چلنے پر آمادہ کیا۔ کس مشکل سے اس نے اپنے آنسو ضبط کیے ہوئے تھے۔ میں سب کے سامنے اس پر لعنت ملامت کرنا نہیں چاہتا تھا۔ اس لیے کہ ابھی تک میری کوشش یہی تھی کہ راز دوسروں پر آشکار نہ ہو، بالآخر سپاہیوں نے ہمیں تنتورہ کے ساحل پر لا کھڑا کیا اور خود وہاں سے ہٹ کر تھوڑے فاصلے پر کھڑے ہو گئے۔

سورج ڈوب رہا تھا۔ آسمان نے شام کے دھندلکے کی چادر اوڑھ رکھی تھی اور رحم کھا کر ہم پہ جھک آیا تھا۔

●♦●♦●

(33)

قصّہ مچھلی کا جو سب زبانیں سمجھتی تھی

اس خزاں کی شام کو تنتورہ کے اجاڑ ساحل پر جو واقعات گزرے وہ آج تک ایک سرکاری راز ہیں لیکن جون کی جنگ کے وقت سے اب تک جو کچھ ہو چکا ہے، اس کے پیشِ نظر میں سمجھتا ہوں کہ اس راز سے پردہ اٹھانے میں یہ چیز آپ کے مانع نہیں ہوگی۔

مجھے نہیں معلوم کہ سرکاری دستاویزوں میں اس شام کے واقعات کو کس رنگ میں پیش کیا گیا ہے لیکن میں نے اپنے باطن میں جس طرح اسے قلم بند کیا ہے اور جس کی ایک ایک تفصیل میرے حافظہ میں محفوظ ہے، وہ اس طرح ہے۔

جب ہم اس تہہ خانے کے سامنے کھڑے تھے جس میں ان کے بیان کے مطابق والعہ ہتھیاروں سے لیس اور سارے گولہ بارود کے ساتھ چھپا ہوا تھا تو باقیہ نے ہم سے کہا کہ ''اسے مجھ پر چھوڑ دو۔ میں اس کی ماں ہوں۔ میں نے اسے خالی جنا ہی نہیں بلکہ میں نے اپنے راز اور اپنی امیدوں کی امانت بھی اسے منتقل کر رکھی ہے۔''

میں پرے ہٹ گیا اور تھوڑے فاصلہ پر جو ایک ٹوٹی پھوٹی دیوار کھڑی تھی، اس پر جا بیٹھا۔ وہاں بیٹھا ہوا میں پرسکون سمندر کو تکتا رہا لیکن مجھے کسی بات کا ہوش نہیں تھا۔ اس وقت ڈوبتے سورج کے پس منظر میں مجھے کس شدت سے اپنے اجنبی ہونے کا، اپنے تنہا ہونے کا احساس ہو رہا تھا۔

اس کی ماں دبے پاؤں تہہ خانے کے پاس پہنچی اور آواز دی ''والعہ! میرے لال گولی مت چلانا۔ میں تیری ماں ہوں۔''

خاموشی چھائی رہی۔

''مزاحمت کا اب کوئی فائدہ نہیں ہے۔ انہیں ایک ایک بات کا پتا چل چکا ہے۔''

اب اس کی آواز ہمیں سنائی دی۔ تہہ خانے کی گہرائی سے ابھر کر آنے والی اس آواز

میں ایک عجیب سا بھاری پن تھا۔ معمول کے مطابق وہ آج بھی ضرورت کے مطابق اور حالات کے تقاضے کے تحت بول رہا تھا۔

''وہ کیسے؟''

''وہی لوگ تو مجھے یہاں جہاں تم چھپے ہو، لے کر آئے ہیں۔''

''ماں، میں چُھپ کر نہیں بیٹھا ہوں۔ میں نے ہتھیار اٹھا لیے ہیں اور اس لیے اٹھائے ہیں کہ میں آپ کے چھپنے کی روش سے تنگ آ چکا تھا۔ اس روش نے مجھے بیمار بنا دیا تھا۔''

پھر وہی خاموشی۔

پھر تہہ خانے کی گہرائی سے اس کی آواز بلند ہوئی۔ مجھے یہ حیرانی تھی کہ اس کی ہڈیوں کی مالا جیسے سینہ میں اتنی بھاری آواز کیسے سمائی ہوئی تھی۔

''اے عورت، تو ہے کون؟''

''بیٹے والعہ، میں تیری ماں ہوں۔ کیا کوئی بیٹا اپنی ماں سے منکر ہو سکتا ہے۔''

''میری ماں ہوتی تو ان لوگوں کے ساتھ آتی؟''

''بیٹے انہوں نے تیرے باپ کے ساتھ مجھے یہاں بھیجا ہے۔ بس ہم دونوں ہیں۔ تیرا باپ یہاں سے پرے ایک خستہ دیوار پر بیٹھا اپنے بیٹے کی راہ تک رہا ہے۔''

''پھر وہ بولتا کیوں نہیں۔''

''اسے بولنا کہاں آتا ہے۔''

میں تھوڑا کھنکارا، اس طرح کہ اسے میری کھنکار سنائی دے جائے۔

''ماں، تم کیوں آئی ہو؟''

''بیٹے، انہوں نے مجھ سے کہا ہے کہ اپنے بیٹے کو سمجھاؤ کہ ہتھیار ڈال دے اور اپنے آپ کو ہمارے حوالے کر دے، اس صورت میں وہ بچ جائے گا۔''

''بچ جاؤں گا، آخر کیوں؟''

''تمہارے باپ اور مجھ پر انہیں رحم آ گیا ہے۔''

''کتنی مضحکہ خیز بات ہے۔ اس وقت وہ رحم کی باتیں کر رہے ہیں جب گولیاں چلیں گی، اس وقت کیا ہوگا۔''

اس وقت سپاہیوں کے کھنکارنے کی آوازیں سنائی دیں، کتنے منحوس انداز میں کھنکار

رہے تھے۔

''میرے لال، پھر وہ کسی پر رحم نہیں کھائیں گے۔''

''تو گویا تم ان سے خوفزدہ ہو۔''

''والعہ، میں تو تیری خاطر ان سے خوفزدہ ہوں۔'' خاموشی کا ایک وقفہ آیا اور پھر وہ اس کی منت کرنے لگی۔ ''والعہ میرے لال ہتھیار ڈال دے اور باہر آجا۔''

''اے عورت کہ ان لوگوں کے ساتھ آئی ہے۔ مجھے بتا کہ میں کہاں آؤں۔''

''میرے لال نکل کر کھلے میں آجا۔ تہہ خانہ بہت چھوٹا، بہت تنگ ہے۔ تیرا وہاں دم گھٹ جائے گا۔''

''دم گھٹ جائے گا؟ میں تو اس تہہ خانے میں یہ سوچ کر آیا ہوں کہ آزادانہ سانس لے سکوں، بس ایک مرتبہ آزادی کی فضا میں سانس لے لوں۔ جب میں پنگھوڑے میں رونے لگتا تھا تو تم میرا گلا دبا دیتی تھیں۔ جب میں بڑا ہوا اور بولنا سیکھنے لگا تو مجھے سرگوشیاں ہی سنائی دیتی تھیں۔ جب میں اسکول جانے لگا تو تم نے مجھے تنبیہ کی کہ خبردار ایسی ویسی بات منہ سے مت نکالنا۔ جب میں نے تم سے یہ ذکر کیا کہ میرا استاد میرا دوست بن گیا ہے تو تم نے چپکے سے کہا، ہوسکتا ہے کہ وہ تم پہ نگراں مقرر ہوا ہو۔ جب میں نے سنا کہ تنتورہ میں کیا واقعہ گزرا تھا اور میں نے انہیں برا بھلا کہا تو تم نے سرگوشی میں کہا کہ خبردار ایسی ویسی بات منہ سے مت نکالنا۔ جب میں نے اپنے اسکول کے ساتھیوں سے اسٹرائک کرنے کی تجویز پر بات کی تو انہوں نے بھی مجھ سے یہی کہا کہ خبردار ایسی ویسی بات منہ سے مت نکالنا۔

ماں، ایک صبح تم نے مجھ سے یہ کہا تھا کہ بیٹے تم سوتے میں باتیں کرتے ہو۔ تمہیں احتیاط برتنی چاہیے کہ سوتے میں کوئی ایسی ویسی بات منہ سے نہ نکل جائے۔ میں غسل خانے میں نہاتے نہاتے گانے لگتا تو پدر بزرگوار مجھے ڈانٹ بتاتے کہ اس دھن میں مت گنگناؤ۔ دیواروں کے بھی کان ہوتے ہیں۔ اس لیے احتیاط برتنی چاہیے کہ کوئی ایسی ویسی بات منہ سے نہ نکلے۔ اس لیے احتیاط برتنی چاہیے کہ کوئی ایسی ویسی بات منہ سے نہ نکلے۔ احتیاط، احتیاط، خبردار ایسی ویسی بات منہ سے نہ نکلے۔ خبردار، خبردار، ہمیشہ وہی احتیاط کی رٹ۔ بس میں ایک دفعہ صرف، ایک دفعہ احتیاط کو بالائے طاق رکھ کر بات کرنا چاہتا ہوں۔ میرا دم گھٹا جا رہا ہے۔ تہہ خانے تنگ و تاریک ہوا کرے مگر اے مری ماں، تنگی کے باوجود اس میں اتنی وسعت ہے جو زندگی میں تجھے

میسر نہیں آئی۔ میں بے شک یہاں مقید ہوں مگر رہائی کا راستہ بھی یہیں سے نکلتا ہے۔''

پھر خاموشی چھا گئی اور اس کے بعد ہمیں کچھ ایسی آوازیں آئیں جیسے بندوقیں سیدھی کی جا رہی ہوں۔

اس کی ماں چیخ کر بولی۔ ''رہائی کا راستہ؟ وہ کیسے؟ موت تو کوئی رہائی کا راستہ نہیں ہے۔ وہ تو بس خاتمہ ہے۔ ہم جس طرح رہتے ہیں اس میں شرم کی کوئی بات نہیں ہے۔ اگر ہم نے رازداری کا طور اپنایا ہوا ہے تو اس امید پر اپنایا ہوا ہے کہ ایک روز ہمیں نجات حاصل ہوگی۔ اگر ہم محتاط رہتے ہیں تو اس لیے کہ تم سب کا تحفظ ہمارے پیشِ نظر ہے۔ والعہ اگر تم باہر نکل آؤ اور اپنی ماں اور اپنے باپ سے آن ملو تو اس میں شرم کی کون سی بات ہے۔ تمہارے اکیلے کا تو کسی پر بس نہیں چل سکتا۔''

''میرا تم پر بس چل سکتا ہے۔''

''لیکن ہم تمہارے دشمن تو نہیں ہیں۔''

''لیکن تم ہمارے ساتھ بھی تو نہیں ہو۔''

''میرے لال، ہوش سے کام لو۔''

''جی ہاں، کتنی مضحکہ خیز بات ہے۔ ماں ذرا پھر وہی فقرہ دہرانا، خبردار ایسی ویسی بات منہ سے مت نکالنا مگر میں اب آزاد ہوں۔''

''آزاد...... میں سمجھ رہی تھی تم نے آزادی کے حصول کی خاطر ہتھیار اٹھائے ہیں۔''

پھر وہی خاموشی۔ اس کی ماں کی طنز بھری ہنسی سے یہ خاموشی ٹوٹی اور پھر وہ یوں بولی کہ ''اے مرے بیٹے، کاش ہم آزاد ہوتے۔ اگر ایسا ہوتا تو ہم اس طرح آپس میں کیوں لڑتے۔ نہ تم ہتھیار اٹھاتے اور نہ ہم تم سے محتاط رہنے کی بات کرتے۔ ہم جو کچھ کر رہے ہیں تو اس کی وجہ یہی ہے کہ ہم آزادی چاہتے ہیں۔''

''وہ کیسے؟''

''فطرت آزادی چاہتی ہے مگر اس کا ایک ضابطہ ہے۔ جب رات کا دور پورا ہو جاتا ہے تب صبح نمودار ہوتی ہے۔ نرگس کا پھول کب کھلتا ہے۔ پہلے کلی بنتی ہے، پھر پھول کھلتا ہے میرے بیٹے۔ فطرت میں ہر کام اپنے وقت پر ہوتا ہے۔ اسقاط فطرت مزاج کے خلاف ہے۔ تم اس وقت جو کچھ کرنے کے درپے ہو، اس کے لیے لوگ ابھی تیار نہیں ہیں۔''

''جس وقت تک وہ تیار ہوں گے، اس وقت تک میں اس امانت کا بار برداشت کروں گا۔''

''میرے بیٹے، میرے لال، گلاب کا پھول جوان آدمی کے کالر پر بہت سجتا ہے لیکن شاخ سے جدا ہونے کے بعد اسے غذا نہیں ملتی۔ میرے لال آؤ، میرے گلے سے لگ جاؤ۔''

پھر وہی خاموشی چھا گئی۔ پھر مجھے اس کی آواز سنائی دی۔ کس درد کے ساتھ وہ کہہ رہا تھا ''ماں، ماں، پھول کب کھلیں گے، کب تک ہم ان کے کھلنے کا انتظار کریں گے۔''

''بیٹے، اس طرح مت سوچو کہ تمہیں بیٹھ کر انتظار کرنا ہے۔ ہمارا کام یہ ہے کہ سینچائی کریں، تخم ریزی کریں اور فصل کے پھولنے تک اپنی ذمہ داری کا بار برداشت کریں۔''

''فصل کب پھولے گی، پھول کب کھلیں گے۔''

''صبر کرو۔''

''زندگی بھر میں نے صبر ہی کیا ہے۔''

''تھوڑا اور صبر کرو۔''

''یہ جو تمہارا تو کل ہے، میں اس سے تنگ آ چکا ہوں۔''

''لیکن ہمارے درمیان ایسے جوان بھی ہیں اور ایسی عورتیں بھی ہیں جنہوں نے حالات کا ہمت سے مقابلہ کیا ہے، ان کی طرح بنو۔ انہوں نے کالی لمبی رات کا دور سہا اور اپنی پیشانیوں پر وہ جلتے سورج کو لیے پھرتے رہے اور حکام جب کسی طرح انہیں ان کی دھرتی سے جدا نہ کر سکے تو انہوں نے انہیں جیل میں بند کر دیا اور ان حکام نے ان کے گھروں کو جب ڈھایا تو وہ جوانہوں نے تصورات قائم کر رکھے تھے، ساتھ میں وہ بھی ڈھے گئے۔ لیکن بیٹے تم نے امید کا دامن چھوڑ دیا ہے۔''

''مجھے تو اپنے چاروں طرف تاریکی ہی تاریکی نظر آتی ہے۔''

''تاریکی صرف اس تہہ خانے میں ہے۔''

''میری تو ساری زندگی ہی تہہ خانے میں گزری ہے۔''

''لیکن بیٹے تم ابھی کچی کلی ہو، تمہیں ابھی کھلنا ہے، تہہ خانے سے نکلو اور سورج کی روشنی میں آؤ۔''

''سورج تلے مجھے کہاں پناہ ملے گی۔''

''تمہیں سورج کے دامن میں پناہ ملے گی۔ ہر کام سدھرتا چلا جائے گا۔ ذرا غور کرو کہ کتنی قومیں آزادی حاصل کر چکی ہیں، ہمارا موسم بھی آئے گا۔''

''بس خواب دیکھتی رہو کہ سات جھیلیں ہیں، سات جھیلوں کے پرے سات جزیرے ہیں۔''

''وہ ہمارے جزیرے ہیں اور ہماری جھیلیں ہیں۔ سندباد کے سات سفر پورے ہو چکے ہیں۔اب وہ اپنی سرزمین میں خزانے تلاش کر رہا ہے۔''

''اس کی زندگی اس کی اپنی زمین پر اجیرن ہو چکی ہے۔''

''جب زندگی موت سے زیادہ ارزاں ہو جائے تو پھر جان دینے سے زیادہ مشکل کام جان کو بچانا ہوتا ہے۔ پھر دانتوں سے پکڑ کر جان بچانی پڑتی ہے۔''

''ماں تمہارے لوگ واپس نہیں آئیں گے اور تم مر جاؤ گی۔''

''تمہارا مطلب ہے کہ مجھے اپنے لوگوں کی واپسی دیکھنی نصیب نہیں ہو گی۔''

''وہ کیسے واپس آئیں گے؟''

''وقت انہیں واپس لائے گا، دیکھتے رہو وقت کیا کرشمہ دکھاتا ہے۔''

تہہ خانے سے زہر بھری ہنسی کی آواز سنائی دی۔ ''وقت خود تمہیں ختم کر دے گا اور مجھے بھی وقت ہی نے زندگی عطا کی اور وقت ہی میری زندگی کو ختم کرے گا۔''

''والعہ! وقت کا مذاق مت اڑاؤ۔ وقت نہ ہوتا تو کوئی پیڑ پودا نہ اُگ پاتا اور ہمیں کہیں سے غذا میسر نہ آتی۔ اگر وقت نہ ہوتا تو رات کے بعد کبھی دن نہ چڑھتا اور جنگ کے بعد امن کا زمانہ نہ آتا۔''

''لیکن کیا امن کا زمانہ آ گیا ہے؟''

''آئے گا۔ ہاں اور اگر وقت نہ ہوتا تو کبھی کوئی قیدی قید سے رہا نہ ہوتا۔''

''کوئی قیدی، قید سے رہا ہوا ہے؟''

''نہیں ہوئے ہیں لیکن ہوں گے اور وقت نہ ہوتا تو تجربہ لوگوں کو کبھی کوئی سبق نہ سکھاتا۔''

''لیکن کیا انہوں نے کوئی سبق سیکھا ہے؟''

''تم تو یہ چاہتے ہو کہ ایک ہی سانس میں ساری گتھی سلجھ جائے۔''

''ہاں ایک ہی نسل میں اور میری نسل میں۔''

''تمہاری ہی نسل میں کیوں؟''

''اس لیے کہ وہ میری نسل ہے۔''

''تمہاری نسل کے پاس لڑنے کے لیے کون سے ہتھیار ہیں؟''

پھر خاموشی چھا گئی۔ آخر میں مجھے وہ اس انداز سے مخاطب ہوتی نظر آئی جیسے جب وہ بچہ تھا تو اس کی چمی لینے کے لیے التجا کرتی تھی۔ ''والعہ! تمہارے پاس کون سے ہتھیار ہیں؟''

''پیٹی میں رکھی ہوئی ایک پرانی مشین گن ہے۔''

اچانک میں نے دیکھا کہ وہ تہہ خانے کی طرف لپکی، اس کے بازو کھلے ہوئے تھے۔ اس چڑیا کے بازوؤں کی طرح جو اپنے بچوں کو اپنی پناہ میں لینے کے لیے گھونسلہ کی طرف لپکتی ہے۔ وہ اندھیرے غار میں اترنا چاہتی تھی۔ وہ چلایا اور اسے روکنے لگا ''ماں، وہ لوگ تمہارے پیچھے پیچھے آرہے ہیں۔ کیا تم مجھے اپنی مامتا کا دلاسہ دے کر ان کا تحفظ کرنا چاہتی ہو؟''

''نہیں، والعہ میرے لال۔ میں تو تمہارے ساتھ شامل ہونا چاہتی ہوں۔ پیٹی میں ایک مشین گن اور بھی ہے۔ میں اپنی مامتا سے تمہاری حفاظت کروں گی۔''

وہ تو دیکھتے دیکھتے آنکھوں سے اوجھل ہو گئی اور اِدھر افراتفری پھیل گئی۔ اب میں ان میں سے کسی کو نہیں پہچان رہا تھا۔ بہت سے سائے تھے کہ اِدھر اُدھر بھاگتے پھر رہے تھے۔ مجھے انہوں نے بالکل نظرانداز کر دیا تھا۔ مجھے اب صرف ان کی دبی دبی چیخیں سنائی دے رہی تھیں اور احکامات جو دیئے جا رہے تھے۔ میں کبھی آگے بڑھتا تھا۔ کبھی پیچھے ہٹتا تھا۔ بس چکر کاٹ رہا تھا۔ مجھے گالیوں کی آوازیں بھی سنائی دیں مگر خیر ان گالیوں کا ہدف میں نہیں تھا۔

آگے جو کچھ ہوا وہ کچھ خواب کا سا منظر تھا۔ ستارے ڈوب چکے تھے اور چاند پر بھی تاریکی چھائی ہوئی تھی۔ اس اندھیرے میں کچھ ایسا نظر آیا کہ کچھ شکلیں سمندر کی طرف بھاگی چلی جا رہی ہیں، پانی میں ڈبکیوں کی آوازیں سنائی دیں اور ایسا محسوس ہوا کہ پانی کے کچھ چھینٹے مجھ پر آ کر پڑے ہیں۔ پھر کسی کو کہتے سنا ''یہاں انہوں نے پانی میں چھلانگ لگائی تھی۔''

پھر دوسری آواز آئی ''یہاں چھلانگ لگائی تھی۔''

بڑا آدمی مجھے دکھائی تو نہیں دیا مگر اس کی آواز سنائی دے رہی تھی۔ وہ حکم دے رہا تھا کہ گولی مت مارنا۔ غوطہ مارو اور ان کا تعاقب کرو۔ اس کے بعد سرچ لائٹوں اور غوطہ خوروں کو وہاں لایا گیا لیکن یہ میرے بعد ہوا۔ میرے باس جیکب نے جو میرے برابر کھڑا تھا، میرا ہاتھ پکڑا اور اپنی کار میں بٹھا کر لے گیا اور لے جا کر میرے خالی گھر پر اتار دیا۔

دوسرے دن جیکب میرے پاس آیا اور حکم سنایا کہ جو کچھ ہوا ہے، اسے پردۂ راز میں رہنا چاہیے۔ اگر تم نے اس واقعہ کو راز میں رکھا تو تمہیں معافی بھی مل جائے گی اور دوبارہ کام پر جانے کی اجازت بھی مل جائے گی۔

''ہاں راز میں رکھوں جبکہ تم نے ان دونوں کو مار ڈالا ہے۔ ہے نا؟''

تب اس نے مجھ سے ایسی بات کہی کہ میں حیران رہ گیا۔ سمجھ میں نہیں آرہا تھا کہ اس کی بات کا یقین کروں یا نہ کروں۔ کہنے لگا کہ بچ کر صاف نکل گئے، ان کا کوئی سراغ نہیں ملا۔

آخری بار وہ دونوں ماں بیٹا سمندر کی طرف جاتے دیکھے گئے تھے۔ ماں نے بیٹے کو چمٹا رکھا تھا اور بیٹا ماں کو سہارا دے رہا تھا اور پھر وہ پانی کی لہروں میں کہیں کھو گئے۔ جیکب نے بتایا کہ سپاہی بے خبری میں پکڑے گئے اور بڑے آدمی نے گولی چلانے سے منع کر دیا تاکہ یہ خبر پھیلے نہیں۔ اسے یقین تھا کہ یا تو وہ پکڑے جائیں گے یا ڈوب جائیں گے لیکن دن رات کی تلاش کے بعد ان کا کوئی اَتا پتا نہیں ملا۔ نہ زندہ دکھائی دیئے نہ ان کی لاش نظر آئی۔ اب ان کی جو کیفیت بھی ہے، وہ ایک گہرا سرکاری راز ہے۔

اس کے بعد چند دنوں تک جیکب میرے ساتھ ہمدردی جتاتا رہا لیکن مجھے جو کچھ معلوم تھا وہ میں نے اسے بتانا نہیں چاہا۔ میں نے اسے یہ ہوا بھی نہیں دی کہ سمندر کی گہرائی میں چٹان کی تہہ میں ایک غار ہے۔ میرا خیال ہے کہ میری بیوی اور بیٹے نے طے کیا کہ مرنا ہے تو اس غار میں جا کر مریں، کتنی بار میں نے ہمت باندھی کہ میں خود وہاں پہنچوں اور حقیقت حال معلوم کروں لیکن میرا حوصلہ نہیں پڑا۔ ایک موہوم سی امید تو ہے کہ شاید وہ ابھی تک جیتے ہیں۔ اچھا ہے کہ یہ امید باقی رہے بہ نسبت اس کے کہ ان کے ڈوبنے کا یقین آجائے لیکن میں نے بہر حال تنتورہ کے ساحل پر پھر سے آنا جانا شروع کر دیا۔ اب وہاں نہانے والوں کا ایک ہجوم رہتا تھا۔ میں وہاں جاتا اور پتھریلی راس پر جا بیٹھتا جیسے والعہ

وہاں بیٹھا کرتا تھا۔ میں مچھلی کے لیے کانٹا ڈال دیتا اور چپکے چپکے اپنے بیٹے کو پکارتا رہتا۔ اس آس پر کہ کوئی نہ کوئی جواب ضرور آئے گا۔

ایک دن ایسا ہوا کہ ایک یہودی بچہ میرے پاس ہی آ کر بیٹھ گیا۔ میرا اس کی طرف دھیان ہی نہیں تھا۔ اس نے ایک ایسا سوال کیا کہ میں ہکا بکا رہ گیا۔ ''انکل آپ کون سی زبان بول رہے ہیں؟''

''عربی۔''

''کس سے اس زبان میں بول رہے ہیں۔''

''مچھلی سے۔''

''تو کیا مچھلیاں صرف عربی ہی سمجھتی ہیں؟''

''ہاں پرانی مچھلیاں تو عربی ہی سمجھتی ہیں یعنی اس زمانے کی مچھلیاں جس زمانے میں عرب یہاں رہتے تھے۔''

''اور نوجوان مچھلیاں؟ وہ عبرانی سمجھتی ہوں گی۔''

''وہ سب زبانیں سمجھتی ہیں، عبرانی بھی عربی بھی۔ سمندروں میں بہت وسعت ہے، وہ اکٹھے بہتے رہتے ہیں۔ ان کے درمیان سرحدیں نہیں ہیں اور مچھلیوں کے لیے بہت گنجائش ہے۔''

''واہ۔''

یہودی بچہ کے باپ نے اسے آواز دی اور دوڑ کر اس کے پاس چلا گیا۔ مجھے وہ کچھ بولتے دکھائی دیئے۔ میں جواب میں مسکرا دیا۔ بچہ شاید یہ سمجھ رہا تھا کہ میں سلیمان بادشاہ ہوں اور میں نے دیکھا کہ وہ میری طرف اشارے کر رہے ہیں۔ اس کا باپ مسکرا رہا تھا۔ پھر وہ دونوں میری طرف آئے۔ بچے کے رویئے سے ظاہر ہو رہا تھا کہ وہ میرا بہت احترام کر رہا ہے، وہ میرے پاس بیٹھنے کے لیے ضد کر رہا تھا۔ میں نے ایک چھوٹی سی مچھلی اسے دے دی۔ وہ مچھلی سے باتیں کرنے لگا لیکن مچھلی کی طرف سے کوئی جواب نہ آیا۔ میں نے کہا ''یہ مچھلی ابھی بہت کمسن ہے۔'' اس نے یہ سن کر اسے واپس سمندر میں پھینک دیا۔ اس خیال سے کہ وہ بڑی ہو جائے اور باتیں کرنے کے لائق ہو جائے۔ میں نے دل میں کہا کہ کاش لوگ بچے ہی رہا کرتے۔ اگر ایسا ہوتا تو والعہ کیوں بڑا ہوتا اور کیوں وہ گم ہوتا۔ پھر میں نے سوچا کہ یہ جو بڑا

آدمی بنا پھرتا ہے، یہ بھی تو کسی زمانے میں بچہ رہا ہوگا۔

کتنے ہی مہینے میں نے اس یقین کے ساتھ گزارے کہ ادھر سے کوئی اشارہ ملے گا۔ دروازے پر جب بھی دستک ہوتی میں تڑپ کر اٹھ کھڑا ہوتا۔ بس یہی گمان ہوتا کہ ان کی طرف سے کوئی پیغام آیا ہے۔ پھر میں نے سنا کہ دوستوں میں ایک چھاپہ مار ہے جو تنتورہ والا کہلاتا ہے۔ بس اس کے بعد میرا یہ شعار ٹھہرا کہ کھڑکیاں بند کر کے بستر پہ دراز ہو جاتا اور ٹرانسسٹر سینے پر رکھ کر اسے سنتا رہتا۔

آخر کو 1967ء کی 5 جون کی تاریخ آ گئی۔ اس لمبی رات میں مَیں اسی طرح لیٹا تھا کہ نیچے آوازیں آنے لگیں ''روشنی بجھاؤ۔ روشنی بجھاؤ۔''

روشنی تو خیر میں نے بجھا دی مگر نیند مجھے نہیں آئی۔

●♦●♦●

تیسرا حصہ

یُعادِ ثانی

میں بے تاب ہوں سننے کے لیے
چیخ پکار
ان عورتوں کی جو ایک ہزار سال سے دبی
ہوئی ہیں
نغمہ وطرب کی آرزو کے بوجھ تلے

سمیع سباغ البقاح

(34)

سعید نے دیکھا کہ وہ ایک بلی پہ ٹکا ہوا ہے

اس دفعہ قنوط رجائی سعید نے جو مجھے لکھ کر بھیجا، وہ مندرجہ ذیل ہے:

اس سارے قصے کا انجام کچھ اس طرح ہوا کہ ایک بے انت رات کے انت ہوتے ہوتے میں جاگا تو میں نے دیکھا کہ میں اپنے بستر میں نہیں ہوں مجھے ٹھنڈا پسینہ آ گیا۔ میں نے چادر کے لیے ہاتھ بڑھایا لیکن مجھے محسوس ہوا کہ میرا ہاتھ خلا میں ٹٹول رہا ہے۔

میں نے دیکھا کہ میں ایک چپٹی جگہ پر بیٹھا ہوں جو دائرہ نما اور سرد سرد ہے اور جس کا رقبہ ایک گز سے زیادہ نہیں ہے۔ ٹھنڈی یخ ہوا کے جھکڑ چل رہے تھے اور میری ٹانگیں ایک اتھاہ کھائی میں لٹکی ہوئی تھیں۔ میں اپنی پیٹھ کو ٹکانا چاہتا تھا لیکن پتا چلا کہ جس طرح آگے کھائی ہے، اسی طرح پیچھے بھی کھائی ہے اور چاروں طرف کھائی ہی کھائی ہے۔ میں نے ذرا حرکت کی تو یقیناً گر پڑوں گا۔ مجھے محسوس ہوا کہ میں ایک کھردری بلی پہ ٹکا ہوا ہوں۔

میں چلاّیا ''مدد، مدد۔'' لیکن سوائے صدائے بازگشت کے اور کوئی آواز سنائی نہ دی۔ تب مجھے احساس ہوا کہ میں اتنی بلندی پہ ہوں کہ آدمی نیچے دیکھے تو اسے چکر آ جائے۔ میں نے گھبراہٹ کو اس طرح کم کرنے کی کوشش کی کہ اپنی آواز کی گونج کے ساتھ مکالمہ شروع کر دیا۔ یہ مکالمہ بہت دلچسپ رہا اور بالآخر میں نے دیکھا کہ میرے نیچے کھائی میں صبح مسکرا رہی ہے۔ اگرچہ گرد نے اس مسکراہٹ میں ایک درشتی کا رنگ بھی پیدا کر دیا تھا۔

میں اب کیا کروں۔ خیر میں نے دل میں سوچا کہ اتنا بوکھلانا بھی کیا ضروری ہے۔ دماغ کو کسی بات پہ کسی خیال پر لگانا چاہیے۔ آخر یہ صورتحال کیسے پیدا ہوئی؟ کیا یہ بات عقل میں آتی ہے کہ آدمی رات کو اچھا بھلا اپنے بستر میں پڑ کر سوئے اور جب جاگے تو اپنے کو کسی بلی پر ٹکا ہوا دیکھے؟ یہ منطق اور فطرت دونوں کے خلاف بات ہے تو استاد، تم کوئی خواب دیکھ رہے ہو۔ بس یہ ہے کہ خواب کچھ زیادہ ہی لمبا ہو گیا ہے۔

تو میں اب تک کیوں بلی پہ ٹکا ہوا ہوں۔ اس عالم میں کہ سرد ہوا کے تھپیڑے لگ رہے ہیں، نہ اوڑھنے کو چادر ہے نہ کمر ٹیکنے کو کوئی چیز۔ نہ کوئی ساتھی ہے۔ میں یہاں سے اترتا کیوں نہیں۔ یہ بلی کا چکر کیا ہے۔ ضرور یہ کوئی ڈراؤنا خواب ہے۔ سواگر بلی سے اتر پڑوں تو سارا خواب نو دو گیارہ ہو جائے گا اور میں اپنے بستر میں پڑا رہوں گا۔ چادر میں دبکا ہوا اور گرمائی محسوس کرتا ہوا تو پھر تامل کیوں ہے۔ کیا یہ ڈر ہے کہ اتنی اونچائی سے اتنی گہرائی میں جا کر گرے تو وہ حال ہوگا جو شکاری کی گولی کھانے کے بعد مرغابی کا ہوتا ہے، درد سے بلبلاؤ گے اور مر جاؤ گے۔

میں اور یہ بلی جس پہ ٹکا ہوا ہوں، سب خیالی چیزیں ہیں۔ یہ سب ایک خواب ہے، عجب خواب ہے کہ فطرت کے ضابطوں کے بھی خلاف ہے اور منطق کے اصولوں کی بھی نفی ہے۔ تو بس ایسا کرو کہ اپنی ٹانگوں اور بازوؤں میں اس بلی کو جکڑ لو اور آہستہ آہستہ اترو جیسے گلہری اترتی ہے۔ چنانچہ میں نے لٹکتی ٹانگوں کو بلی کے گرد لپیٹا اور اس کی سطح کو محسوس کرنے کی کوشش کی۔ وہ ٹھنڈی ٹھنڈی تھی اور چکنی جیسے سانپ کی جلد ہوتی ہے۔ میں نے محسوس کیا کہ میں اس پر اپنی گرفت قائم نہیں رکھ سکوں گا اور اگر میں نے نیچے اترنے کی کوشش کی تو میں کھائی میں گر پڑوں گا۔ میری گردن ٹوٹ جائے گی، درد سے بلبلاؤں گا اور مر جاؤں گا تو میں رک گیا۔

پھر وہ مجھے ہندوستانی جادوگر یاد آئے جو رسی کو بلندی میں اتنا اونچا اچھالتے ہیں کہ اس کا سرا بادلوں میں جا کر کھو جاتا ہے۔ جادوگر اس رسی پہ چڑھتا ہے اور وہ بھی نظروں سے اوجھل ہو جاتا ہے۔ پھر وہ پھسل کر نیچے آ جاتا ہے۔ اس کا بال بھی بیکا نہیں ہوتا بلکہ الٹی اس پر انعام واکرام کی بارش ہو جاتی ہے لیکن میں تو ہندوستانی جادوگر نہیں ہوں۔ غریب عرب ہوں جو جانے کس طرح اسرائیل میں بچارہ گیا ہوں۔

مجھے یوں لگا جیسے میں چلا رہا ہوں کہ میں ڈراؤنا خواب دیکھ رہا ہوں اور پھر کود پڑا ہوں۔ میں آخر وہاں کس طرح ٹکا رہتا۔ مجھے مرنا تھوڑا ہی تھا۔ خیر میں چلایا تو ضرور تھا لیکن کودا نہیں تھا۔ میں نے یہ سوچا کہ اگر میری یہ حالت اور یہ بلی دونوں خیالی چیزیں ہیں اور اگر میں کوئی ڈراؤنا خواب دیکھ رہا ہوں تو یہ تو عارضی ہے۔ ٹکا بیٹھا رہوں یا چھلانگ لگا دوں، اس سے کیا فرق پڑے گا۔ میں بہرحال جاگ پڑوں گا اور پھر مجھے پتا چلے گا کہ میں اپنے نرم گرم بستر میں دبکا ہوا پڑا ہوں۔ تو پھر وقت سے آگے نکلنے کے لیے ہاتھ پیر مارنے کی کیا ضرورت ہے۔ آخر کتنا وقت لگے گا۔ کچھ گھنٹے بلکہ ممکن ہے یہ منٹوں اور سیکنڈوں ہی کا معاملہ ہو اور اس کے بعد میری آنکھ کھل جائے

تو وہ لمحہ جس میں میری آنکھ کھلتی ہے اور ہوش آتا ہے، بس آیا چاہتا ہے تو جب اس لمحہ کو آنا ہی ہے تو وہ تو بیٹھے بیٹھے ہی آجائے گا، چھلانگ لگانے کی کیا ضرورت ہے۔

پھر مجھے سردی سے ایسی جھرجھری آئی کہ بلی سے نیچے گرنے لگا تھا۔ بس گرنے کو تھا کہ اس کے الٹ ایک جھرجھری آئی۔ دوسری جھرجھری مجھے یہ سوچ کر آئی کہ کہیں یہ سب کچھ سچ مچ تو نہیں ہے یعنی اگر یہ خواب نہیں ہے اور واقعہ ہے تو پھر کیا ہوگا۔ چلو مانے لیتے ہیں کہ یہ صورتحال ضابطۂ فطرت کے خلاف ہے اور منطق کے اصولوں کی نفی ہے مگر اس سے یہ تو ثابت نہیں ہوتا کہ یہ واقعہ نہیں۔ خود میرے خاندان یعنی قنوط رجائی گھرانے والوں کا حال یہ رہا ہے کہ صدیوں وہ معجزوں میں حسرت کے متلاشی رہے اور معجزہ تو ہر قانون، ہر اصول کی نفی ہے۔ میرے اجداد کا طور یہی رہا کہ قدموں تلے کی زمین میں چھپے خزانوں کو ٹٹولتے رہے۔ اس مشغلے نے ان کی گردنیں توڑ کر رکھ دیں اور میرا بھی معاملہ کچھ ان سے مختلف نہیں ہے۔ میں اپنے سر کے اوپر پھیلے آسمان کو تکتا رہا اور آسمان ہی کے فیض سے مجھے وہ خلائی بھائی میسر آئے جن کے طفیل میرا سکون بحال ہوا تو میں اپنے باپ دادا کی روایت کے خلاف کیوں جاؤں اور کیوں مجھ سے توقع رکھی جائے کہ اس حال میں کہ میں ایک بلی پر ٹنگا ہوا ہوں۔ اپنی تعدیر فطرت کے ضابطوں اور منطق کے اصولوں کے حوالے کردوں۔

چنانچہ میں اپنی اسی حالت میں دو جھرجھریوں کے درمیان ڈولتا رہا۔ ایک جھرجھری سردی کی جو مجھے نیچے دھکیل رہی تھی۔ اس کی مخالف دوسری جھرجھری جو اپنے اجداد پر فخر سے عبارت تھی۔ یہ جھرجھری مجھے سنبھالا دے رہی تھی۔ بس انہیں دو جھرجھریوں کے بیچ ڈولتے ڈولتے میری ایک مرتبہ پھر یعاد سے ملاقات ہوگئی اور ہزار برسوں میں یہ پہلا موقع تھا کہ میں نے اپنے اندر ایک حرارت محسوس کی۔

●♦●♦●

(35)

جھاڑو پر لہراتا پرچم اطاعت، جو مملکت کے خلاف علم بغاوت بن گیا

یعاد سے ملاقات کہاں جا کر ہوئی۔ اسرائیل میں ایک ہی تو ایسی جگہ ہے جہاں یاروں کی ملاقاتیں ہوتی ہیں......جیل۔ وہیں یعاد سے دوبارہ ملاقات ہوئی۔ ویسے حقیقت یہ ہے کہ اس وقت میں جیل سے باہر آنے والا تھا اور میں جیل میں پہنچا اس وجہ سے کہ میں نے کچھ زیادہ ہی وفاداری دکھانے کی کوشش کی۔ اس کا اثر الٹا ہوا، حکام کی نظروں میں میری وفاداری مشکوک ہوگئی۔

یہ سارا قصہ جون کی جنگ کے زمانے کا ہے۔ اس شیطانی رات کا جب میں ریڈیو اسرائیل کی عربی زبان کی نشریات سن رہا تھا۔ اناؤنسر شکست خوردہ عربوں کے نام یہ پیغام نشر کر رہا تھا کہ انہیں اپنے گھروں کی چھتوں پر سفید پرچم لہرانے چاہئیں تاکہ وہ سپاہی جو تیر کی طرح گھر گھر پہنچ رہے ہیں، ان کے آرام میں خلل نہ ڈالیں۔

اس حکم نامے نے مجھے کسی قدر گڑبڑا دیا۔ اناؤنسر کن شکست خوردہ عربوں کی بات کر رہا ہے۔ وہ جنہیں اس جنگ میں شکست ہوئی ہے یا وہ جن کی شکست معاہدہ روڈیس کی مرہونِ منت ہے۔ میں نے سوچا کہ میرے لیے عافیت اسی میں ہے کہ میں اپنے آپ کو شکست خوردہ تصور کرلوں اور میں نے اپنے آپ کو یقین دلایا کہ اگر میں غلطی کر رہا ہوں تو وہ اسے ایک معصومانہ غلطی سے تعبیر کریں گے۔ سو میں نے کپڑے کا ایک ٹکڑا لے کر سفید پرچم بنایا، اسے جھاڑو کے ساتھ باندھا اور اپنے گھر کی چھت پر اسے بلند کیا۔ حیفہ میں جیل اسٹریٹ کے اس گھر کی چھت پر لہراتا ہوا یہ پرچم ملک سے میری وفاداری کا ضرورت سے بڑھ کر ایک نشان بن گیا۔

لیکن پوچھنے والا پوچھ سکتا ہے کہ بھائی تم کسے قائل کرنے کی کوشش کر رہے تھے۔ جیسے ہی میں نے یہ پرچم بلند کیا، کہہ دینا اُسے دیکھ لے۔ ویسے ہی میرا باس جیکب مجھ پر آن نازل ہوا اوراس طرح نازل ہوا کہ نہ علیک سلیک، نہ مزاج پرسی۔ میں نے بھی علیک سلیک نہیں کی۔ بس اس نے چلانا شروع کر دیا ''گدھے اُسے سرنگوں کر۔''

میں سرنگوں ہو گیا اتنا کہ میرا سر اس کے قدموں کو چھونے لگا اور اسی کے ساتھ میں نے سوال کیا ''حضور عالی، کیا آپ کو ویسٹ بینک کا بادشاہ بنا دیا گیا ہے۔''

جیکب نے میرے پائجامے کے نیفے سے مجھے پکڑا اور دھکے دیتا ہوا زینے کی طرف لے چلا۔ کہنے لگا ''میں اس کپڑے کی دھجی کی بات کر رہا ہوں۔ اسے اتارو۔'' جب ہم سیڑھیاں چڑھ کر اوپر چھت پر پہنچے تو اس نے جھاڑو کو پکڑا اور میں یہ سمجھا کہ وہ اس جھاڑو سے مجھے مارنا چاہتا ہے لیکن وہ تو دھم سے چھت کی منڈیر پہ بیٹھ گیا، رویا اور بولا ''اے یار دیرینہ تیرا کباڑا ہو گیا اور تیرے ساتھ میرا بھی کباڑا ہو گیا۔''

میں نے سمجھانے کی کوشش کی۔ ''میں نے تو ریڈیو اسرائیل کے اناؤنسر کے اعلان پر لبیک کہتے ہوئے جھاڑو پر پرچم بلند کیا تھا۔''

''گدھا، بالکل گدھا ہے۔''

''اگر وہ گدھا ہے تو اس میں میری کیا خطا ہے اور پھر تم لوگ گندھوں کو اناؤنسر بناتے ہی کیوں ہو؟''

اس پر اس نے بتایا کہ اس نے گدھا اناؤنسر کو نہیں، مجھے کہا تھا اور ساتھ ہی یہ بھی جتا دیا کہ ریڈیو اسرائیل کے اناؤنسر تو سب کے سب عرب ہیں۔ انہوں نے اعلان میں کوئی پھوہڑ پن دکھایا ہو گا لیکن یہ کہ میں بہر حال احمق تھا کہ میں نے اعلان کو غلط سمجھا۔

ریڈیو پر کام کرنے والے اپنے عرب بھائیوں کا دفاع کرتے ہوئے میں نے کہا کہ ''پیام رساں کا کام بس اتنا ہے کہ پیام کو پہنچا دو۔ وہ بس اتنا ہی کہتے ہیں جتنا ان سے کہنے کو کہا جاتا ہے اور اگر پرچم کو جھاڑو پر بلند کرنے سے اطاعت کے جذبے کی ہتک ہوتی ہے تو اس میں میری کیا خطا ہے۔ ہمیں لے دے کے ایک ہی تو ہتھیار رکھنے کی آپ لوگوں نے اجازت دی ہوئی ہے۔ وہ ہتھیار جھاڑو ہے۔ میں نے بات کو تھوڑا اور بڑھایا اور کہا ''خیر شاید جنگ شروع ہونے کے بعد جھاڑو بھی ایک قسم کا مہلک ہتھیار بن گئی ہے کہ لائسنس کے بغیر ہم اسے لے کر نہیں چل

سکتے۔ جس طرح شاٹ گن کا معاملہ ہے کہ صرف قریے کا سردار اور وہ بزرگ جنہوں نے ملکی خدمت میں عمر صرف کی ہوتی ہے، اسے لے کر چل سکتے ہیں۔ اگر ایسا ہے تو مجھے جھاڑو رکھنے کی اجازت ہونی چاہیے کہ میں تو ضرورت سے بڑھ کر ملک کا وفادار رہا ہوں۔ اس کی حفاظت مطلوب رہی ہے اور اس کے قوانین کا ہمیشہ احترام کیا ہے، خواہ ان کا نفاذ ہو گیا ہو یا ہونے والا ہو۔"

میرا دوست جیکب اس حال میں کہ منہ اس کا کھلا ہوا تھا۔ میری بکواس سننے جا رہا تھا۔ نہ تو رخسار پہ بہتے اس کے آنسو اس کے قابو میں تھے نہ میری بکواس پر اس کا بس تھا۔ آخر اس نے اپنے آپ کو سنبھالا اور مجھے بتایا کہ بڑے آدمی نے تمہاری غلط فہمی کو کس رنگ میں لیا ہے۔ اس نے تو اس بات کو ملک سے غداری کے مترادف جانا ہے۔

میں نے کہا "مگر وہ تو بس ایک جھاڑو تھی۔"

جیکب نے وضاحت کی کہ "اناؤنسر کا روئے سخن تو ویسٹ بینک کے عربوں کی طرف تھا۔ انہیں ہدایت کر رہا تھا کہ اسرائیلی قبضہ کے سامنے سر اطاعت خم کرتے ہوئے سفید پرچم بلند کرو مگر تم اسرائیل کے قلب میں حیفہ کے بیچ بیٹھ کر آخر کیا کر رہے تھے۔ حیفہ کے متعلق تو کبھی کسی نے نہیں کہا کہ یہ مقبوضہ شہر ہے۔"

اس نے زور دے کر کہا "اس سے تو یہ ظاہر ہوتا ہے کہ تم حیفہ کو مقبوضہ شہر سمجھتے ہو۔ گویا تمہارا موقف یہ ہے کہ اسے ملک سے علٰیحدہ کیا جانا چاہیے۔"

اس کا یہ مطلب نکالا جائے گا، یہ تو میرے سان گمان میں بھی نہیں تھا۔

"تمہارے دماغ میں کیا بات تھی اور کیا نہیں تھی، تمہاری سزا اس پر موقف نہیں۔ موقف اس پر ہے کہ بڑے آدمی کے دماغ میں کیا بات آئی ہے۔ اس کا خیال یہ ہے کہ تم نے حیفہ میں جو سفید پرچم بلند کیا ہے، یہ اس بات کا ثبوت ہے کہ تم ملک کے خلاف مزاحمتی کارروائی میں مصروف تھے اور یہ کہ تم اس ملک کو تسلیم نہیں کرتے۔"

"لیکن ......" میں نے کہا۔ "تمہیں تو یہ خوب پتا ہے کہ میں اس ملک کی سلامتی کے لیے کتنا کام کر رہا ہوں اور یہ کہ میں ایسا کوئی کام نہیں کر سکتا جس سے ملک کو نقصان پہنچے۔"

"بڑے آدمی کو یہ یقین ہو چلا ہے کہ تم جو بڑھ چڑھ کر ملک سے اپنی وفاداری جتاتے ہو، یہ محض اپنی غداری پر پردہ ڈالنے کی کوشش ہے۔ اس نے تمہارے باپ دادا کو یاد کیا، تمہارے چال چلن پر غور کیا اور پھر اس نتیجہ پر پہنچا کہ تم نے بے وقوف ہونے کا کام کر رکھا ہے۔ اگر تم واقعی

معصوم ہو تو پھر یہ یعاد جس سے تم عشق کر رہے تھے اور باقیہ جس سے تم نے بیاہ رچایا اور والعہ جو تمہارا بیٹا ہے، یہ سب کون ہیں۔ یہ تو انتہائی مشکوک لوگ ہیں۔"

"بڑے آدمی نے کبھی یہ معلوم کرنے کی زحمت گوارا کی کہ میں تو عرب ہوں، پھر میں نے اس سرزمین کو کیوں اپنا ملک سمجھ رکھا ہے۔"

"چلو اٹھو اور خود اپنے آپ سے یہ بات پوچھو۔"

لیکن ہوا یہ کہ وہ لوگ مجھے بیسان ڈپریشن لے گئے اور مجھے شطہ کی خوفناک جیل میں ٹھونس دیا۔

●♦●♦●

(36)

شطہ جیل جاتے ہوئے ایک قیامت خیز گفتگو

بڑے آدمی کو اصرار تھا کہ وہ بنفس نفیس مجھے ساتھ لے کر جیل تک جائے گا اور خود مجھے وارڈن کے حوالے کرے گا۔ مجھ جیسے جدی پشتی لوگ جیل میں بھی صاحب حیثیت رہتے ہیں، ہم اشراف کی مثال ہوتے ہیں۔ عدالت سے سزا ہو جائے تو پھر یہ ہوتا ہے کہ ہمیں کسی اچھے سے جزیرے میں عارضی جلاوطنی کے ایام گزارنے کے لیے بھیج دیا جاتا ہے۔

کم از کم میں نے اپنے آپ کو یہی کچھ کہہ کر سمجھایا تھا۔ صورت یہ تھی کہ پولیس وین کے عقبی حصے میں چھ پولیس والوں کے بیچ پھنسا ہوا بیٹھا تھا اور بڑا آدمی فرنٹ سیٹ پر ڈرائیور کے برابر بیٹھا تھا۔ اس وین کا پچھلا حصہ کچھ ایسا تاثر پیش کرتا تھا جیسے یہ کتے پکڑنے والی گاڑی ہو۔ جب انہوں نے دروازہ بند کیا تو میں نے اپنے آپ کو دلاسہ دیا کہ انہوں نے ایسا اس لیے کیا ہے کہ میری نیک نامی پر حرف نہ آئے۔ وہ اگست کا مہینہ تھا، سپاہی بڑبڑانے لگے کہ بہت گرمی ہے۔ میں نے بھی ان کی ہاں میں ہاں ملائی اور گرمی کی شکایت کرنے لگا لیکن وہ مجھ پہ پل پڑے اور لاتوں اور گھونسوں سے میری تواضع کرنے لگے۔ میں بلبلا کر چلایا کہ "مدد اے بڑے آدمی میری مدد کر" اور میں نے یہ جملہ بہت فصیح و بلیغ عبرانی میں ادا کیا کہ انہیں میری حیثیت کا پتا چل جائے اور وہ تھم جائیں۔ کم از کم وین ضرور تھم گئی۔

میں نے دیکھا کہ اس وقت ہم ناصرہ اور نہال کے دوراہے پر ہیں اور میدان ابن عامر سے گزر رہے ہیں۔ بڑے آدمی نے شیشے کی کھڑکی میں سے جو اس کی کمپارٹمنٹ کو "کتوں" کے کمپارٹمنٹ سے الگ کرتی تھی۔ پولیس کے اہلکاروں کو کچھ اشارہ کیا۔ اس پر انہوں نے مجھے نیچے اتارا اور پھر فرنٹ سیٹ پر ڈرائیور اور بڑے آدمی کے درمیان ٹھونس دیا۔ میں نے کوشش کر کے اپنے لیے گنجائش پیدا کر لی۔ پھر میں نے اطمینان سے بڑھ کر تازہ ہوا میں سانس لیا اور کہا کہ میرے خیال میں ہم میدان عامر سے گزر رہے ہیں۔

بڑے آدمی نے اس پر ناخوشگواری کا اظہار کیا اور میری تصحیح کرتے ہوئے کہا "نہیں، یہ میدان یرزائیل ہے۔"

میں نے اس کی تسلی کی خاطر کہا "خیر بقول شیکسپیئر نام میں کیا رکھا ہے۔"

میں نے شیکسپیئر کی یہ لائن انگریزی میں ادا کی اور وہ بڑبڑایا "اچھا تو تم شیکسپیئر کے بھی حوالے دیتے ہو۔"

میں بے نیازی سے مسکرا دیا لیکن میں تاڑ گیا کہ بڑا آدمی منہ ہی منہ میں کچھ بڑبڑا رہا ہے۔ اگر مجھے پہلے پتا ہوتا تو میں شیکسپیئر کے متعلق اپنے علم کا اعلان ہی نہ کرتا، سینے میں دفن کیے رکھتا۔

جب ہم میدان میں چلتے ہوئے دور نکل گئے اور افلاح شہر کی طرف بڑھنے لگے، اس طرح کہ اب ناصرہ کی پہاڑیاں ہماری بائیں سمت میں تھیں تو بڑے آدمی نے مجھے درس دینا شروع کر دیا کہ جیل کی زندگی کے کیا اصول ہیں۔ جیلروں سے جو مجھ سے برتر مقام رکھتے ہیں، آداب برتنے چاہئیں اور دوسرے قیدیوں سے جو مجھ سے کمتر ہوں، کس طرح پیش آنا چاہیے۔ اس نے مجھ سے یہ وعدہ بھی کیا کہ وہ مجھے ترقی دلوا کر رابطہ افسر بنوا دے گا۔

جب وہ شخص مجھے یہ سبق پڑھا رہا تھا تو مجھے یہ یقین ہو گیا تھا کہ جیل خانے میں بھی مجھے وہی کچھ کرنا ہوگا جو جیل سے باہر میں کرتا رہتا ہوں۔

اور جب مجھے یہ احساس ہوا تو میں خوشی سے پھول کر کُپا ہو گیا اور بے ساختہ بولا "اللہ آپ کو خوش رکھے۔"

بڑے آدمی نے اپنا درس جاری رکھا۔ کہنے لگا "اگر جیلر تمہیں بلائے تو پہلا جواب یہ ہونا چاہیے "جی حضور" اور جب تمہیں جانے کو کہے تو تمہیں کہنا چاہیے "بندہ حضور کے حکم کا تابع ہے۔" اور اگر تم اپنے ساتھی قیدیوں کو ایسی گفتگو کرتے دیکھو جس سے جیل خانے کی حفاظت کو خطرہ نظر آئے تو تمہارا فرض ہے کہ وارڈن کو اس سے مطلع کرو۔ اب اگر وہ تمہیں زدوکوب کرے تو تمہیں کہنا چاہیے......"

میں بیچ میں بول پڑا "جناب، اس کا تو آپ کو پورا حق پہنچتا ہے۔"

"اس کا تمہیں کیسے پتا چلا۔ کیا تم اس سے پہلے بھی کبھی قید میں رہے ہو؟"

"نہیں۔ خدا نہ کرے کہ آپ کو ایسی مار کھانی پڑے۔ میں نے آپ کے بتائے ہوئے جیل کے ادب آداب سے یہ نتیجہ نکالا ہے کہ آپ کے جیل خانے قیدیوں کے ساتھ بہت انسانیت

کا اور رحم دلی کا سلوک کرتے ہیں۔ بس جیسا سلوک آپ لوگ جیل سے باہر لوگوں سے کرتے ہیں اور ہمارا چلن بھی ویسا ہے لیکن جناب یہ بتائیے کہ پھر آپ ان عربوں کو مجرم ہوتے ہیں کس طرح سزا دیتے ہیں۔''

''یہ مسئلہ ہمارے لیے بہت پریشان کن ہے۔ اسی لیے تو ہمارے عالی مرتبت وزیر عمومی نے یہ بات کہی ہے کہ جب سے جنت کو آدم وحوا سے گلوخلاصی حاصل ہوئی ہے، اس وقت سے لے کر اب تک ہماری جیسی رحم دلی کی مثال روئے ارض پر کہیں نہیں ملے گی۔ ہمارے بعض لیڈروں کا خیال ہے کہ جیل خانوں میں عربوں سے ہمارا سلوک اس سے بہتر ہے جو ہم جیل سے باہر ان سے روا رکھتے ہیں۔ ویسے یہ تو تمہیں معلوم ہی ہے کہ جیل سے باہر عربوں سے ہمارا سلوک بہت اچھا ہوتا ہے۔ ساتھ میں ان لیڈروں کا یہ خیال بھی ہے کہ ہمارے اس اچھے سلوک کی وجہ سے عربوں کو شہ مل جاتی ہے اور نئے علاقوں میں لوگوں کو جو مہذب بنانے کا ہمارا مشن ہے۔ اس کی وہ مزاحمت کرتے ہیں، ان ناشکرے افریقی آدم خوروں کی طرح جو اپنے محسنوں کو کھا جاتے ہیں۔''

''جناب، یہ کیسے!''

''مثال کے طور پر ہماری اس پالیسی کو لے لو جس کے تحت سزا کا طریقہ یہ رکھا گیا ہے کہ لوگوں کو جلاوطن کر دیا جاتا ہے، ہم انہیں جیل جانے کی زحمت ہی نہیں دیتے۔ سیدھا سیدھا جلاوطن کر دیتے ہیں۔ اگر ایک مرتبہ وہ جیل میں داخل ہو جائیں تو پھر وہ وہاں اس مضبوطی سے قدم جماتے ہیں۔ جس مضبوطی سے گئے زمانے میں برطانوی تسلط نے قدم جمائے تھے۔''

''اللہ آپ کا بھلا کرے۔ بات تو ٹھیک ہے۔''

''جب وہ جیل سے باہر ہوتے ہیں تو ہم ان کے مکانوں کو ڈھا دیتے ہیں لیکن جب وہ جیل کے اندر ہوتے ہیں تو ہم انہیں تعمیر کی اجازت دے دیتے ہیں۔''

''یہ تو واقعی کمال کی بات ہے اللہ آپ کا بھلا کرے مگر وہ تعمیر کیا کرتے ہیں۔''

''وہ پرانے جیل خانے کے اندر نئے جیل خانے بناتے ہیں، جیل کی نئی کوٹھریاں بناتے ہیں اور ان کے اردگرد پیڑ پودہ لگاتے ہیں۔''

''اللہ آپ کا بھلا کرے لیکن جیل خانوں سے باہر آپ ان کے گھر کیوں گرا دیتے ہیں۔''

''مقصد یہ ہوتا ہے کہ ان گھروں میں چوہوں نے بھٹ بنا لیے ہیں، ان کا قلع قمع کیا جائے۔ اس طریقے سے ہم انہیں طاعون سے بچا لیتے ہیں۔''

''لیکن گستاخی معاف، اس کی تھوڑی وضاحت ہو جائے تو اچھا ہو۔''

''اصل میں وزارتِ صحت نے اس اقدام کا انسانی بنیادوں پر یہ جواز پیش کیا تھا اور جب نشیبی علاقہ میں جُفلک کے قریوں میں مکانات ڈھانے کے لیے ہم سے کہا جا رہا تھا تو وزیر دفاع نے اس کام کے اسباب بتاتے ہوئے وزارتِ صحت کا یہی بیان ہمارے سامنے دہرایا تھا جب نیسٹ میں اس یہودی کمیونسٹ نے جو ناصر، شاہ حسین، امیر کویت اور شیخ قابوس کا پٹھو ہے۔ ہم پر الزامات عائد کیے تھے تو وزیر موصوف نے اس کے جواب میں بھی یہی بات کہی تھی۔''

''اور پھر کیا اس شخص کی زبان بند ہو گئی؟''

''اصل میں اسے تھوڑا کسنا پڑا۔''

''وہ کیسے؟''

''اسپیکر صاحب نے اسے تقریر جاری رکھنے سے روک دیا۔ میاں جمہوریت بدنظمی کا نام تو نہیں ہے اور تمہیں پتا ہے کہ کمیونسٹ لوگ تو ہیں ہی بدنظمی کے پرچارک۔ ان کے نمائندے نے جمہوریت کو جاننے سے انکار کر دیا۔ تب اسپیکر صاحب نے اسے دیوان سے باہر نکلوایا، بھائی کی طبیعت صاف ہو گئی۔''

اب پولیس کی گاڑی افلاح شہر سے نکل رہی تھی اور بیسن روڈ پر رواں دواں تھی۔ یہی تو راستہ تھا جو میرے نئے ٹھکانے کی طرف جاتا تھا۔ دونوں طرف سبزہ تھا جس پر تازہ پانی چھڑکا جا رہا تھا۔ اس سخت گرمی میں بھی سبزہ کتنا تر و تازہ تھا۔ اچانک بڑا آدمی میرے پاس بیٹھا بیٹھا کسمسایا اور کتا گاڑی کی فرنٹ سیٹ پر بیٹھا ہوا ڈرائیور جون بدل کر شاعر بن گیا۔ میں تو اپنی قنوط رجائی جون میں مگن بیٹھا تھا مگر وہ اب لہک لہک کر گا رہا تھا۔ ''میدان سرسبز ہیں دائیں بائیں ارد گرد سبزہ ہی سبزہ۔ جہاں مردنی چھائی ہوئی تھی وہاں ہم نے زندگی پیدا کر دی ہے۔ تب ہی تو ہم نے اس علاقہ کو جو سابقہ اسرائیل کی سرحدیں تھیں، سبز پٹی کا نام دیا ہے۔ ان سرحدوں کے اس پار بنجر پہاڑ ہیں اور ریگ زار ہیں۔ ایک ویرانہ ہے جو ہمیں پکار رہا ہے کہ اے تہذیب کی کشت کے سینچنے والو، ہماری طرف آؤ۔''

''بچو اگر تم ہمارے ساتھ اس وقت ہوتے جب ہم لیٹرن روڈ سے ہوتے ہوئے یروشلم کی طرف جا رہے تھے تو تم صحیح معنوں میں سبز پٹی کی بہار دیکھتے۔ پہاڑوں پر صنوبر کے درختوں کی بہار، درخت ہی درخت، اتنے گھنے کہ ایک دوسرے کے ساتھ بھڑے ہوئے اور ٹہنیاں ٹہنیوں

کے ساتھ گتھی ہوئی اور ان کی چھاؤں میں چاہنے والے بوس و کنار میں مصروف اور تم یہ بھی دیکھتے کہ ان سبز پوش پہاڑیوں کے عین مقابل تمہارے وہ بنجر پہاڑ کھڑے ہیں جہاں ننگی چٹانوں کی پردہ پوشی کے لیے سبزہ نام کی کوئی چیز نہیں ہے۔"

"تو کیا یہ وجہ تھی کہ آپ لوگوں نے لیٹرن کے قریوں کے، امواس کو، یالو کو، اور بیت نب کو تباہ و برباد کر دیا اور وہاں سے باشندوں کو نکال باہر کیا۔"

"لیکن ہم نے خانقاہ کو مجاوروں کے حوالے کر دیا کہ سیاحوں کے لیے اس میں دلچسپی کا بہت سامان ہے اور ہم چونکہ اللہ کو جانتے ہیں، اس لیے ہم نے قبرستانوں کو انہیں کے لیے چھوڑ دیا جو وہاں دفن ہیں، تاہم یہ جو وسیع و عریض میدان ہمارے ہیں، یہ ہماری جنگ کی کمائی ہیں۔ گزشتہ راصلوٰۃ۔ یہ ایک المانی الاصل امریکی مثل ہے۔"

جس وقت وہ اپنی شاعرانہ گفتگو میں اس مقام پر پہنچا اس وقت کار عین جلوت کی قدیم آبادیوں کے آس پاس پہنچ چکی تھی۔ عین جلوت جس قریے کا نام تھا، اب اس کا نام عہد نامہ قدیم سے مستعار لے کر عین ہاروت رکھ دیا گیا ہے۔ یہاں ایک چشمہ ہے کہ قیوزدوں کے تعمیر کیے ہوئے تالاب سے جا ملا ہے۔ اب یہ ناصرہ کے لوگوں کی سیر گاہ ہے کہ یہاں آ کر ہوا خوری کرتے ہیں اور منگولوں پہ لعنت بھیجتے ہیں۔

میرا جی چاہا کہ یہ شخص جو شاعری بگھار رہا ہے، میں بھی اس کے جواب میں تھوڑی شاعری بگھاروں مگر اس نے ایسی بات کہہ دی کہ پھر میرا بات کرنے کا حوصلہ ہی نہیں پڑا۔ کہنے لگا تم لوگوں نے منگولوں کو اگر شکست دی تو اس کی وجہ یہ تھی کہ وہ یہاں یہ سوچ کر آئے تھے کہ وہ لوٹ مار کریں گے اور پھر لوٹ جائیں گے لیکن ہم لوٹ مار کرنے کے بعد یہاں پسر گئے، جانا تو اب یہاں سے تمہیں ہے۔ بہر حال تاریخ کی ان ساری سرگوشیوں کے بارے میں تم تردد کر کے کیا کرو گے۔ بس اب تم شطہ جیل میں داخل ہونے کے لیے تیار ہو جاؤ۔

جیسے اس شخص کی زبان سے یہ لفظ نکلے بس ویسے ہی ہمارے ارد گرد کا منظر ایک دم سے بدل گیا۔ آن کی آن میں بستر غائب ہو گیا اور دائیں بائیں اور سامنے اجاڑ زمین تھی اور پتھریلی چٹانیں۔ یوں لگتا تھا کہ تھیٹر ہو رہا ہے اور اب پردہ گر کر اٹھا ہے تو دوسرا منظر سامنے ہے۔

میں نے اس جغرافیائی سیاست پر جیسے دھیان ہی نہ دیا ہو۔ ایک طنزیہ انداز میں کہا "تو گویا اب ہم سب پٹی سے نکل آئے ہیں اور عربوں کے خاک دان میں داخل ہو رہے ہیں جنہوں

نے اپنے علاقہ کو خرابہ آباد بننے کے لیے چھوڑ دیا ہے۔"

اس نے مجھے ڈانٹ دیا۔ چلا کر بولا "میں سمجھتا تھا کہ تم بس عقل کے کچے ہو لیکن اب مجھے پتا چلا کہ تم سُرخے ہو۔ سامنے نظر ڈالو اور دیکھو کہ اب تم کہاں جا رہے ہو۔"

میں نے سامنے نظر ڈالی اور دیکھا کہ ایک زبردست عمارت کھڑی ہے جیسے کوئی کریہہ المنظر صحرائی دیو ہو۔ اس کی دیواریں زرد تھیں اور اس کے اردگرد ایک اونچی سفید رنگ کی چہار دیواری تھی۔ چھت کے چاروں کونوں پر پہرے دار بندوقیں تانے کھڑے تھے۔ اس زرد قلعہ کو دیکھ کر ہم پر ہیبت چھا گئی۔ سبزے کا وہاں نام و نشان نہیں تھا۔ بس جیسے سرطان کی ماری زمین کی چھاتی پر سرطانی پھوڑا نکل آیا ہو۔ بڑے آدمی سے رہا نہ گیا۔ بولا "یہ ہے شطہ جیل۔ کیسی ہیبت ہے اس کی۔"

میں نے خوفزدہ ہو کر گردن کو آگے کی طرف کیا اور آہستہ سے کہا "اللہ ہم سب پہ رحم کرے۔"

اس پر اس نے ٹکڑا لگایا "رحم تو تم پہ جیل کا وارڈن کرے گا، اترو نیچے۔ میں اس سے کہوں گا کہ ذرا تمہارا خیال رکھے۔"

●♦●♦●

(37)

سعید عربی شیکسپیئری مشاعرے کے بیچ جا پھنسا

ہم جیل کے آہنی پھاٹک کے سامنے پہنچ کر وین سے اترے۔ سپاہی بھی کتا گاڑی سے نیچے اتر آئے۔ ان میں سے تین میرے پاس آ گئے اور مجھے اپنے پہرے میں لے لیا۔ اس طرح ہم چلے۔ بڑا آدمی اس جلوس کے آگے آگے چل رہا تھا۔ اس نے بس ایک مرتبہ دستک دی۔ اندر کوئی کتا بھونکا اور اس کے ساتھ ہی دروازہ کھل گیا۔

ملحوظ رہے کہ جیل کے وارڈن صاحب بنفس نفیس بلکہ بنفس دبیز برآمد ہوئے۔ ان کے آگے آگے ان کا پالتو بل ڈاگ تھا۔ کتا غرا رہا تھا اور کتے کا مالک یعنی وارڈن صاحب مسکرا رہے تھے۔ بڑا آدمی اور موٹا وارڈن دونوں نے ایک ذرا کتے سے چہل کی۔ اسے تھپتھپایا، پھر سیڑھیاں چڑھ گئے، ادھر میں احاطہ میں کھڑا رہا۔ اس طرح کہ سپاہی میرے اردگرد مستعد کھڑے رہے۔

بالآخر ایک سپاہی نے مجھے اپنے ساتھ چلنے کا حکم دیا اور ہم چند سیڑھیاں چڑھ کر ایک غلام گردش میں پہنچ گئے۔ اس سے نکل کر ایک اور غلام گردش میں اور اس سے نکل کر ایک اور غلام گردش میں۔ آخر ہم وارڈن کے دفتر میں پہنچے جہاں وہ دونوں شخص مزے سے قہوہ پی رہے تھے۔

وارڈن صاحب مجھے دیکھ کر مسکرائے اور بولے "اپنے دوست یعنی اس بڑی شخصیت کی سفارش پر میں تمہارے ساتھ خصوصی برتاؤ کروں گا۔ اس نے مجھے بتایا ہے کہ تمہارا ماضی اُجلا اور بے داغ ہے۔ بس سفید پرچم والا داغ ضرور ہے اور اس نے مجھے یہ بھی بتایا کہ تم خیر سے پڑھے لکھے نوجوان ہو اور شیکسپیئر تمہیں ازبر ہے۔"

یہ سن کر میرے دم میں دم آیا اور میں بہت اطمینان کے ساتھ ایک کرسی پر بیٹھ گیا۔ وارڈن صاحب نے فوراً ہی مجھے قہوہ پیش کیا اور شیکسپیئر پر رواں ہو گئے۔ انہوں نے وہ تقریر شروع کر دی جو انٹونی نے سیزر کے جنازے پر کی تھی۔ جہاں وہ اٹک جاتے میں تقریر کا وہ ٹکڑا لگا دیتا اور وہ کہتے "شاباش۔ شاباش۔"

پھر وارڈن صاحب کھڑے ہو گئے اور اتھیلو کا پارٹ کرنے لگے۔ اس وقت کا جب اوتھیلو نے ڈیسڈیمونا کا آخری بار بوسہ لیا تھا۔ ادھر میں ڈیڈیمونا کی مانند زمین پہ دراز ہو گیا لیکن وہ بولے اٹھ کھڑے ہوئے۔ ابھی وہ وقت نہیں آیا ہے۔ میں اٹھ تو کھڑا ہوا لیکن اب میرے یہاں کسی قدر بے چینی شروع ہو گئی تھی۔

''لیکن......'' وارڈن صاحب نے وضاحت کی۔ ''دوسرے قیدیوں کے سامنے ہم تمہارے ساتھ ویسا ہی سلوک کریں گے جیسا ان کے ساتھ کرتے ہیں۔ سمجھ گئے نا۔''

''جی جناب، میں سمجھتا ہوں۔'' اور میں نے اُڑتی سی ایک اطمینان بھری نظر بڑے آدمی پر ڈالی اور اس نے جواب میں اطمینان بھری نظر مجھ پہ ڈالی۔

وارڈن صاحب نے ایک بٹن دبایا اور فوراً ہی ایک پہریدار حاضر ہو گیا۔ میں نے وارڈن صاحب سے اور پھر بڑے آدمی سے مصافحہ کیا۔ میں نے بڑے آدمی سے التجا کی کہ میرے بعد جیکب کا خیال رکھنا۔ میں ایک کا شکریہ اور دوسرے کی مدح کرنے لگا اور کرتا ہی چلا گیا حتیٰ کہ پہریدار نے مجھے دفتر سے دھکیل کر باہر نکالا۔ جب ہم دوسری غلام گردش کے بیچ پہنچ گئے تو میں نے دل میں کہا کہ یہ پہریدار میرا دوست ہے۔ میرا بھائی ہے کہ ہم ایک ہی جیل کی دو غلام گردشوں کے ساتھ ساتھ چلے ہیں۔ یہ ایسی بات گویا ہم نان و نمک میں شریک رہے ہیں۔ میں نے اظہارِ خیال کرتے ہوئے کہا ''وارڈن صاحب بہت شائستہ آدمی ہیں۔''

''تم کس کے بارے میں باتیں کر رہے تھے؟'' اس نے پوچھا۔

''بس یہی کچھ شیکسپیئر اوتھیلو اور ڈیسڈیمونا کا ذکر تھا۔''

''تم تو انہیں جانتے ہو۔''

''اول الذکر مجھے ازبر ہے اور موخر الذکر سے میں نے سر تسلیم خم کرنے کا سبق سیکھا ہے۔''

''یہ تمہارے حق میں اچھی بات ہے۔''

پھر وہ مجھے ایک اندھیری کوٹھری میں لے گیا جس میں نہ کوئی کھڑکی تھی نہ کسی قسم کا فرنیچر تھا۔ اس نے بٹن دبایا تو عین میرے سر پہ بجلی کا قمقمہ روشن ہو گیا اور اس روشنی میں مَیں نے دیکھا کہ میں جیلروں کے حلقہ کے درمیان کھڑا ہوں۔ یہ سب کے سب لمبے تڑنگے تھے۔ چوڑے چوڑے شانے، آنکھیں سوئی سوئی، بازوؤں پر آستینیں چڑھی ہوئی، موٹی مضبوط ٹانگیں اور چہرے پہ ایسی مسکراہٹ جو چڑھی تیوری سے بھی زیادہ برا تاثر دے رہی تھی۔ لگتا تھا کہ یہ سب کے سب ایک ہی سانچہ میں ڈھل کر نکلے ہیں۔

میں نے کوشش کی کہ میں اپنے منہ پر ایسی ہی مسکراہٹ پیدا کر لوں لیکن میرا منہ بائیں

طرف سے ڈھلکا جا رہا تھا۔ میں نے اس طرف سے اسے درست کیا تو دائیں جانب سے ڈھلک گیا۔ مجھے محسوس ہوا کہ میرا نچلا ہونٹ پچک گیا۔ میں نے اسے درست کیا تو میرے دانت بجنے لگے۔

جب میں اپنے ہونٹوں کو درست کرنے میں مشغول تھا تو میرے کان میں ایک آواز آئی جو پہریدار مجھے اس ڈراؤنی کوٹھری میں لے کر آیا تھا، وہ موٹی رانوں والے جیلروں سے کہہ رہا تھا ''اور شیکسپیئر کے شعر بھی فر فر سناتا ہے۔''

یہ گویا ایسی بیت بازی کے شروع کرنے کا اشارہ تھا جس کی مثال عربوں کی پوری تاریخ ادب زمانہ ماقبل اسلام سے لے کر اب تک پیش کرنے سے قاصر ہے۔

ایک نے آغازِ کلام اس طرح کیا ''کتیا کے بچے ہمیں بھی تو شیکسپیئر کے کچھ شعر سنا۔'' اور اس طرح کے ساتھ ہی اس نے مجھے ایک زور کا مکا رسید کیا۔

دوسرے جیلر نے مجھے دھر پکڑا اور بولا ''سیزر کے بچے، یہ لے۔''

میں لڑکھڑا کر ایک جیلر کی طرف جاتا پھر لڑکھڑا کر دوسرے جیلر کی طرف گرنے لگتا۔ آخر وہ گھونسوں اور مکوں سے بور ہو گئے تو اس کے بعد مجھے لاتیں رسید کرنی شروع کر دیں اور اب میں نے لڑھکیاں کھانی شروع کر دیں۔ وہ مجھے ٹھوکروں سے مار رہے تھے اور میں لڑھکیاں کھا رہا تھا۔ کسی کسی وقت میں ان کی ٹھوکروں کے مقابلہ میں زیادہ تیزی کے ساتھ لڑھکتا چلا جاتا لیکن اس وقت مجھے یہ محسوس ہوتا کہ بہت سے قدم مل کر مجھے کچلے دے رہے ہیں۔ میں چیخنے لگا لیکن مجھے سنائی کچھ نہیں دے رہا تھا۔ بس زدوکوب سے، مکوں اور لاتوں سے پیدا ہونے والا دبا دبا شور سنائی دے رہا تھا۔ رفتہ رفتہ ایک بے حسی نے مجھے آلیا۔ مجھ پہ گھونسے مکّے پڑ رہے تھے مگر مجھے کچھ اس طرح کا خفیف احساس ہو رہا تھا جیسے کہیں بہت دور سے یہ عمل ہو رہا ہے۔ انہوں نے شیکسپیئر کے اشعار کی تکرار بند کر دی تھی۔ اب ان کی توجہ کراہوں، لمبے سانسوں کی شاعری پر مرکوز تھی۔ کراہیں میری اور لمبے لمبے سانس ان کے کہ طاقت کی اس مشق میں وہ ہانپنے لگے تھے۔ میں کراہے جا رہا تھا اور وہ ہانپ رہے تھے۔ اسی عمل میں پھر میں نے محسوس کیا کہ ان کے بھاری بوٹوں سے میری سانس کی ڈوری ٹوٹنے لگی ہے اور میں بالکل ہی بے بس ہو گیا اور مجھے غش آ گیا۔

آخری بات جو میں نے سنی، وہ یہ تھی ''واہ جی واہ، کیا خوب ہمارا شیکسپیئر ہے۔ ایسے شیکسپیئر کو ہزار بار خوش آمدید۔'' بس یہ لقب میرے دل میں اتر گیا، جب تک جیل میں رہا۔ یہ لقب میرے ساتھ چپکا رہا بلکہ جب میں جیل کا امتحان پاس کر کے باہر آ گیا اس وقت بھی یہ لقب میرے دم کے ساتھ تھا۔

●◆●◆●

(38)

سعید ایک بادشاہ کے دربار میں

دن ڈھل چلا تھا۔ ایسے میں ایک ہاتھ نے میرے ہاتھ کے ساتھ مصافحہ کیا۔ میں ہڑ بڑا کر جاگ اٹھا اور مجھے جب پتا چلا کہ میں ایک نیچی چھت والی تاریک کوٹھری میں ایک چٹائی پر لیٹا ہوا تھا۔ اس کوٹھری کی ایک دیوار کے اوپری سرے پر ایک جالی بنی ہوئی تھی اور سلاخیں تھیں۔ ڈوبتے دن کی مدھم سی روشنی اس جالی سے چھن کر کوٹھری میں آ رہی تھی۔ میرے بائیں کوئی ہاتھ میرے ہاتھ سے مصافحہ کر رہا تھا کسی قدر تپاک کے ساتھ۔ میں نے محسوس کیا کہ میں اپنی انگلیوں کو جنبش نہیں دے سکتا۔ سو میں نے بائیں سمت میں سر گھما کر نظر ڈالی۔ دیکھا کہ برابر میں ایسی ہی چٹائی پر جیسی میری ہے، ایک لمبا تڑنگا شخص لیٹا ہے۔ بدن اس کا ننگا تھا۔ پہلی نظر میں اس کا بدن یوں لگا جیسے اس پر گہرے سرخ نشان بنائے گئے ہوں۔ اگر کہیں اس کی آنکھ ایک خاموش مسکراہٹ کے ساتھ مجھے نہ دیکھ رہی ہوتی اور اس کا ہاتھ میرے ہاتھ کو دبا کر حوصلہ پکڑنے کی تلقین نہ کر رہا ہوتا تو میں یہی سمجھتا کہ میرے برابر ایک لاش پڑی ہے۔

میں نے کہا ''ہیلو'' اس کے جواب میں یس ہوں کہا اور چُپ ہو رہا اور اس کے بدن پر سرخ نشان اس طرح بنے ہوئے تھے جیسے اس نے شاہانہ قسم کی لال شال اوڑھ رکھی ہو۔ تو اس لال شال والے نے دبی آواز میں مجھ سے پوچھا ''بھائی اپنی بپتا سناؤ۔''

''یہ جیل کی کوٹھری ہے۔'' میں نے پوچھا۔

''تو کیا تم پہلی مرتبہ آئے ہو؟'' اس نے پوچھا۔

''کیسی کوٹھری ہے کہ کوئی کھڑکی نہیں ہے۔''

''امید کا گھر جس کے در و دیوار نہیں ہیں۔''

''اپنے بارے میں بتاؤ۔''

''میں فدائی ہوں۔ چھاپہ مار ہوں اور پناہ گزیں ہوں اور تم؟''

میری سمجھ میں نہ آیا کہ میں اسے اپنی کیا نشانی بتاؤں۔ وہ جو میرے برابر لیٹا تھا بڑی شان وشوکت والی شخصیت معلوم ہوتا تھا۔ جب وہ بولا تو اس کی آواز میں کسی قسم کا کرب نہیں تھا بلکہ لگتا تھا کہ وہ بول رہا ہے۔ اسی نیت سے کہ اپنے کرب پر قابو پا سکے تو کیا میں اسے یہ بتاؤں کہ میں تو بھیڑ ہوں، بھیڑ جس نے طے کیا جیسے کیسے اسی ملک میں رہو یا یہ اعتراف کرلوں کہ اے بادشاہ میں تو رینگتا رینگتا تیرے دربار میں آ گیا ہوں۔

میں نے لمبی آہ بھری۔ یہ آہ گویا اپنی ندامت چھپانے کا وسیلہ تھی۔ وہ جیسے تیسے کھڑا ہوا۔ اس نے سر کسی قدر جھکا رکھا تھا شاید اس خیال سے کہ سر چھت سے نہ ٹکرا جائے یا شاید مجھے دیکھنے کی خاطر کہ وہ بہت لمبا تھا اور میں لیٹا تھا۔ اچانک اس نے اونچی آواز سے کہا ''بھلے آدمی، یہ آہیں واہیں کرنا بند کر۔''

میں نے دل میں کہا کہ اچھا تو جیلروں کی ٹھوکریں اور لاتیں کھانے کے بعد میں آدمی بن گیا ہوں، وہ نوجوان نظر آ رہا تھا۔ اس کی لال شال اس کی نوجوانی کو اور نمایاں کر رہی تھی۔

''بھائی، درد کہاں ہو رہا ہے۔''

اگر ہماری ملاقات یہاں سے کہیں باہر ہوئی ہوتی تو کیا وہ مجھے بھائی کہہ کر پکارتا۔

اس کی آنکھوں میں کوئی ایسی بات تھی کہ میں بیس برس پہلے کے زمانے میں پہنچ گیا۔ جب میں ابھی ایک نوجوان تھا اور جیل اسٹریٹ میں گھوما کرتا تھا۔ جب اس نے پوچھا کہ تمہارے درد کہاں ہو رہا ہے تو اس کی آواز میں مجھے یعاد کی آواز کی گونج محسوس ہوئی۔ وہ وقت جب زمانہ پہلے سپاہیوں نے اسے پکڑ دھکڑ کر کار میں دھکیلا تھا کہ وہ اسے جلاوطنی کی سزا دینا چاہتے تھے اور وہ دہائیاں دے رہی تھی کہ یہ میرا ملک ہے، یہ میرا گھر ہے اور یہ میرا شوہر ہے۔ میں ایک بچے کی طرح پھوٹ پھوٹ کر رونے لگا۔

''بابا صبر سے کام لو۔''

مگر میرے آنسو تھمنے میں نہ آئے۔ خیر اب یہ گریہ ایک احساسِ تشکر کا ایک احساسِ فخر کا گریہ تھا۔ میرے یہ آنسو اس سپاہی کے آنسو تھے جسے اس کے سردار کی طرف سے بہادری کا تمغہ مل رہا ہو۔

''بابا ہمت سے کام لو۔''

اے بھاری بوٹوں والو، اپنے بوٹوں سے میری چھاتی کو روند ڈالو۔ میرے حلق کو دبا دو

اور اے کال کوٹھری، میرے بے کس جسم پہ ٹوٹ پڑ۔ تم سب کی بدولت تو آج ہم یہاں پھر اکٹھے ہوئے ہیں۔ وہ وحشی پہریدار انہیں کیا پتا کہ وہ اصل میں اس بادشاہ کے دربار کے دربان ہیں۔ وہ کالا تاریک کمرہ بیرونی ایوان ہے جہاں سے گزر کر آدمی یہاں پہنچتا ہے۔ اس ایوان میں جہاں اس کا تختہ آراستہ ہے۔ میں اس کا بھائی بن چکا ہوں، اس کا بھائی، اس کا بابا۔ اے جیلر اگر اس بات پر ہنس سکتے ہو تو خوب ہنسو۔

میری پوری ذات ایک احساسِ فخر سے معمور تھی۔ ایسا فخر جواب سے پہلے میں نے صرف اس روز محسوس کیا تھا جب یعاد نے اونچی آواز سے کہا تھا ''یہ میرا شوہر ہے۔''

اے بادشاہ، میں تیرا بابا ہوں۔ ہاں اے بادشاہ میرا ایک بیٹا ہے تو سہی بالکل تجھ جیسا لیکن اس کا لبادہ سمندری گھونگھوں سے تیار ہوا ہے۔

میں نے اسے بتانا نہیں چاہا کہ میرا تعلق حیفہ سے ہے۔ یہ بتاتا تو مجھے لمبی چوڑی وضاحتیں کرنی پڑتیں۔ میں نے اس کے بجائے اس سے یہ کہا کہ میرا تعلق ناصرہ سے ہے۔

وہ بولا ''وہاں کے بہادر لوگوں پر ہمیں فخر کرنے کا حق پہنچتا ہے۔'' پھر وہ پوچھنے لگا ''پھر تم کمیونسٹ ہو گے؟''

''نہیں، البتہ ان کا دوست ہوں۔''

''خوب، تم سے مل کر خوشی ہوئی۔''

اس نے اپنے زخموں کا ذکر کچھ یوں کیا کہ میرے زخموں کا اندمال ہوتا چلا گیا۔ وہ جو دیوار میں ایک ننھی سی کھڑکی تھی، وہ اس کے ہاتھوں کشادہ ہوتی چلی گئی۔ رفتہ رفتہ اس نے ایک وسیع افق کی شکل اختیار کر لی۔ اتنا وسیع افق میں نے پہلے کب دیکھا تھا۔ اس کھڑکی کی جالی دار سلاخیں چاند تک پہنچنے کے لیے پُل بن گئیں اور اس کے بستر کے درمیان معلق باغات پھولتے نظر آنے لگے۔ میں نے اسے اپنے متعلق بتایا کہ میں نے کیا بننے کا خواب دیکھا تھا۔ میں جھوٹ بولنا نہیں چاہتا تھا لیکن میں اپنی نجی تفصیلات بیان کر کے اس گھڑی کی عظمت کو داغدار بھی تو نہیں کر سکتا تھا۔ جب جیلروں نے میرا لباس اتارا تھا تو ساتھ میں یہ نجی سرمایہ بھی مجھ سے چھین لیا تھا۔ اب ہم دو برہنہ آدمی ایک دوسرے کے روبرو تھے۔ کیا حضرت آدم علیہ السلام کبھی اپنی مرضی سے جنت سے نکل سکتے تھے۔ بہر حال پہریداروں نے مجھے وہاں رہنے نہیں دیا۔ انہوں نے مجھے جنت سے سے نکالا اور جیل خانے کے اس بڑے ہال میں منتقل کر دیا جہاں میرے ساتھی قیدی بھرے ہوئے

تھے۔اس رنگ سے کہ ہر قیدی ایک لوہے کے پلنگ پر بچھی تنکوں کی چٹائی پر لیٹا تھا۔کافی دنوں تک میں جیل کے ضابطوں سے انحراف کرتا رہا، اس نیت سے کہ وہ مجھے سزا کے طور پر پھر کال کوٹھری میں بھیج دیں اور پھر میری اس نوجوان سے ملاقات ہو جس نے مجھے بابا کہہ کر پکارا تھا لیکن انہوں نے وہاں واپس نہیں بھیجا۔

مجھے قیدیوں سے پتا چلا کہ وہ فلسطینی فدائی تھا جو لبنان سے سرحد پار کر کے یہاں پہنچا تھا اور زخمی ہو جانے پر پکڑا گیا۔انہوں نے مجھے یہ بھی بتایا کہ اس کا نام سعید ہے۔میں نے اس پر کہا کہ ''گویا میرا ہم نام ہے۔''

اس پر انہوں نے ٹکڑا لگایا ''مگر شیکسپیئر کا لقب اسے کبھی نہیں ملا۔'' یہ کہہ کر وہ دلجوئی کے سے انداز میں مسکرا دیئے۔

میں اپنے زخموں کی مرہم پٹی میں لگ گیا اور اس دوسرے سعید کی راہ دیکھنے لگا۔آخر یوں ہوا کہ میری مڈھ بھیڑ اس کی بہن سے ہو گئی یعنی یعاد ثانی سے۔یہ اس وقت کی بات ہے جب میں تیسری مرتبہ جیل سے چھوٹ کر نکلا تھا۔

●♦●♦●

(39)

سعید نے سکھ کا گیت گایا

ہمارے ملک میں جو لوگ ایک دفعہ جیل چلے جائیں، پھر وہ جولاہے کی پونی کی طرح بن کر رہ جاتے ہیں۔ ابھی چھوٹ کر آئے اور ابھی پھر چلے گئے۔ بس یہی ہوتا رہتا ہے۔ میرا جولاہا وہی بڑا آدمی تھا۔ میرا بے داغ ماضی میرے کچھ کام نہ آیا۔ اس نے تو میرے حال کو اور تاریک بنا دیا۔ میرے لیے جیل کا آہنی پھاٹک ایک ایسا دروازہ بن گیا جو کسی جیل کے دو احاطوں کے بیچ میں ہو کہ ایک سے دوسرے احاطہ میں چلے جاؤ۔ میں تھوڑا عرصہ اندر کے احاطہ میں بھٹکتا پھرتا، پھر ذرا سستاتا۔ بیرونی احاطہ میں بھی بھٹکتا ہی رہتا۔ بھٹک بھٹکا کر پھر واپس جیل چلا جاتا۔

جب اس طور جیل کا روڑا بنا ہوا تھا کہ کبھی اندر کبھی باہر تو بڑے آدمی نے مجھے ڈرایا دھمکایا کہ ہم تمہیں اسی طرح جیلیں جھنکاتے رہیں گے۔ سمجھ لو کہ مرنے کے ساتھ ہی تمہیں اس سے نجات ملے گی۔ سو عافیت اسی میں ہے کہ تم اپنے کام پہ واپس آ جاؤ۔

میں نے کہا۔ ''کسی اور کو اس کام پہ کیوں نہیں لگاتے۔ کیا میرا اس کام سے چھٹکارا نہیں ہو سکتا؟''

''کیا خیال ہے تمہارا کہ تم جیسے کام کے آدمی گلی گلی مارے پھرتے ہیں کہ انہیں پکڑ لیا جائے۔''

''میں نے اپنی عمر آپ کی خدمت میں صرف کی ہے، اب میں چاہتا ہوں کہ گوشۂ گمنامی میں چلا جاؤں اور دوسرے بندگانِ خدا کی طرح امن چین سے زندگی بسر کروں۔''

لیکن اس شخص نے مجھ پہ یہ واضح کر دیا کہ مجھے جیتے جی اس چاکری سے رہائی نہیں مل سکتی۔ اس نے وضاحتاً کہا ''تمہارے باپ نے تمہیں ہمارے لیے اپنے ترکہ کے طور پر چھوڑا تھا اور تم اپنی اولاد کو اسی طرح ہمارے لیے ترکہ کے طور پر چھوڑ کر جاؤ گے۔ تمہاری اولاد تمہیں ضرور

کو سے گی۔ بہر حال ہمارے ہاتھ بہت لمبے ہیں۔ تمہاری نسلیں ہماری زد میں رہیں گی۔''

اس نے مجھے خبردار کیا کہ تم لاکھ توبہ کرو، لوگ تم پہ اعتبار تھوڑا ہی کریں گے۔ یہی کہیں گے، خون کا اثر کہاں جاتا ہے اور بچپن میں بری عادت پڑ جائے تو مرتے دم تک نہیں جاتی۔ پھر کہنے لگا کہ اب تمہارا کوئی اور ٹھکانہ نہیں ہے، بس ہم ہی تمہارا سہارا ہیں اور اگر تم نہ مانے تو سمجھ لو کہ جیل میں سڑو گے، دکھ سہو گے اور بھوکے مرو گے۔

لیکن میں بھوکا نہیں مرا، میں نے وادی نساس میں جا کر اسٹال لگایا اور سبزی ترکاری بیچنی شروع کر دی۔ تربوزوں کے موسم میں میٹھے تربوز بیچنا شروع کر دیتا۔ چنگی والوں کو میرے پیچھے لگا دیا گیا لیکن میں نے یہ کیا کہ تربوز کھلا کر ان کا منہ بند کر دیا۔ میری بدنامی یہ رنگ لائی کہ اڑوس پڑوس کے بچوں نے مجھے روڑے مارنے شروع کر دیئے۔ میں نے اس میں لطف لینا شروع کر دیا۔ بچوں نے تھک ہار کر میرے حال پہ چھوڑ دیا۔

ایک بڑے آدمی کو چھوڑ کر باقی سب ہی نے مجھے میرے حال پہ چھوڑ دیا تھا۔ اس شخص نے مجھے نہیں بخشا۔ حکام سے کہہ کر ایک حکم جاری کرایا جس کی رو سے میں حیفہ سے نہیں نکل سکتا تھا۔ میں نے مقامی پولیس سے اس حکم کو چھپائے رکھا مگر بڑے آدمی نے یہ حرکت کی کہ ایک دن اس کے آدمی اچانک مجھ پہ آن نازل ہوئے۔ انہوں نے سرعام مجھ پہ احکامات کی خلاف ورزی کا الزام لگایا اور مجھے پکڑ دھکڑ کر جیل میں لے گئے۔ ان کا کہنا تھا کہ میں خربوزے، تربوز خریدنے کے لیے شفاعمر گیا تھا۔ اس سے ملکی سلامتی کے لیے خطرہ پیدا ہو گیا۔ استدلال ان کا یہ تھا کہ جو شخص خفیہ طور پر لال تربوز لا سکتا ہے، وہ لال مولی بھی لا سکتا ہے اور لال مولی اور دستی بم میں بس ایک رنگ ہی کا تو فرق ہے اور کیا فرق اور بہر حال لال رنگ، سفید یا نیلے رنگ کی طرح بے ضرر تو نہیں ہے اور پھر یہ کہ تربوز میں اگر بم چھپا ہوا ہو تو اس سے تربوز پوری رجمنٹ کا صفایا ہو سکتا ہے۔''ابے ٹٹو، تیری سمجھ میں یہ بات نہیں آتی۔''

''مگر اس ٹٹو نے اس بات کا جواب یہ دیا کہ بھائی میں تو تربوز کو چاقو سے تراش کر بیچتا ہوں کہ گاہک کو پتا چل جائے کہ اندر سے وہ کیسا ہے۔''

''اچھا چاقوؤں کا بھی چکر چل رہا ہے۔'' وہ ایک دم سے چونک پڑے۔

یہ خبر آگ کی طرح پھیل گئی کہ شہر سے میرے نکلنے کی حکماً ممانعت ہو گئی ہے۔ بس

اس خبر کے ساتھ ہی میرے اسٹال کی شہرت کو پر لگ گئے۔ ایک روز ایک نوجوان اخبارات بغل میں دابے میرے پاس آیا اور بولا ''تو آپ کو بھی پروانہ مل گیا۔''

''مجھے تو بہت پہلے پروانہ مل گیا تھا۔''

''تو آپ ہمارا اخبار کیوں نہیں پڑھتے؟''

''اس لیے کہ آپ اس سے پہلے میرے پاس کبھی آئے ہی نہیں۔''

اب میں نے یہ کیا کہ حکم امتناعی کو اپنے اسٹال کی دیوار پر آویزاں کر دیا لیکن اس کے دو چار دن کے بعد ہی پولیس پھر آن دھمکی اور کہا کہ گورنر صاحب نے ازراہ عنایت اس حکم کو منسوخ کر دیا ہے۔ ہمارا ملک صحیح معنوں میں جمہوری ملک ہے۔ پھر انہوں نے دیوار سے وہ حکم اتار کر چاک کر دیا اور مجھے پکڑ کر جیل پہنچا دیا۔ وجہ یہ بتائی کہ میں نے سرکاری دستاویزات کی بے حرمتی کی ہے۔ ایک بڑے افسر نے اس بات کو یوں کہا کہ ''اگر تم کسی عرب ملک میں ہوتے تو کیا حکم امتناعی کو اس طرح نمایاں کرنے کی جرأت کر سکتے تھے۔ ہماری جمہوریت تم لوگوں کو پچتی نہیں۔'' یہ بات اس نے اس وقت کہی جب مجھے جیل لے جایا جا رہا تھا۔

بعد میں ایسا ہوا کہ رہائی کا حکم ملنے پر میں اندر کی جیل میں سے باہر کی جیل کی طرف آ رہا تھا۔ بیزاں اور افلاح کے درمیان سڑک پر میں کھڑا تھا کہ مجھے کسی سے لفٹ مل جائے، اتنے میں ایک پرائیویٹ کار میرے پاس آ کر رکی۔ اس کی نمبر پلیٹ پر جو نمبر لکھا ہوا تھا، وہ نمبر عبرانی حرف ش سے شروع ہوتا تھا جس کا مطلب تھا کہ اس کار کی رجسٹریشن شہر شکم میں ہوئی ہے اور شکم وہی شہر ہے جسے عرب نابلس کہتے تھے تو وہ کار میرے پاس آ کر رکی اور کار چلانے والے نے اشارہ کیا کہ آؤ بیٹھ جاؤ۔

میں کار کی پچھلی سیٹ پر بیٹھ گیا اور کچھ تنہا سا محسوس کرنے لگا۔ آگے ڈرائیو کرنے والے کے برابر کی سیٹ پر کوئی لڑکی بیٹھی تھی۔ میں بس اس کے سیاہ بال ہی دیکھ سکتا تھا۔ بہت سیاہ تھے۔ اتنے ہی جتنے کسی زمانے میں سفید ہونے سے پہلے میرے بال تھے اور اس وقت مجھے اپنے سیاہ بالوں کا خیال بے طرح آیا۔ آدمی کا ذہن بھی عجب ہے، کیسی بھی صورت ہو، وہ بھٹک کر کہیں سے کہیں نکل جاتا ہے۔

ابھی ہم نے تھوڑا راستہ طے کیا تھا کہ ڈرائیو کرنے والے نے ایسی بات کہی کہ میں

حیران رہ گیا۔ کہنے لگا ''ہم اپنے ایک عزیز کی تلاش میں شطہ جیل گئے تھے لیکن وارڈن نے کہا کہ یہاں کوئی ایسا شخص نہیں ہے۔ دوستوں نے ہمیں بتایا کہ تم سعید سے ملے ہو۔ کیا تم اس کا اتا پتا ہمیں بتا سکتے ہو۔''

اس سوال پر میں بہت پریشان ہوا۔ میرا ہاتھ دروازے کی ہینڈل کی طرف بڑھا۔ میں نے سوچا کہ کار سے باہر کود جاؤں لیکن کار کی رفتار بہت تیز تھی۔ میں سناٹے میں آیا ہوا تھا۔ بے سوچے سمجھے پکار اٹھا ''میں ہوں سعید۔''

اس پر سیاہ بالوں والی لڑکی نے مڑ کر غصے سے مجھے دیکھا اور بولی ''نہیں۔ میں اپنے بھائی سعید کو پوچھ رہی ہوں۔''

''یعاد۔'' میں چلایا۔

''ڈارلنگ۔''

''یعاد۔''

کم از کم مجھے یہی دھیان پڑتا ہے کہ ہمارے درمیان کچھ ایسے ہی کلمات کا تبادلہ ہوا تھا لیکن یہ بہت مختصر گھڑیاں تھیں۔ ان مختصر گھڑیوں میں مجھے دیکھنے سننے کا ہوش کہاں تھا۔ بس دو سبزی مائل آنکھیں کچھ آسمانی روشنی سے چمکتی دکھائی دے رہی تھیں جنہیں دیکھنے کے لیے میں بیس برس سے ترس رہا تھا۔

ہاں، میں نے یعاد کو دیکھا تھا۔ آن کی آن میں یعاد کے بیس برس میری آنکھوں میں پھر گئے۔ اس کی آنکھیں، اس کی آواز، اس کی زلفیں اس کا سراپا۔ ذرا سوچیے کہ اگر سطح دریا پر بیس برس سے جمتی ہوئی برف اچانک پگھل جائے تو ایک مچھلی پہ کیا کیفیت طاری ہوگی یا اگر قطب جنوبی پر جنم جنم کی جمی ہوئی برف اچانک پگھل جائے تو سوچو کہ قطب جنوبی کی تہہ میں جمی ہوئی مٹی کی کیا کیفیت ہوگی جیسے آتش فشاں پھٹ پڑے ہوں اور چٹانوں کے بیچ جانے سے کوئی چشمہ بہہ نکلا ہو، بس میری کچھ ایسی ہی کیفیت تھی مجھ پہ طاری ہوگئی۔

انہوں نے کار کو روک لیا۔ یعاد اتر کر پچھلی سیٹ پر میرے برابر آبیٹھی۔ اس نے میرے ہاتھ تھام کر اپنے سینے میں رکھ لیے، پھر اپنا سر میرے کاندھے پر ٹکا دیا اور ہمارے دونوں کے آنسو بہنے لگے۔ ڈرائیو کرنے والے نے ہارن کچھ اس طرح بجایا جیسے باجا بجا رہا ہو اور کار

اس طور آہستہ آہستہ چلانے لگا جیسے ہم کسی کی بارات کے ساتھ جا رہے ہوں۔

''سعید۔سعید۔''

''یعاد۔یعاد۔''

''آخر وہ مجھے مل ہی گیا۔''

''اور اب وہ تمہارے پاس سے کہیں نہیں جائے گا۔''

''اس کا حال کیا ہے۔''

''جو حال اس کا تم دیکھ رہی ہو۔''

بے تحاشا جی چاہا کہ تالیاں بجاؤں، ناچوں، گاؤں، کلکاریاں ماروں اس طرح کہ خاموشی کی لہر ٹوٹ جائے اور ذلت کے سارے داغ دھل جائیں۔ اب تک تو یہی وظیفہ رہا تھا کہ ''جی حضور...... جو حکم سرکار، لیکن اب میری روح بلندیوں میں پرواز کرے گی۔ آسمانوں میں جہاں عقاب و شاہین محو پرواز ہوتے ہیں اور میں چلا کر کہوں گا کہ اے لوگو! اب میں تمہاری طرح ہوں۔ تمہاری طرح بہادر ہوں۔ تمہاری طرح میں زمین پر قدم مضبوطی سے جما کر اپنی پشت سیدھی کر کے، سر آسمان کی بلندیوں تک اٹھا کر اپنے دراز قد کے ساتھ کھڑا ہو سکتا ہوں اور اب یعاد میرے ساتھ ہے۔ جنگلی چنبیلی کی طرح شاداب، کسی پرانے خواب کی طرح تروتازہ۔''

میں بیس سالوں تک یعاد سے دور اکیلا بھٹکتا پھر رہا تھا۔ میں اس تلخابۂ مہ و سال کو اس طرح پیا کہ تلچھٹ بھی نہ چھوڑی، ایک ایک قطرہ پیا۔ اس جام تلخ کا ایک بھی قطرہ یعاد کے لیے نہیں چھوڑا۔ میں نے اسے ان بیس برسوں کی تلخی سے محفوظ رکھا ہے کہ اس کا شباب برقرار رہے۔ اسی بیس سال کے سن میں رہے اور جو ایام میں نے گزارے ہیں، ان کے دکھ درد سے بچی رہے۔ وہ میرے پاس لوٹ آئی تھی۔ اسی عالم میں جس عالم میں اس وقت تھی۔ بالکل ویسی ہی تھی، وہی لڑکی، اسی طرح کلکاریاں مارتی، ہنستی مسکراتی اٹھکیلیاں کرتی، پیار کرتی ہوئی اور سعید کہہ کر مجھے مخاطب کرتی ہوئی۔

میں خوش ہوں۔ ہر شخص سن لے، ساری دنیا سن لے، سبز پٹی سے لے کر نیلے افق تک، ہواؤں سے لے کر شاداب کھیتوں تک قبروں سے لے کر آسمانوں تک پوری کائنات سن لے کہ میں اب دونوں قبروں سے آزاد ہوں، اندر کی قید سے بھی باہر کی قید سے بھی۔ آخر کے

تئیں میں آزاد ہو گیا ہوں۔

"سعید......" میرا نام لیا جا رہا تھا اور میرے اندر خوشی امنڈ رہی تھی۔

لیکن اب میں نے ایک ایسی بات کی جو بالکل غیر متوقع تھی۔ مجھے بالکل پتا نہیں کہ مجھ پہ وہ کیسا دورہ پڑا تھا۔ بس میں نے اچانک کار کا دروازہ کھولا اور اپنے آپ کو باہر لڑھکا دیا اور اس طرح کہ یعاد کے ہاتھوں کو اپنے ہاتھ میں دبوچے ہوئے تھا۔ ہم نیچے سخت زمین پر لڑھکتے چلے گئے اور میں بے ہوش ہو گیا۔

●●●●

(40)

آفت المعروف بہ "ناکہ بندی" کے بارے میں دونقطہ نظر

میں جاگا تو شام کا سماں تھا اور گاؤں کی فضا تھی۔ ہوا میں تازگی اور مہک تھی۔ میں نے دیکھا کہ میں ایک صاف ستھرے ادنیٰ گدے پر لیٹا ہوں۔ میرا ذہن بہک کر اپنی ماں کی طرف چلا گیا کہ جب میں بچہ تھا اور اپنے پرانے گھر میں ماں کی چھاتی سے چمٹا رہتا تھا۔ دستر خوان پر چنے ہوئے رنگ رنگ کے کھانوں کی سوندھی خوشبو آ رہی تھی۔ روغن کے پیالے چنے رکھے تھے اور تندور سے لپٹیں آ رہی تھیں اور مجھے دبی دبی آوازیں سنائی دیں۔ جیسے سرگوشیوں میں باتیں ہو رہی ہوں اور اطمینان سے سوتے بچوں کی سانسوں کی آوازیں سنائی دیں۔

مجھے کچھ سائے چلتے پھرتے نظر آئے۔ یہ دہقان عورتیں تھیں کہ زعفرانی چاولوں اور بھنے ہوئے چوزوں سے لبریز طبق سنبھالے آ جا رہی تھیں اور اس قدیم ایوان کے وسط میں ایک پستہ قد چوبی میز بچھی نظر آ رہی تھی۔

"ماں۔" میں نے آواز دی۔

مجھے سنائی دیا کہ عورتیں یعاد کو پکار کر کہہ رہی ہیں کہ تمہارے بابا جان جاگ اٹھے ہیں۔ یعاد کے بابا جان، میں نے چاروں طرف نظر دوڑائی۔ مجھے تو اس بزرگ کے اثر آثار کہیں دکھائی نہیں دیئے۔

"میں کہاں ہوں؟"

عورتوں نے میرے ہوش میں آنے پر اللہ کا شکر ادا کیا اور پھر یعاد کے کہنے پر وہاں سے سرک گئیں۔ میں نے یعاد سے کہتے سنا کہ "جلدی کرو، کھانا ٹھنڈا نہ ہو جائے۔"

یعاد میرے قریب چٹائی پر جھک کر بیٹھ گئی اور مجھ سے بولی "میرے بھائی سعید سے

اپنی دوستی کا لحاظ رکھنا اور میرے راز کو افشا مت کرنا۔"

اس نے مجھے بتایا کہ اس وقت ہم سالاخ [38] کے قریے میں ہیں۔ یہ نام نقشہ میں نظر نہیں آئے گا، اس لیے نہیں کہ وہ نیست و نابود ہو چکا ہے۔ اگر چہ اکثر قریوں کے سلسلے میں ایسا بھی ہوا ہے مگر یہاں اس کی وجہ یہ ہے کہ اس کا پہلے کوئی وجود تھا ہی نہیں۔ واقعہ یوں ہے کہ میں نے یہ نام اس قریے کے لیے تراشا تھا جس نے ہمیں اس نیت سے پناہ دی تھی کہ ہم اس کے انوکھے راز کو چھپا کر رکھیں گے۔ اگر چہ بہت سے لوگوں کو اس راز کا پتا ہے مگر حکام سے اسے بیس برس تک چھپا کر رکھا گیا۔

یعاد کا راز دوسری قسم کا تھا۔ اصل میں وہ اپنے میز بانوں پہ یہ ظاہر کر رہی تھی کہ میں اس کا والد ماجد ہوں۔ میں نے کہا کہ "لوگ کہتے ہیں کہ تمہارے بہت سے ایسے بھائی ہیں جنہیں تمہاری ماں نے نہیں جنا ہے اور میں یہ کہتا ہوں کہ تمہارے کتنے ہی ایسے باپ ہیں جن کی تمہاری ماں سے شادی نہیں ہوئی تھی۔"

"کیسی باتیں کرتے ہو۔ میری ماں اللہ کو پیاری ہو چکی ہے۔ خدا اسے کروٹ کروٹ جنت نصیب کرے۔"

"خیر یہ بتاؤ کہ گرنے کے بعد تم میرے ساتھ کیسی چپکی رہیں اور ڈرائیور صاحب کہاں ہیں؟"

یعاد کے بیان کے مطابق جب ہم کار سے گرے اس وقت شکر خدا کہ کار بہت آہستہ آہستہ چل رہی تھی۔ میں بے ہوش ہو گیا مگر مجھے چوٹ نہیں آئی تھی۔ یعاد کو میں اپنے ساتھ چمٹائے ہوئے تھا۔ وہ میرے ساتھ اس طرح گری کہ میں نیچے وہ اوپر۔ چوٹ اسے بالکل نہیں آئی۔ سالخا گاؤں کے مرد و زن اس وقت ایک قریبی کھیت میں کام کر رہے تھے۔ وہ لپک کر آئے۔ ان کا سردار ابو محمد ہمارا میز بان بن گیا۔ اس نے ہمیں سر آنکھوں پر بٹھایا، اپنے گاؤں ہمیں لے گیا اور اپنے گھر میں ٹھہرایا۔ جب انہیں پتا چلا کہ میں محض تھکن کی وجہ سے بے ہوش ہوا ہوں تو انہوں نے مجھے آرام سے سونے دیا۔

اب جہاں تک یعاد کے دوست کا تعلق ہے جو کار چلا رہا تھا اور کار کا مالک بھی تھا تو اسے بہر حال نابلس واپس جانا تھا کیونکہ قانون کی زد سے وہ اپنی کار کے ساتھ رات اسرائیل میں نہیں گزار سکتا تھا۔ اسے ہمارے گرنے پر بہت افسوس ہوا تھا۔ اس کا خیال تھا کہ شاید یہ واقعہ اس کی غفلت کی وجہ سے ہوا کہ اس نے شاید کار کا دروازہ اچھی طرح بند نہیں کیا تھا۔ میں نے یہ بات خاموشی سے سنی اور اپنے ہونٹوں کو جیسے سی لیا ہو۔ میں یہ تو نہیں چاہتا تھا کہ پھر ایسا واقعہ میرے ساتھ گزرے۔

جب تک مجھے ہوش نہ آ گیا، اس وقت تک یعاد نے میرے قریب ہی رہنا مناسب سمجھا۔ ہوش میں آنے کے بعد میں نے کچھ اَتا پتا بتایا کہ سعید کہاں پایا جا سکتا ہے۔ آخر وہ جو بیروت سے چل کر یہاں تک آئی تھی تو اسے ڈھونڈنے کی غرض ہی سے آئی تھی۔

''اچھا بابا جان، کھانے کا وقت ہو رہا ہے، اٹھ بیٹھیے۔ جنہوں نے ہمیں عزت سے اپنے گھر مہمان کیا ہے، ان کے ساتھ بیٹھ کر کھانا تناول کیجیے۔''

گھر والے کس ذوق وشوق سے ''عرب دیسوں سے'' آئے ہوئے مہمانوں کو سلام کرنے کے لیے آ رہے تھے۔ انہوں نے گرم جوشی سے ہمارا خیر مقدم کیا تھا۔ ہمارے منہ سے نکلے ہوئے ایک ایک لفظ کو وہ اس طرح عزیز جان رہے تھے جیسے وہ باہر سے اسمگل کیا ہوا قیمتی مال ہو۔ ان کے سوالوں کے جواب یعاد دے رہی تھی۔ میں تو بس اٹھ کر ان سے گلے ملتا اور ان کے محبت بھرے کلمات کے جواب میں رسمی کلمات کہہ کر چُپ ہو جاتا، اس اندیشہ سے کہ کہیں میری زبان سے کوئی بے تکی بات نہ نکل جائے۔

ظاہر ہے کہ یعاد کو اپنی زبان پر پورا قابو تھا۔ وہ جوان تھی، خوب رو تھی بلکہ زیادہ وقیع شخصیت کی مالک تھی اور جانتی تھی کہ لوگوں سے بات کس طرح کی جاتی ہے۔ میں تو بس اسے دیکھ کر مسحور ہو رہا تھا۔ دیکھ کر اور اس کی باتیں سن کر اور وہ لوگ اس کی شان میں کس طرح رطب اللسان تھے۔ ادھر میں اللہ کا شکر ادا کر رہا تھا اور ہمارا جو راز تھا، اسے ان سے چھپائے بیٹھا تھا۔

ہمارے میزبان ابومحمود نے بتایا کہ پچھلے برس اس قریے کی سات دن تک ناکہ بندی رہی اور سات دن تک گھس پیٹھیوں کی ڈھونڈھیا پڑی رہی۔ جب حکام کسی گھس پیٹھیوں کو برآمد نہ کر سکے تو انہوں نے چودہ ادیبوں کو گرفتار کر لیا۔ اس کے بعد ناکہ بندی ختم کی مگر یہ ناکہ بندی تھی کس طرح کی۔ ابومحمود نے اس کی وضاحت اس طرح کی ''پولیس والے قریے کے گرد گھیرا ڈال لیتے ہیں، نکلنے کے سارے رستے بند کر دیتے ہیں اور کرفیو لگا دیتے ہیں۔ پھر ان کی ہتھیار بند گاڑیاں گلی گلی کوچہ کوچہ دوڑتی پھرتی ہیں۔ وہ شکاری کتوں کی طرح سارے قریے میں پھیل جاتے ہیں۔ گھروں میں گھس کر بچوں کو ڈراتے دھمکاتے ہیں۔ تیل کے پیپوں کو فرش پر فرش پہ بچھے بوریوں پر اوندھا دیتے ہیں کہ شاید کوئی گھس پیٹھیا تیل کے کسی پیپے میں گھس بیٹھا ہو یا بوریے کے نیچے چھپا ہوا ہو۔ اگر ہمیں کسی گھر سے چیخنے چلّانے کی آوازیں آتی ہیں تو ہم رات کے سناٹے میں چپکے چپکے رینگ کر وہاں پہنچ جاتے ہیں۔ ہمارے قریے میں رات بہت کالی ہوتی ہے۔ بیس برس

سے اتنی ہی کالی چلی آرہی ہے۔اصل میں قریے میں دانستہ تاریکی رکھی جاتی ہے کہ حکام اس پردے میں اپنا کام کریں اور کوئی انہیں دیکھے نہیں لیکن ہم بھی اس تاریکی سے فائدہ اٹھاتے ہیں اور اس پردے میں بہت کچھ کرتے ہیں۔اگر کسی مصیبت کے مارے گھر سے یہ خبر آتی ہے کہ وہاں سے کسی فرد خاندان کو وہ لوگ پکڑ کرلے گئے ہیں تو ہم بھی ترت کے ترت کسی مفرور کے آڑے آتے ہیں اور اسے رات کے پردے میں ناکہ توڑ کر نکل بھاگنے کا موقع فراہم کردیتے ہیں کہ اچھا ہے کسی محفوظ جگہ پہنچ جائے یا کہیں جاکر کمائے کھائے۔''

''کیا اہل قریہ کا کوئی مدد کرنے والا نہیں ہے۔''یعاد نے پوچھا۔

''کوئی نہیں۔بس ایک کمیونسٹ ہیں اور قبوز والے جو ہماری کچھ مدد کرتے ہیں۔''

میں پہلے ہی اس بات کو بھانپ گیا تھا کہ عرب ملک سے کوئی بھی آئے، یہ لوگ سمجھتے ہیں کہ یہ کوئی کمیونسٹ ہے یا ان میں سے کسی کا کوئی عزیز ہے اور اس لیے اس کی بہت آؤ بھگت کرتے ہیں۔میں دل ہی دل میں ہنسا مگر زبان سے صرف اتنا کہا''اچھا، سبحان تیری قدرت۔''

پھر ابو محمود کہنے لگا''کمیونسٹ جوان کی پارلیمنٹ کے ممبر ہیں، گھیرا توڑ کر آجاتے ہیں، سیدھے ہمارے پاس آتے ہیں۔ہمارے ساتھ اظہار ہمدردی کرتے ہیں، ہمیں مزاحمت پر آمادہ کرتے ہیں۔واقعات وحالات جمع کرکے لے جاتے ہیں اور نیسٹ میں جاکر آواز بلند کرتے ہیں۔نیسٹ تمہاری پارلیمنٹ کی طرح کی چیز ہے۔''

اس آخری فقرے پر میں دل میں ہنسا۔

''اور......''ابو محمود نے بات کو بڑھاتے ہوئے کہا''وہ وزیر سے جواب کا مطالبہ کرتے ہیں۔اس طرح خاموشی کی مہر ٹوٹتی ہے اور باہر والوں کو ہمارے حال زار کا پتا چلتا ہے۔وہ ناصرہ اور تل ابیب میں مظاہرے بھی کرتے ہیں اور نعرے لگاتے ہیں ناکہ بندی ختم کرو۔ناکہ بندی ختم کرو۔اپنے اخبار میں ہماری ناکہ بندی کی خبریں شائع کرتے ہیں اور ہمیں بتاتے ہیں کہ دنیا بھر کے آزاد ممالک کے اخبارات ان کے اخبارات کی رپورٹوں کے حوالے سے خبریں دیتے ہیں۔ان کا کہنا ہے کہ ہماری ناکہ بندی نے دنیا کے ضمیر کو جھنجھوڑ ڈالا ہے اور یہ کہ اگر کمیونسٹ نہ ہوتے تو یہ صیہونی لوگ ناکہ بندی پہ بالکل پردہ ڈال دیتے۔تم نے عرب ملکوں کے اخبارات میں ہماری ناکہ بندی کے بارے میں پڑھا تو ہوگا یعنی ان ملکوں کے اخبارات میں جن کی صیہونیوں نے ناکہ بندی نہیں کی ہے۔''

یعاد کی آنکھوں سے چنگاریاں نکل رہی تھیں۔ کہنے لگی ''عرب ملکوں کے اخباروں نے تو فتح کی خبریں دے دے کہ ہماری ناکہ بندی کر رکھی ہے۔ آپ لوگوں کی ناکہ بندی کی خبروں کے لیے ان اخباروں میں گنجائش کہاں نکلتی ہے۔ اپنی فتوحات کی خبریں دے دے کر ہمارے گرد ایسا گھیرا ڈالا ہے کہ اب گڑبڑ ہی گڑبڑ ہے اور ان فتوحات اور قبروں پر چڑھائے جانے والے پھولوں کے ہاروں کے درمیان امتیاز کرنا مشکل ہو گیا ہے۔''

''اور ادھر صہیونیوں کا یہ حال ہے کہ انگلی پر خراش بھی آ جائے تو وہ دنیا کو سر پہ اٹھا لیتے ہیں۔''

یعاد اب غصے سے کانپ رہی تھی۔ اس طرح بولی جیسے گرج رہی ہو۔ کہنے لگی ''صاحبو، آپ کے حسابوں تو اب کوئی دقیقہ باقی ہی نہیں رہ گیا۔ آپ لوگوں پر جو بیتی ہے، وہ آپ کی دانست میں قیامت سے کم نہیں۔ ادھر ہماری زندگیوں کا نقشہ یہ ہے کہ ناکہ بندی ہے اور ہم ہیں۔ آپ کے یہاں ''از مہد تا لحد'' کی مثل چلتی ہے۔ ہماری مثل یہ ہے کہ ناکہ بندی اور پھر ناکہ بندی۔ جن لوگوں کی مستقل ناکہ بندی ہو چکی ہو، جن پر مستقل پہرہ بیٹھا ہو اور جو خونخوار بھیڑیوں کے رحم و کرم پر ہوں اور جن کی زمین ان سے چھن چکی ہو، ان سے آپ اپنی مصیبت میں ہمدردی کی کتنی توقع رکھ سکتے ہیں اور پھر ایسی صورت میں کہ یہ مصیبت خلیج سے لے کر بحر اوقیانوس تک اپنی ایک پوری قوم کا تجربۂ حیات بن چکی ہو۔

مجھ سے رہا نہ گیا۔ میرے منہ سے ایک فقرہ نکل گیا ''تم تو بالکل اپنے بھائی کی طرح ہو۔''

سب کی نگاہیں میری طرف اٹھ گئیں۔ میری اس دخل در معقولات پر وہ کچھ پریشان سے ہو گئے۔ مجھے یہ پریشانی لاحق ہو گئی کہ میرے منہ سے کوئی غلط بات تو نہیں نکل گئی۔ بس میں نے ایک ایک سے مخاطب ہو کر خدا کا شکر ادا کرنا شروع کر دیا ''اللہ تعالیٰ کا شکر ہے، شکر ہے اللہ کا۔''

وہ جواب میں کچھ اس طرح سے بڑبڑائے جیسے جواب میں شکر کے کلمات کہہ رہے ہوں۔

''لیکن قبوض کے لوگوں کا کیا حال ہے؟'' یعاد نے پوچھا۔

ابو محمود نے جواب دیا ''جب ناکہ بندی کو ایک ہفتہ گزر گیا تو ان کی زمینوں کو ہمارے لائق ہاتھوں کی حاجت ہوئی۔ سو انہوں نے بیچ میں پڑ کر ناکہ بندی ختم کرائی اور ہم نے ان کی زمینوں پر جا کر کام کرنا شروع کر دیا۔''

''آخر آپ میں کیا تخصیص تھی کہ آپ کی ضرورت محسوس کی گئی۔''

''بات یہ ہے کہ وہ تو ہماری زمینیں تھیں۔ ہم ہی تو جوتتے بوتے تھے۔ اب بھی ہم

جوتتے بوتے ہیں ۔ہمیں ان سے انہیں ہم سے انس ہے۔ حاکموں نے لاکھ زور مارا مگر ان زمینوں سے ہمارے رشتہ کو ختم نہیں کر سکتے۔''

میری زبان سے پھر ایک فقرہ نکل گیا۔ میں نے حیران ہو کر کہا''تو گویا یہ ساری ہریالی آپ کی محنت کا ثمر ہے۔ بڑا آدمی ویسے ہی ڈینگیں مارتا تھا۔''

نگاہیں پھر میری طرف اٹھ گئیں اور ایک دوسرے سے کانا پھوسی کرنے لگے کہ''یہ بڑا آدمی کون ہے۔'' یعاد نے جلدی سے بات کو بدلا۔ ایک دلکش مسکراہٹ کے ساتھ بولی کہ''اصل میں ہمارے اباجان ایک سپاہی کا ذکر کر رہے ہیں۔مغربی کنارے کے پل سے گزرتے ہوئے وہ اس سے سیاست پر باتیں کر رہے تھے۔''

اس نے ایک مرتبہ پھر انہیں اطمینان دلایا کہ وہ حکومت اسرائیل کی اجازت سے پل پار کر کے آئے ہیں اور یہ کہ یہاں ایک مہینے رہیں گے اور بھائی سعید کو تلاش کریں گے جس کے متعلق یہ سن گن ملی ہے کہ وہ شطہ جیل میں ہے۔

''شطہ جیل۔ وہ تو بہت بدنام ہے۔'' وہ بولے۔

''اس کا حال تو مجھ سے پوچھو۔'' میں پھر بول پڑا لیکن اچانک باہر ایک شور اٹھا اور یوں میری یہ چوک سنی ان سنی ہو گئی۔

(41)

راز جو مر گیا، راز جو زندہ ہے

ہمارے میزبانوں نے ایسا ہنگامہ برپا کر رکھا تھا جیسے ہم ابھی آئے ہوں اور بہت گرمجوشی سے ہمارا استقبال کیا جا رہا ہو۔اس ہنگامے میں باہر کا شور جو بڑھتا ہی جا رہا تھا، دب کر رہ گیا۔ان کے چہروں کی کیفیت تو یہ چغلی کھا رہی تھی کہ کوئی سانحہ گزر گیا مگر وہ مسکراہٹ سے اس کی پردہ پوشی کی کوشش کر رہے تھے۔اس سے مجھے وہ سپاہی یاد آئے جو ہری ٹہنیوں سے اپنے خودوں اور ٹینکوں کی پردہ پوشی کا جتن کرتے ہیں۔ میں یہ پوچھنے ہی لگا تھا کہ کیا کوئی واقعہ ہو گیا ہے لیکن یعاد نے میرے پیر پر پیر رکھ کر سختی سے دبایا۔ میں چُپ ہی تو ہو گیا۔

عورتیں وہاں سے سرکتی جا رہی تھیں۔ چھوٹے بچے جو ایک گوشے میں سو رہے تھے، اٹھ بیٹھے۔انہوں نے اپنے بستر سمیٹے اور وہ بھی وہاں سے سرکتے جا رہے تھے۔وہ اس طرح چل رہے تھے کہ ان کے سر جھکے ہوئے تھے اور جوان کے بزرگ جمع تھے، وہ ان سے آنکھیں نہیں ملا رہے تھے۔

نئے نئے لوگ کمرۂ ملاقات میں جہاں ہم نے بسیرا کیا تھا، داخل ہو رہے تھے۔ وہ آتے ہم سے علیک سلیک کرتے اور بیٹھ جاتے لیکن گھر کے لوگ ایک ایک کر کے کمرے سے نکل گئے اور پھر واپس نہیں آئے۔ گھر کے سب ہی لوگ چلے گئے سوائے ابومحمود کے کہ وہ شخص اپنی جگہ ساکت بیٹھا تھا اور کمر اس طرح سیدھی کیے ہوئے کہ یہ اندازہ کرنا مشکل تھا کہ وہ بیٹھا ہے یا کھڑا ہے۔

ہم پہ گہری خاموشی چھائی ہوئی تھی۔طوفان سے پہلے کے سناٹے کی قسم کی خاموشی۔ میں کہنے لگا تھا کہ یہ بزرگ ایسا درخت ہے جسے کوئی طوفان نہیں ہلا سکتا لیکن یعاد میرے پاؤں کو سختی سے دبائے جا رہی تھی اور میرے منہ پہ آئی بات منہ ہی میں رہ گئی۔

اب ذرا فاصلہ سے ایک عورت کی سسکیوں کی آواز سنائی دے رہی تھی لیکن اس کا اثر عجب ہوا کہ ہمیں خوش آمدید کہنے والوں کی آوازیں کچھ اور اونچی ہو گئیں۔ ہمارے خیر مقدم میں وہ

بار بار کھڑے ہو جاتے۔ جواب میں مجھے بھی کھڑا ہونا پڑتا لیکن یعاد کے پاؤں تلے جو میرا پاؤں دبا ہوا تھا، وہ اسی طرح دبا رہا اور زبان پر اسی طرح تالا پڑا رہا۔

آخر ہمارا میزبان اٹھ کھڑا ہوا۔ اس کی کوشش تو یہی تھی کہ معمول کی رفتار سے چلے لیکن لگ یوں رہا تھا کہ وہ چل نہیں رہا، فوجی پریڈ کر رہا ہے مگر وہ جلد ہی واپس آ گیا اور ایسے قرآنی کلمات زبان پر لایا جو موت کے موقع پر بولے جاتے ہیں۔ ''قادر مطلق صرف وہ ہے، وہی باقی رہنے والا ہے۔''

مجھ سے رہا نہ گیا۔ آخر پوچھ ہی بیٹھا ''خیریت تو ہے؟''

''ہمارے خاندان کے ایک محترم بزرگ آج شام دنیا سے گزر گئے۔ عورتیں انہیں کے لیے گریہ کر رہی ہیں۔''

اب مجھے پتا چل گیا کہ میرے بولنے میں کوئی قباحت نہیں ہے تو میں نے پھر زبان کھولی اور پوچھا ''قریے کا سردار تھا وہ؟''

آنے والوں میں سے ایک صاحب نے جواب میں صرف اتنا کہا کہ ''اس رحیم و کریم نے انہیں اپنی آغوشِ رحمت میں لے لیا۔''

میں نے تھوڑی سی جسارت دکھائی اور کہا ''وہ سب حاکموں سرداروں کو اٹھا لے تو اچھا ہے۔''

اسی نے اس کا جواب یوں دیا کہ ''ہم سب کو ایک نہ ایک دن خاک تلے سونا ہے۔''

یعاد نے ان سب کو جو وہاں جمع تھے، تسلی دلانے کی کوشش کی اور کہا ''اللہ انہیں اپنی جوارِ رحمت میں جگہ دے۔ ان کی اولاد زندہ و سلامت رہے۔''

باہر جو شور اور افراتفری کا عالم تھا، اس کی وجہ سے لوگ کچھ پریشان نظر آ رہے تھے اور اس سے میں یہ سمجھا تھا کہ کوئی ان لوگوں کو یہ بتانے کے لیے آیا ہے کہ میں کون ہوں، اب جب مجھے یہ پتا چلا کہ بات صرف اتنی ہے کہ ایک شخص دنیا سے اٹھ گیا ہے تو مجھے اطمینان ہوا۔ مجھ سے رہا نہ گیا، ایک اور احمقانہ کلمہ میرے منہ سے نکل گیا ''اللہ کا بڑا احسان ہے کہ دن خیریت سے گزر گیا۔''

اس دفعہ یعاد کچھ چوک گئی۔ اسے بالکل اندازہ نہیں تھا کہ میں ایسی احمقانہ بات کہوں گا۔ اس نے میرا پاؤں دبایا لیکن اس وقت تک تو تیر کمان سے نکل چکا تھا۔ عجب ہوا کہ میں نے جو کہا تھا اس پر لوگوں نے تائید میں سر ہلایا۔ اب تو میرا حوصلہ بڑھ گیا۔ یعاد جو میرا پاؤں دبائے جا رہی تھی اسے میں خاطر ہی میں نہیں لایا۔ میں نے اپنے خاندان یعنی قنوط رجائی گھرانے والوں

کے فلسفہ کی تشریح شروع کردی۔ میں بتانے لگا کہ ایسی بھی موت ہوتی ہے جو دوسری موت سے بہتر ہوتی ہے اور ایسی موت بھی ہوتی ہے جو خود زندگی پر فوقیت رکھتی ہے اور میں نے انہیں بتایا کہ میرا بھائی کرین کی زد میں آ کر مرا تھا اور اس کا جسم بوٹی بوٹی ہو کر حیفہ کی بندرگاہ میں بکھر گیا تھا اور ہم نے اسے اس طرح دفن کیا تھا کہ اس کا سر ندارد تھا۔

اس مرتبہ بھی حاضرین میرے قدیم خاندانی فلسفہ کی تائید کرتے نظر آئے۔ اب میں نے سوچنا شروع کیا کہ حاضرین کے آباؤ اجداد کے متعلق کچھ مناسب سے سوال کیے جائیں۔ میرے ذہن میں یہ بات تھی کہ کیا عجب ہے کہ کسی اگلی پچھلی پیڑھی میں ان سے میرا رشتہ نکل آئے کہ آخر ہیں تو ہم سب باوا آدم ہی کی اولاد۔

لیکن یعاد نے مجھے تاریخ کا یہ کھیل کھیلنے سے باز رکھا۔ چپکے سے بولی ''انکل سعید، اے انکل سعید۔ محض آپ سے ملنے کی خاطر میں یہاں آئی ہوں۔''

میں نے اونچی آواز سے کہا ''تمہارا مطلب یہ ہے کہ بس ایک پھیرا لگانا تھا۔''

ہمارے میزبان ابومحمود نے جانے کیا سمجھا، بیچ میں بول پڑا ''نہیں، نہیں تمہیں کوئی پھیرا لگانے کی ضرورت نہیں ہے۔ ہم ان کی تدفین کر چکے ہیں۔'' غالباً وہ سمجھا کہ ہم اس کے مرحوم عزیز کے گھر کا پھیرا لگانے کے بارے میں بات کر رہے ہیں۔ یہ کہ عیاد ایک زندہ آدمی یعنی مجھے ملنے کے لیے آئی ہے۔ اس طرف اس کا ذہن ہی نہیں گیا۔

میں نے پوچھا ''آپ کا مطلب یہ ہے کہ تدفین آج شام ہوگئی۔''

''ہاں آج شام ہوگئی۔''

''لیکن آپ نے صبح ہونے کا انتظار کیوں نہیں کیا؟''

''اس غریب کے لیے اب کبھی صبح نہیں ہوگی۔''

میں چکرایا کہ یہ شخص کس طرح صبح کا ذکر کر رہا ہے۔ میں نے چکرا کر پوچھا ''آپ جو کچھ فرما رہے ہیں، اس میں سے ایک بات بھی میری سمجھ میں نہیں آئی۔''

''ہاں حکام کی سمجھ میں بھی ہماری کوئی بات نہیں آتی۔''

''لیکن، ہم تو آپ کے دوست ہیں۔'' یعاد بولی۔ ''ایک بات ہمیں سمجھائیے یہ جو آپ کی خاموشی ہے، اس سے آپ کا دم نہیں گھٹتا۔''

''بات یہ ہے۔'' ابومحمود بولا۔ ''ہم دیہاتیوں کے اردگرد ہر چیز خاموش ہے۔ زمین،

جانور، ہل خاموشی ہی ہماری زبان ہے۔ یہ امانت ہے کہ نسل در نسل منتقل ہوتی ہوئی ہم تک پہنچتی ہے۔ اگر تمہیں اس زبان میں بات کرنا آ جائے تو پھر ہم ایک دوسرے کی بات سمجھ سکیں گے۔''

یعاد کہنے لگی ''لیکن کیا کبھی آپ کا گانے ناچنے خوشی منانے کو جی نہیں چاہتا۔''

''بی بی تم بیروت سے آئی ہو۔ جس صورتحال سے ہم دوچار ہیں، وہ بہت الجھی ہوئی ہے۔ تم اسے سمجھ نہیں پاؤ گی۔ ہم نے بہت گایا بجایا ہے، اتنا کہ ہم سے پہلے شاید ہی کسی نے اتنا گایا بجایا ہو لیکن ہمارے یہاں نغمہ شادی ہمیشہ ہی نوحہ غم پر جا کر ختم ہوتا ہے۔ ہوتا یوں ہے کہ جنہیں ہم اپنا یار وغمگسار سمجھتے ہیں وہ دلہن کو لے بھاگتے ہیں اور بیروت کی طرف نکل جاتے ہیں۔''

''لیکن اب جو آپ کو یار غمگسار ملے ہیں، وہ مختلف قسم کے لوگ ہیں۔ ان میں خلوص اور وفا ہے۔ خود آپ نے ابھی کمیونسٹوں کا ذکر اچھے لفظوں میں کیا تھا۔''

''بے شک ہم ان کے بہت قائل ہیں لیکن زیتون کا تیل ہماری بنیادی غذا ہے۔ کانٹوں والی چھریاں بھی ہم کو اچھی لگتی ہیں مگر وہ ٹوٹ جاتی ہیں۔ چمکتی کڑکتی بجلی بھی بری نہیں ہوتی مگر اس سے ہماری خاموش راتوں کی اداسی دور نہیں ہوتی۔ ہم ان کے خلاف خاموشی کے ہتھیار کو آزماتے رہیں گے۔ حتیٰ کہ ایک دن وہ آئے گا کہ وہ اپنے زیتون میں سے کچھ ہمیں بھی کھانے کے لیے عنایت کریں گے۔ یہ مت بھولیے کہ یہ جو روز صبح طلوع ہوتی ہے، وہ مرغوں کے بانگ دینے کی وجہ سے نہیں ہوتی۔ بہر حال جب ہمارے مرغ صبح لائیں گے تو بہت ٹھیک ٹھاک طریقہ سے بانگ دیں گے، لہٰذا ہمارے دوستوں کے لیے مناسب یہ ہے کہ وہ ہماری زبان کو سیکھیں دھرتی کی، جانوروں کی اور ہل کی زبان کو یعنی سادھی ہوئی چپ زبان کو۔''

وہ جب یہ وضاحت کر رہا تھا تو جو دوسرے لوگ آئے بیٹھے تھے، وہ تائید میں سر ہلائے جا رہے تھے۔ میں نے دخل در معقولات کی اور بولا ''اگر آپ کا کہا صحیح مان لیا جائے تو میں سعید قنوط رجائی کہ اپنی حقیری وفقیری کے ناطے زبان میں تالہ ڈالے رہتا ہوں، ان کسانوں کا سب سے بڑھ کر یار وغمگسار ہوں۔'' لیکن فوراً ہی مجھے خیال آیا کہ میں نے جو کوتک کیے ہیں، وہ پکار پکار کر کہیں گے کہ میں کون ہوں، یہی کہ میں نے ہمیشہ لوگوں کی مخبری کی اور کبھی چُپ نہیں بیٹھا۔ اس موقع پر مجھے ایک عجب خیال نے آ گھیرا۔ وہ خیال یہ تھا کہ یوں تو میں ایک منجھا ہوا مخبر رہا ہوں لیکن جس آدمی نے خاموش رہنے کی ٹھان لی ہو اس کے معاملہ میں یہ مہارت کبھی کام نہ آئی کہ اس کی مخبری میں کبھی نہ کر سکا۔ بس اس خیال کے آتے ہی میں نے اپنی زبان بند کر لی۔

جب میں اپنے آپ سے یہ خاموش گفتگو کر رہا تھا تو ایک عورت سوکھی کھٹائی سینک سلائی آنسو بہاتی اندر داخل ہوئی۔ چلا کر بولی ''اے ابومحمود، راز کو تو موت نے کھالیا۔اب اس پر پردہ ڈالے رکھن کی کیا ضرورت ہے۔''

ابومحمود لپک کر اس کے پاس گیا، اسے مضبوطی سے تھاما اور اسے باہر دھکیلنے کی کوشش کرنے لگا لیکن وہ اڑی کھڑی رہی۔تو وہ اسے تھامے ہوئے کھڑا رہا۔اس طرح کہ اس نے اپنا سر اس کے سینے پر ٹکایا ہوا تھا۔ پھر اچانک ایک بچے کی طرح پھوٹ پھوٹ کر رونے لگا۔اسے دلاسہ دینے کی کوشش میں وہ عورت بھی پھوٹ پھوٹ کر رونے لگی۔ادھر ہم سب یہ منظر دیکھ کر گم سم ہو گئے تھے۔اب آئے ہوئے لوگوں نے ایک ایک کر کے جانا شروع کر دیا۔ایک ایک اٹھتا اور باہر نکل جاتا اور گھنی کالی رات اسے نگل لیتی، زبان حال سے وہ کہہ رہے تھے کہ ''راز کو بے شک موت نے نگل لیا ہو، لیکن ہمیں کل بھی زندہ رہنا ہے۔''

ہم رات بھر ابومحمود کی ہوش ربا داستان سنتے رہے۔یہ داستان تھی ایک نابینا نوجوان کی کہ 1948ء میں اپنے قریے سے نکلا اور اس خلقت میں مل گیا جو اپنے اپنے گھروں سے موج در موج نکل رہی تھی اور دنیائے عرب کی وسعتوں میں پھیل رہی تھی۔ بعد میں جب ایک ملک وجود میں آ گیا تو وہ لپ چھپ کر اپنے قریے واپس آ گیا۔اہلِ قریہ نے اس کی واپسی کا راز باہر نہیں نکلنے دیا۔بس اسے اپنے سینے میں دفن کر لیا۔انہوں نے اسے پناہ دی اور اس کے پیٹ بھرنے کا سامان کیا۔ وہ شخص جھاڑو اور چٹائیاں بنا کر اپنا گزارہ کرتا تھا۔انہوں نے اس کی شادی کا بھی انتظام کر دیا۔جس عورت سے شادی کرائی اس کے متعلق انہوں نے یہ ظاہر کیا کہ اصل میں یہ اس شخص کے بھائی کی بیوہ ہے اور اس کے بچے اس کے بھائی کی اولاد ہیں۔ان سب نے ان کے بیٹوں، پوتوں تک نے اس راز کو سالوں اپنے سینے میں چھپا کر رکھا۔ پچھلے بیس برسوں میں حکام نے کتنی ناکہ بندی کیں مگر اس راز کی ان کے کان میں بھنک تک نہیں پڑی۔ جب قریے کا ایک سردار مر جاتا اور دوسرا اس کی جگہ مقرر ہوتا تو وہ حکام کو لوگوں کے بارے میں مطلوبہ معلومات مہیا کرتا مگر اس شخص کے بارے میں کچھ نہ بتاتا۔ گویا یہ ایک طے شدہ روایت بن گئی کہ قریے کا کوئی آدمی اس راز سے ناجائز فائدہ نہیں اٹھائے گا۔ حقیقت یہ ہے کہ یہ واقعہ لوگوں کے ضمیر کا مسئلہ بن گیا تھا۔شاید اس سے پہلے کسی واقعہ نے ان کے ضمیر کو اس طرح نہیں جگایا تھا۔

لیکن بالآخر راز کو موت نے نگل دیا۔اس رات وہ راز مر گیا۔سو لوگوں نے اسے چپ

چاپ دفن کیا اور اب خاموشی سے اس پر گریہ کر رہے تھے۔

''جو عورت کمرے میں روتی ہوئی آئی تھی، وہ کون تھی؟''

''اس کی بیوہ تھی۔''

''اور اے ابو محمود، وہ عورت تمہاری کیا لگتی ہے؟''

''وہ میری ماں ہے۔''

''اے ابو محمود، اتنا دل کو مت لگاؤ۔ اللہ مرحوم کو اپنے جوارِ رحمت میں جگہ دے۔ اس نے جی بھر کر زندگی گزاری ہے۔''

''لیکن میں جی بھر کر زندگی نہیں گزار سکا۔ ہر ایک یہ کہتا تھا کہ یہ شخص تمہارا باپ ہے مگر میں مکر جاتا، مجھے زندہ جو رہنا تھا۔''

''نہیں تم مکرتے اس لیے تھے کہ وہ زندہ رہے۔''

''خیر یہ میرا راز ہے کہ ہنوز زندہ ہے، اگر چہ وہ شخص مر چکا ہے۔''

اب صبح ہو رہی تھی۔

●●●●●

(42)

یعاد کی واپسی پرانے گھر میں

ہم افلاح کے ایک ریستوران میں بیٹھے ناشتہ کے منتظر تھے۔ چنے اور سیم کی ڈش کا آڈر دیا ہوا تھا۔ بس ان گھڑیوں میں میرے یہاں یعاد کے بارے میں کچھ شکوک وشبہات پیدا ہونے شروع ہوئے۔ ناشتہ کرتے ہوئے اسے احساس ہوا کہ ہم نے جس ڈش کا آڈر دیا تھا، وہ ہماری روایتی عرب غذا ہے اور اسے یورپ سے آئے ہوئے ان یہودیوں نے کس خوبی سے تیار کیا ہے اور اس پر اسے بہت تعجب ہوا۔ میں نے سمجھایا کہ یہ عرب ممالک ہی کے لوگ ہیں۔ ان کے حساب سے کچھ نہیں بدلا ہے، سب کچھ ویسا ہی ہے حتیٰ کہ ان کے گالی کوسنے بھی وہی پہلے جیسے ہیں۔ اسی طرح عربی میں منہ بھر کر قسمیں کھاتے، کوستے ہیں، گالی دیتے ہیں۔

یعاد یہ سن کر ہنسی اور محبت بھرے لہجے میں مجھے گالی دی۔

میں نے مزاحاً کہا ''یہ کیا بیٹی باپ کو گالی دے رہی ہے۔''

''لیکن آپ تو میرے انکل ہیں اور میرے خوابوں کے شہزادے آج سے نہیں، بچپن سے۔''

مجھے یقین ہے کہ جس قادر مطلق نے رات رات میں مجھے تمہارے باپ کی حیثیت سے بدل کر چچا بنا دیا، وہ شام ہوتے ہوتے تمہارے حافظہ کو بھی بحال کر دے گا۔ چلو میرے ساتھ حیفہ چلو، وہاں چل کر دیکھتے ہیں جہاں ہم ایک دوسرے سے جدا ہوئے تھے۔

جب ہم کار میں بیٹھ کر حیفہ جا رہے تھے تو یعاد نے بہت میٹھے لہجے میں اور میرے ساتھ بہت ہمدردی جتاتے ہوئے باتیں شروع کیں۔ پھر بولی ''میں آپ سے ایسی بات کہنے لگی ہوں کہ آپ حیران رہ جائیں گے اور بعد میں یہ فیصلہ کرنا آپ کا کام ہے کہ یہ حیران کن واقعہ اچھا ہے یا برا۔''

پھر جس طرح ایک استاد اپنے طالب علم کو خطاب کرتا ہے کچھ اسی طرح اس نے مجھے ایک ایسی داستان سنانی شروع کی جس پر میں یقین کرنے کے لیے بالکل تیار نہیں تھا۔ وہ بیان کیے چلی جا رہی تھی اور بیچ بیچ میں تڑپ کر بول اٹھتا۔ ''ناممکن۔''

وہ بتا رہی تھی کہ میں نے اسے پہچاننے میں غلطی کی ہے۔ یہ کہ میں اسے وہ یعاد سمجھ بیٹھا ہوں جس یعاد کا انتظار کھینچ رہا ہوں۔ وہ اور عورت تھی کہ اصل میں اس کی ماں تھی اور اب وہ مر چکی ہے۔ ''انکل میں ٹھیک کہہ رہی ہوں جس یعاد کے انتظار میں تم گھل رہے ہو، میں اس کی بیٹی ہوں۔''

''ناممکن، ناممکن۔''

''انکل کیا میں ان سے بہت مشابہت رکھتی ہوں۔''

''ناممکن، ناممکن۔''

اس نے مجھے بتایا کہ اس کی ماں میرا ذکر بہت محبت سے کرتی تھی۔ اس نے اپنے بیٹے کا نام میرے نام پر سعید رکھا تھا اور بیٹی کا نام اپنے نام پر یعاد رکھا تھا تو وہ اس کی بیٹی تھی۔

''اور اب۔'' یعاد کہنے لگی ''انکل اب ہم مل رہے ہیں اور کیا ہم بدل گئے ہیں۔''

''جوانی تو جوانی ہی رہتی ہے۔ وہ کبھی نہیں بدلتی لیکن ایک بات میں دیکھ رہا ہوں اور اس کا مجھے کتنا دکھ ہو رہا ہے کہ وقت تمہاری جوانی سے تو شکست کھا گیا لیکن اس کا بدلہ اس نے تمہارے حافظہ سے لیا ہے۔ بھلا کوئی چاہنے والا اپنی پہلی محبت کو کیسے بھول سکتا ہے۔ پھول اس صبح کو جس نے اُسے کلی سے پھول بنایا کیسے بھول سکتا ہے۔''

''انکل۔ کیا واقعی آپ کو ان سے اتنی محبت تھی؟''

''میں تم سے اتنی ہی محبت کرتا ہوں جتنا ایک بوڑھا آدمی اپنے ماضی سے محبت کرتا ہے کہ جیسے وہ خواب ہو، جس سے وہ ابھی ابھی جاگا ہے۔ میں اب جاگ پڑا ہوں مگر تمہیں کیا ہو گیا ہے، تم ابھی تک خواب میں ہو اور واہمہ میں گرفتار ہو۔''

میں تصور میں کھو گیا اور خیالی طوطا مینا بنانے لگا۔ میری حالت اس ڈوبتے شخص کی سی تھی جو کہیں زیرِ آب غار میں اتر گیا ہو اور سمجھ رہا ہو کہ کہیں دور اسے روشنی دکھائی دے رہی ہے۔ میں نے خیالی پلاؤ پکایا کہ جب وہ حیفہ میں میرے پرانے گھر میں قدم رکھے گی تو وہ خواب سے چونکے گی اور اسے سب کچھ یاد آ جائے گا۔ تو جب ہم وہاں پہنچے تو میں نے اسے بازو سے تھاما اور سیڑھیاں چڑھنے لگا۔ یہ وہی سیڑھیاں تھیں جن سے اسے اب سے کوئی بیس برس پہلے نیچے دھکیلا گیا تھا۔ میں یوں محسوس کر رہا تھا کہ جیسے میں دولہا ہوں اور آج میرا یوم عروسی ہے۔ میں نے جو بیچ میں بیس برس گنوائے تھے، انہیں اٹھا کر کوڑے کے ڈرم میں پھینک دیا اور سیڑھیاں یوں چڑھا جیسے چل نہیں رہا ہوں، اڑ رہا ہوں۔ جیسے یعاد کے قرب نے مجھے پَر لگا دیئے ہیں۔ ایک ہی فقرہ میری

زبان پر تھا۔ "ہم سرخرو لوٹے ہیں اور پھر و ہیں آ گئے ہیں۔"

ہمسائے دروازے کھول کھول کر ہمیں دیکھ رہے تھے۔ خوش آمدید کہہ رہے تھے اور حال احوال پوچھ رہے تھے اور یعاد میرے ساتھ چلتی ہوئی ان کے سلام کے جواب دے رہی تھی اور بڑے فخر سے انہیں سمجھا رہی تھی کہ "یہ میرے انکل ہیں۔ مدتوں بعد میں ان سے ملی ہوں۔"

ہمارا ایک ہمسایہ ترنگ میں آ کر تانیں بھرنے لگا۔ پھر دوسرے بھی اس کے ساتھ مل گئے۔ ان کی خوشی کی یہ تانیں کچھ اس طرح کا رنگ باندھ رہی تھیں جیسے نئے سال کے موقع پر حیفہ کی بندرگاہ پر کھڑے جہازوں سے آدھی رات گئے سیٹیوں کی آوازیں سنائی دیا کرتی تھیں۔

جب ہم گھر میں داخل ہوئے تو یعاد کا سانس پھولا ہوا تھا۔ بولی "اب تمہیں اطمینان آ جانا چاہیے، تم فاتح ہو اور میں تمہاری قیدی ہوں۔" پھر پوچھنے لگی "یہ عورتیں کس بات کی خوشی منا رہی ہیں؟"

"قیدی بن کر آئی ہوں، اس بات کی خوشی؟"

"نہیں یہ قیدی کے ملاقاتی کی آمد پر خوشی منائی جا رہی ہے۔"

"لیکن وہ اتنی خوش کیوں ہیں؟"

"رسم چلی آتی ہے کہ ملاقات کا دن آنے پر قیدی شیو کرتے ہیں، نہاتے دھوتے ہیں۔ خوشی مناتے ہیں۔"

"مگر یہ کوئی خوشی کا موقع تو نہیں ہے۔"

"تم چاہتی ہو کہ غریب قیدیوں کو ملاقات کی تقریب سے خوشی کا جو موقع ہاتھ آیا ہے، اسے گنوا دیں۔"

"فاتح کی موجودگی میں خوشی کا موقع کیسے پیدا ہو سکتا ہے۔"

"بس جیسے آگ پہ رکھے ہوئے کھانا پک جاتا ہے۔"

وہ مجھ سے پوچھنے لگی کہ تمہیں یہ دانش کی دولت کہاں سے ملی۔ میں نے اسے بتایا کہ جیل کے پہریداروں نے مجھے جو مار مار کر شیکسپیئر پڑھایا ہے، اس سے مجھے یہ دانش کی دولت میسر آئی ہے۔ میں نے اسے اپنی جیل کی بپتا سنائی اور بتایا کہ جیل کی کوٹھری میں ہی اس کے بھائی سے میری ملاقات ہوئی تھی۔ پھر میں نے اسے بتایا کہ اس نے کچھ ایسے کلمات کہے کہ مجھ پر گویا جنت کے دروازے کھل گئے۔ جیل کی کوٹھری کے دریچے میں لگی سلاخیں چاند پر پہنچنے کا پل بن گئیں۔

اس کی ایک آنکھ ہنستی تھی، ایک آنکھ روتی تھی۔ آخر میں بولی ''اپنی یعاد کے بارے میں بھی تو کچھ بتاؤ۔''

''اور میں بتانے لگا کہ ہم ٹھیک اسی جگہ بیٹھے تھے اور یہاں اس کمرے میں تم جاگتی رہیں اور میرا انتظار کرتی رہیں اور میں دوسرے کمرے میں احمقوں کی طرح سانس روکے بیٹھا رہا حتیٰ کہ پولیس آن پہنچی۔''

''پولیس۔اس نے گھر کو گھیر لیا ہے۔''

یہ اپنی ایک بی ہمسائی کی آواز تھی جو پوچھے گچھے بغیر گھر میں گھس آئی تھی اور بی ہمسائے نے جو نظارہ دیکھا، وہ یہ تھا کہ میں یعاد کے قدموں پہ جھکا ہوا تھا۔ میں اصل میں آج سے بیس برس پہلے کے منظر کو دہرا رہا تھا جب مجھے پہلی مرتبہ سیڑھیوں سے نیچے دھکیلا گیا تھا اور یعاد بیٹھی مجھے دیکھ رہی تھی اور ہنس رہی تھی۔

میں اٹھا ہی نہیں، بس اسی طرح جھکا رہا۔

●◆●◆●

(43)

تیسری یعاد کا انتظار

یعاد مردوں کی طرح ٹانگ پہ ٹانگ رکھے کرسی پہ جمی بیٹھی رہی۔ پھر بولی ''اچھا اٹھو اور مجھے ایک سگریٹ دو، ڈرنے کی ضرورت نہیں ہے۔''

''لیکن وہ تمہیں پھر لے جائیں گے، جیسے پہلے لے گئے تھے۔''

''پہلے تو وہ میری ماں کو لے گئے تھے۔''

''اب کے وہ تمہیں لے جائیں گے۔''

''نہیں اب حالات اور ہیں۔''

''مگر وہ تو ذرا نہیں بدلے۔''

''اگر وہ نہیں بدلے ہیں تو یہ ان کی بدنصیبی ہے، بہر حال ہم بدل گئے ہیں۔''

''تم سے وہ درگزر نہیں ہوں گے۔ وہ تمہیں مجھ سے چھین کر لے جائیں گے۔''

''کہاں لے جائیں گے؟''

''کسی بھی دیس لے جائیں گے جو تمہارا دیس نہیں ہوگا۔''

''مگر میں تو خود ایسے دیس جا رہی ہوں جو بہر حال میرا دیس نہیں ہے۔ تمہیں اور کوئی راستہ نظر آتا ہو تو بتادو۔''

''تم یہیں کہیں اڑوس پڑوس میں چھپ جاؤ۔''

''مگر کب تک چھپی رہوں گی۔''

''ہم وہی طور اپنائیں گے جو سالاخ قریے کے نابینا آدمی نے اپنایا ہوا تھا۔''

''تمہارا مطلب ہے کہ بیس برس تک چھپے بیٹھے رہیں۔''

''ہاں اس وقت تک جب تک حالات نہیں بدلتے۔''

''لیکن حالات کو بدلے گا کون؟''

''تمہارا بھائی سعید کہتا تھا کہ لوگ حالات کو بدل دیں گے۔''

''گویا ایک طرف لوگ حالات کو بدلنے کے لیے جانیں کھپائیں گے اور دوسری طرف لوگ چھپے بیٹھے رہیں گے۔''

''میں اور تم چھُپ کر وقت گزاریں گے مگر تمہارا بھائی سعید میدانِ عمل میں ہوگا۔''

''پھر وہ آزادی تحفہ میں انہیں دے گا جو چھپے بیٹھے رہے تھے۔'' یعاد طنز بھرے انداز میں ہنسی اور پھر کہنے لگی ''انکل سعید اگر تم اس وقت تک جیتے رہے تو تم اس وقت ستر کے پیٹے میں ہوگے، تیسری یعاد سے ملاقات کر رہے ہوگے لیکن تم اسے پہچان نہیں پاؤ گے اور وہ بھی تمہیں نہیں پہچانے گی۔''

اس نے مجھے اپنے برابر بٹھالیا اور پوچھنے لگی ''انکل تم مجھ سے محبت کرتے ہو نا؟''

''جی جان سے۔''

''مجھ سے شادی کرو گے؟''

''بالکل اور اس طرح کہ پھر موت ہی ہمیں جدا کرے تو کرے۔''

''لیکن کیا مجھے ایک بوڑھے سے جو قبر میں پاؤں لٹکائے بیٹھا ہے، شادی کرنی چاہیے؟''

''لیکن شادی ہوگئی تو میں پھر سے جوان ہو جاؤں گا۔''

''ناممکن۔''

''پھر تمہارا بھائی کیوں یہ سمجھتا ہے کہ حالات پلٹیں گے اور جیسے تھے پھر اسی ڈھب پہ آجائیں گے۔''

''یہ بات اس کے دماغ میں اس کے بڑوں نے بٹھائی ہے۔ ایک بوڑھے آدمی کے نزدیک اس کا شروع کا زمانہ اس کا عالمِ شباب ہوتا ہے۔ سو اس لیے وہ زمانہ آغاز کو بہت یاد کرتا ہے۔ انکل آپکو کیا واقعی احساس ہے کہ شروع کا زمانہ کیسا تھا۔ شروع کا زمانہ محض کوہِ کارمل پر جھومتے چیڑ کے درختوں کی شیریں یادوں سے عبارت نہیں ہے۔ نہ محض سنترے نارنگی سے لدی ٹہنیوں کی سہانی یادوں کا نام ہے اور نہ محض جافہ کے ملاحوں کے گیتوں سے خاص ہے۔ ویسے کیا وہ ملاح گیت گاتے بھی تھے؟ انکل کیا آپ واقعی شروع کے زمانے میں واپس جانا چاہتے ہیں۔ کیا آپ چاہتے ہیں کہ پھر وہ زمانہ لوٹ آئے جب آپ کا بھائی زندگی کرنے کی خاطر چٹانوں سے سر پھوڑ رہا تھا اور جب کرین میں پس کر اس کی بوٹی بوٹی ہوگئی تھی۔ کیا آپ چاہتے ہیں کہ اب پھر اسی طرح اس کا سوگ منائیں۔ آپ واقعی پھر سے زمانے کو اسی انداز سے جینا چاہتے ہیں۔''

''مگر تمہارا بھائی سعید کہتا تھا کہ ہم نے اپنے سے پہلے والوں کی غلطیوں سے بہت سیکھا ہے۔ہم ان غلطیوں کو نہیں دہرائیں گے۔''

''اگر ان لوگوں نے اپنے سے پہلوں کی غلطیوں سے کچھ سیکھا ہوتا تو شروع کے زمانے کی واپسی کی بات ہرگز نہ کرتے۔''

''یعاد تم اتنی چھوٹی عمر میں اتنی دانائی کی باتیں کرتی ہو۔یہ دانائی تم نے کہاں سے حاصل کی؟''

''اس لمبی زندگی سے جو میرے سامنے پڑی ہے۔''

''تو تم مجھے چھوڑ کر چلی جاؤ گی؟''

''انکل، پانی سمندر کو چھوڑ کر کہاں جا سکتا ہے۔بس بھاپ بن کر اڑ جاتا ہے لیکن پھر اگلے موسم میں چشموں اور دریاؤں میں واپس آ جاتا ہے، پانی ہر پھر کر واپس آتا ہے۔''

''تو گویا میں اکیلا رہ جاؤں گا۔''

''سالاخ کا نابینا شخص بھی اکیلا نہیں رہتا تھا۔اس کے قریے میں جائیے اور چٹائیاں بنائیے۔''

لیکن میں سالاخ کے قریے میں نہیں گیا اور وہاں بیٹھ کر چٹائیاں نہیں بنائیں۔نہ وہاں گیا نہ کسی اور جگہ گیا۔اس لیے کہ سپاہی آن درآمد ہوئے۔میں جہاں تھا وہیں کھڑا کا کھڑا رہ گیا۔ ذرا نہیں ہلا بس اتنا کیا کہ میں نے اپنے ہاتھ آنکھوں پہ رکھ لیے، میں نے آغاز دیکھ لیا تھا، انجام دیکھنا نہیں چاہتا تھا۔

مجھے لگا کہ سپاہیوں کے ہاتھ میری طرف بڑھے ہیں اور پھر مجھے سیڑھیوں پر دھکیل دیا۔ میں نے محسوس کیا کہ سیڑھیوں تک لڑھک کر میں نیچے چت پڑا ہوں لیکن اس مرتبہ میں نے اپنے یار جیکب کو مدد کے لیے نہیں پکارا، اب تو وہ خود مدد کا محتاج تھا۔

پھر اوپر سے، اپنے مکان سے کسی عورت کے چیخنے چلانے کی آواز سنائی دی اور اسی کے ساتھ گھونسوں، مکوں اور لاتوں کی دھما دھم سنائی دی، کتنا خوفناک شور تھا۔یعاد اور سپاہی ایک دوسرے سے گتھم گتھا تھے۔یعاد سخت مزاحمت کر رہی تھی۔چیخ رہی تھی، لاتیں چلا رہی تھی، ایک سپاہی کے شانے پر کاٹ لیا۔وہ بلبلا کر پیچھے ہٹ گیا۔پھر میں نے دیکھا کہ سب سپاہی مل کر اس پر پل پڑے اور اسے پکڑ دھکڑ کر وین میں دھکیل دیا۔جب وین کا دروازہ بند ہوا تو مجھے اس کی آواز سنائی دی ''سعید گھبرانا مت، میں واپس آؤں گی۔''

میں نے آنکھیں کھولیں، لمبا سانس لیا اور کہا کہ اچھا تو ہم ہر پھر کر پھر اسی پہلے والی

حالت میں آ گئے۔

لیکن میں نے ایک عجب صورتحال نمودار ہوتے دیکھی۔ میں نے دیکھا کہ ایک پولیس افسر نے بڑے ادب کے ساتھ یعاد کے کاغذات پر نظر ڈالی اور اس پر معذرت کی کہ وہ اس کے اسرائیل میں داخلہ کے پرمٹ کو منسوخ کر رہا ہے۔ اسی کے ساتھ اسے بتایا کہ آپ کو یہاں سے فوراً نابلس چلنا ہے۔ مزید بتایا کہ نابلس پہنچ کر دوسرے دن آپ کو پُل کے راستے واپس اردن جانا ہے۔

یہ سب سن کر وہ بولی ''آپ لوگوں سے اس کے سوا اور کیا توقع ہو سکتی تھی۔''

''بات یہ ہے کہ آپ کو سعید کے گھر نہیں ٹھہرنا چاہیے تھا۔''

اس نے پلٹ کر جواب دیا ''یہ میرا دیس ہے، یہ میرا گھر ہے اور یہ میرے انکل ہیں۔''

میں نے دل میں کہا کہ میں ان لفظوں کو اگلے بیس برس تک ایک قیمتی اثاثے کے طور پر سنبھال کر رکھوں گا۔

افسر نے جواب میں کہا ''مگر اس کی اجازت نہیں تھی۔'' اور یعاد کہے جا رہی تھی کہ آپ سے تو مجھے اس کے علاوہ اور کوئی توقع ہی نہیں تھی۔ پھر آپ لوگ مجھ سے ایسی توقع کیوں کر رہے تھے جو نہیں کرنی چاہیے تھی۔

افسر نے ایک فوجی شائستگی کے ساتھ سر خم کیا اور کہا ''اے نوجوان حسین خاتون، ہم آپ سے اس سے کہیں زیادہ کی توقع کرتے ہیں۔''

یعاد نے مجھ سے ہاتھ ملایا اور الوداع کہا۔ پھر وہ اپنا چہرہ میرے چہرے کے بالکل قریب لے آئی اور پوچھا۔ ''آپ نے وقت رخصت میری والدہ کا بوسہ لیا تھا۔''

''نہیں، سپاہی جو بیچ میں حائل تھے۔''

''تو پھر آپ نے دوسرے بوسے کا بھی موقع گنوا دیا۔''

پھر وہ چلی گئی۔

●◆●◆●

(44)

شاندار انجام...... بلی کو مضبوطی سے پکڑے رہو

تو صاحبو جیسا کہ میں نے ابھی ابھی کہا کہ میں سالاخ کے قریے میں نہیں گیا اور وہاں جا کر چٹائیاں بنانے کا شغل اختیار نہیں کیا، نہ وہاں گیا نہ کہیں اور گیا بس پھر بلی پہ ٹک گیا۔

جی ہاں میں پھر بلی پہ ٹنگا ہوا تھا، اکیلا آلتی پالتی مارے بلی کی کند نوک پہ بیٹھا تھا۔ روز رات کو مجھے برے برے خواب دکھائی دیتے تھے لیکن میں نہ تو ان خوابوں کو دفع کر سکتا تھا، نہ اس خواب پریشاں سے جاگ سکتا تھا۔ وہی بلی سے وابستہ پرانا خواب پریشاں اور وہی پرانا خواب جو دامن گیر چلا آتا تھا کہ اگر آخر میں یہ کھلا کہ یہ خواب نہیں ہے تو پھر کیا ہوگا۔ میں نے ایک بھاری لحاف اوڑھ لیا لیکن سردی اس کے اندر بھی سرایت کر گئی۔ ایک لحاف اور لا دلیا، پھر ایک اور لحاف اسی طرح لحاف اپنے اوپر لادتا چلا گیا۔ یہاں تک کہ وہ سات ہو گئے مگر سات لحافوں میں لیٹ کر بھی سردی نہیں گئی۔ میں اسی طرح جاڑے سے کپکپا رہا تھا۔ میں بار بار فریاد کرتا کہ وہ حسین شہزادی کہاں ہے جو مجھے گرما کر ان لحافوں سے بے نیاز کر دے گی۔

لیکن سپاہی پھر اسے پکڑ کر لے گئے تھے۔ بار بار میرے لب پر اس کا نام آتا۔ میں اپنی پھوٹی قسمت کا ذمہ دار اسے ٹھہرا رہا تھا۔ اس لیے کہ اسی نے مجھے یقین دلایا تھا کہ وہ پچھلی بلی جس پہ میں جا کر ٹنگ گیا تھا، خالی نہیں تھی۔ سو اب میں کیسے یقین کر لیتا کہ یہ بلی جس پہ میں اب ٹنگا ہوا ہوں، کوئی خواب نہیں ہے۔

ہاں ہاں ایک یاد پلٹ کر آئی تو تھی لیکن وہ میری یاد نہیں تھی۔ سمجھو کہ وہ کسی آنے والی شادی کی تقریب سے گلاب کے پھولوں کا ایک گلدستہ تھی لیکن یہ بھی کہا جا سکتا ہے کہ وہ تر و تازہ پھولوں کا وہ ہار تھی جو ماضی کے مزار پر چڑھایا گیا ہو۔ میں بیس سال تک اس کی واپسی کا انتظار کرتا رہا وہ واپس آئی ضرور مگر واپس آ کر اس نے یہ کہا کہ ''میں تمہاری والی یاد نہیں ہوں۔'' پھر وہ مجھے اکیلا چھوڑ کر چلی گئی مگر اسے اصرار تھا کہ میں اکیلا نہیں ہوں۔ میں نے اس سے پوچھا

کہ تم واپس آ ؤ گی اور اس نے جواب دیا کہ ”ہاں واپس آ ؤں گی۔ اسی طرح جیسے سمندر سے گیا ہوا پانی موسم سرما میں واپس سمندر میں آتا ہے۔“

موسم سرما بھی آ گیا۔ میں نے کس تمنا سے کہا کہ ”یعاد، موسم سرما آ گیا، واپس آ جاؤ“

جواب دیا ”یہ آپ کا موسم سرما ہے۔“

تو میں پھر تن تنہا بلی کی بلندیوں میں تھا اور اس بلندی سے اللہ تعالیٰ کی مخلوق کو دیکھ رہا تھا۔

اور وہ ایک ایک کر کے میرے پاس آئے۔

سب سے پہلے میرا پرانا یار جیکب آیا۔ وہ اداس تھا۔ میں نے اوپر سے اسے پکارا ”اے میری زندگی بھر کے یارِ دیرینہ۔ میں بلی پر ٹنگا ہوا ہوں۔ اس کا کوئی علاج کر۔“

اس نے جواب دیا ”ہم سب ہی کسی نہ کسی بلی پر ٹنگے ہوئے ہیں۔“

میں نے کہا ”مجھے تو یار تو کسی بلی پر ٹنگا ہوا نظر نہیں آتا۔“

”ہم میں سے کسی کو کسی کی بلی نظر نہیں آتی۔ ہم سب اپنے طور پر اکیلے ہیں اور اپنی اپنی بلی پر ٹنگے ہوئے ہیں مگر بلی ہمارا مشترکہ دکھ ہے۔“ اس نے اس طور وضاحت کی اور چلا گیا۔

بڑا آدمی بھی آیا۔ کچھ حیران و پریشان نظر آتا تھا۔ میں نے چلّا کر کہا کہ ”حضور آپ کا نیازمند بلی پر ٹنگا ہوا ہے۔“

جواب دیا ”یہ بلی نہیں ہے۔ یہ تو ٹی وی کا انٹینا ہے۔ تم لوگوں میں جسے دیکھو، وہ ایسے جتاتا ہے جیسے پن ڈبی کشتی میں بیٹھا ہے اور جیسے جتنا وہ نیچے جائے گا، اس کشتی کا پیرا سکوپ اسی نسبت سے بلندی کا احاطہ کرے گا۔ آرام سے آخر کیوں نہیں بیٹھتے ہو۔ میں کہتا ہوں کہ جہاں ہو وہاں آرام سے بیٹھو۔“ یہ کہہ کر وہ چلتا بنا۔

وہ نوجوان بھی آیا جس کی بغل میں ہمیشہ اخبار دبا ہوتا تھا۔ میں نے اسے پکارا اور کہا ”بیٹے، میں بلی پر لٹکا ہوا ہوں۔“

”جو بلی پہ ٹک جانے سے پریشان ہیں انہیں چاہیے کہ وہ وہاں سے اتر کر ہمارے ساتھ سڑکوں پر آ جائیں۔ تیسرا راستہ کوئی نہیں۔“ اتنا کہہ کر وہ سڑک پر آگے بڑھ گیا۔

تو کیا آسمان تلے میرے لیے اس بلی کے سوا اور کوئی جگہ نہیں ہے۔ کیا یہ بھی ممکن نہیں ہے کہ بلی اتنی اونچی ہو۔ ارے مجھے بلی پہ ہی ٹکا رہنا ہے تو وہ کوئی نیچی بلی ہو۔ اس کی چوتھائی، اس کی آدھی، چلو تین چوتھائی سہی۔

یعاد یعنی پہلی والی یعاد ادھر سے گزری۔ میں نے اس ہاتھ کو اس کی طرف بڑھایا اور اسے اوپر کھینچنے کی کوشش کی لیکن اس نے میرا ہاتھ مضبوطی سے پکڑ کر نیچے کھینچنے کی کوشش کی۔ وہ مجھے نیچے جلاوطنی کی قبر میں کھینچنے کی کوشش کر رہی تھی لیکن میں نے اپنی بلی کو مضبوطی سے پکڑ رکھا تھا۔

اور باقیہ آئی، مجھے پکارا کہ نیچے اتر آؤ۔ بتانے لگی کہ والعہ نے اس کے لیے اپنے محل کے برابر ایک محل سمندری گھونگھوں کا بنوا کر دیا ہے لیکن میں اپنی بلی کو مضبوطی سے پکڑے رہا۔

یعاد کا بیٹا اور یعاد کا بھائی سعید بھی اپنا لال لبادہ لہراتا ہوا آن پہنچا۔ پکار کر ''اے پدرِ بزرگوار نیچے اتر آ، میں تجھے اپنا لبادہ اوڑھاؤں گا کہ تجھ میں گرمائی آئے۔'' لیکن میں اپنی بلی سے چپکا رہا۔

اخبار والا نوجوان پھر دکھائی دیا۔ اس مرتبہ اس نے بغل میں کلہاڑی دبا رکھی تھی۔ میں نے دیکھا کہ اس نے کلہاڑی کو گھما کر بلی کی جڑ پہ مارا اور چلانے لگا۔ ''میں تمہیں بچانا چاہتا ہوں۔'' میں نے چلا کر کہا کہ کلہاڑی مت چلاؤ۔ میں گر پڑوں گا اور میں نے بلی کو اور بھی زیادہ مضبوطی سے پکڑ لیا۔

میں بلی پہ ٹنگا بیٹھا تھا۔ کچھ اس طرح سے کہ میری کمر خم کھا کر کمان بن گئی تھی۔ سخت پریشان تھا کہ کیا کروں۔ اس عالم میں تھا کہ ایک شخص کی صورت نظر آئی۔ وہ اتنا لمبا تڑنگا تھا کہ اگرچہ میں اتنی بلندی پر تھا مگر وہ بالکل میرے روبرو تھا۔ وہ میری طرف آہستہ آہستہ اس طرح بڑھا جیسے کوئی بھٹکا بادل میری طرف رینگ کر آ رہا ہو۔ اس کا چہرہ کیا تھا، جھریاں ہی جھریاں جیسے مشرق سے چلنے والی ہوا کہ اثر سے سطح سمندر پر لہریں پھیل جاتی ہیں لیکن میں نے اسے فوراً ہی پہچان لیا اور میں خوشی سے پھول کر کُپا ہو گیا۔ اگر مجھے گرنے کا اندیشہ نہ ہوتا تو میں دوڑ کر اس سے لپٹ جاتا اور اس کے رخسار کا بوسہ لیتا۔

''میرے قبلہ۔'' میں چلایا ''اے عالمِ بالا والوں کے سردار، آپ کے سوا میرا کوئی نہیں ہے۔''

''مجھے پتا ہے۔'' اس نے جواب دیا۔

''آپ بہت بروقت آئے ہیں۔''

''میں تمہارے پاس بہت وقت پر آیا ہوں۔''

''میرے قبلہ و کعبہ، مجھے بچائیے۔''

''میں تم سے یہی کہنا چاہتا تھا کہ تمہارا ہمیشہ سے یہی طور رہا ہے۔ جب تمہارے حالات تمہارے لیے ناقابلِ برداشت ہو جاتے ہیں اور انہیں بدلنے کے لیے جو قیمت ادا کرنی چاہیے، وہ تم ادا کرنے پر آمادہ نہیں ہوتے تو پھر تم میرے پاس آتے ہو، لیکن میں دیکھ رہا ہوں کہ تمہارا مسئلہ

بہت ٹیڑھا ہو گیا ہے تو انشاءاللہ کہو، اور میری پشت پر سوار ہو جاؤ۔ ہم یہاں سے نکل چلتے ہیں۔"

ہم وہاں سے اُڑ لیے۔ اس نے مجھے اپنی پیٹھ پر لاد رکھا تھا اور ادھر میں اپنے اجداد کی ارواح سے محوِ کلام تھا، جداعلیٰ ابجار ابن ابجار سے لے کر عمِ بزرگوار تک جنہیں خاندانی خزانہ ملا تھا سب کی روحوں سے باتیں ہو رہی تھیں۔ میں نے ان سب کو یاد کیا کہ وہ آ کر دیکھیں اور اپنے فاتح فرزند پر فخر کریں۔

پھر اچانک نیچے سے اپنے تلے کی زمین سے ترنگ بھرے نغموں کی آوازیں سنائی دینے لگیں۔ میں نے نیچے نظر ڈالی۔ کیا دیکھتا ہوں کہ اخبار والا نوجوان ابھی تک کلہاڑی ہاتھ میں لیے ہوئے ہے۔ یعاد تھی، اس کا بھائی سعید بھی تھا۔ ان کے والد ابومحمود دھقان بھی تھا۔ اس کے ساتھ اس کے سب بچے بھی تھے کہ جو اٹھ بیٹھے تھے، اور اپنے بستر اٹھائے لیے جا رہے تھے۔ وہ سب عورتیں جو میری ہمسائیاں تھیں، اونچی آواز میں گا بجا رہی تھیں۔ وادی جمال کا مزدور اخت بھی تھا۔ ناشتہ دان جس میں دوپہر کا کھانا تھا، اس نے اٹھایا ہوا تھا اور جیکب بھی دکھائی دے رہا تھا۔ وہ اپنی بلی سے اتر آیا تھا اور بوڑھی ام اسعاد بھی تھی وہ جسے مردم شماری کے ہنگام میں دھر لیا گیا، وہ بھی لہک لہک کر گا رہی تھی۔

اور آخر میں یعاد نمودار ہوئی۔ اس نے آسمان کی سمت سر بلند کیا اور ہماری طرف اشارہ کیا اور میں نے سنا کہ وہ کہہ رہی تھی۔ "جب یہ بادل چھٹ جائے گا تو سورج ایک بار پھر چمکے گا۔"

●◆●◆●

اختتامیہ

صداقت اور تاریخ کی خاطر

ان عجیب وغریب خطوط کا وصول کنندہ آپ کو مطلع کرنا چاہتا ہے کہ جب اس نے یہ خطوط وصول پائے تو ان پر عکرہ کے ڈاکخانے کی مہر لگی ہوئی تھی۔ چنانچہ اس نے اس شہر میں جا کر مکتوب نگار کو تلاش کرنا شروع کیا۔ تلاش کرتے کرتے وہ دماغی امراض کے ہسپتال میں پہنچا جو ساحل سمندر کے قریب شہر کی فصیل کے اندرون واقع ہے۔ ہسپتال کے عملہ نے گرمجوشی سے اس کا استقبال کیا۔ انہوں نے اس موقع سے فائدہ اٹھا کر اس سے یہ گزارش کی کہ آپ ذرا حکومت تک عملہ کی ایک شکایت پہنچائیں۔ حکومت اس پر بضد ہے کہ اس ہسپتال کو اسی عمارت میں رہنے دیا جائے جو برطانوی انقلاب کے زمانے میں ایک بدنام جیل تھی۔ آپ حکومت کے یہ گوش گزار کریں کہ عملہ حکومت کی اس پالیسی سے سخت نالاں ہے۔ برطانوی حکومت نے اس جیل میں ایک پھانسی گھر بنایا تھا جہاں نیم فوجی قوم پرست تنظیم ایزل کے متعدد سپاہیوں کو پھانسی دی گئی تھی۔ قیام مملکت کے بعد اس پھانسی گھر کو ایک قومی یادگار کی حیثیت حاصل ہوگئی۔ عملہ یہ سمجھتا ہے کہ اس عمارت میں ذہنی امراض کے ہسپتال کے ہونے کی وجہ سے اس قومی یادگار کی حرمت مجروح ہوتی ہے۔

ان عجیب وغریب خطوط کے وصول کنندہ کا کہنا ہے کہ اس نے وہیں ہسپتال کے عملہ کے سامنے اس بات پر بہت حیرت کا اظہار کیا کہ برطانوی حکومت نے تو یہاں عربوں کو بھی پھانسیاں دی تھیں مگر میوزیم چیمبر میں پھانسی پانے والے عربوں کا سرے سے اندراج ہی نہیں ہے۔

''لیکن یہ تو......'' انہوں نے جواب دیا۔ ''خود ان کی قوم کی ذمہ داری تھی۔''

''میں سمجھا نہیں آپ کا مطلب کیا ہے۔''

''مطلب یہ ہے کہ یہ لوگ پہلے اپنے قبرستانوں کی دیکھ بھال کریں۔''

"لیکن کیا انہیں اپنے قبرستانوں میں جانے کی اجازت حاصل ہے۔"

"یہ ایک بالکل الگ مسئلہ ہے۔"

اس نکتہ پر آ کر ان نرالے مراسلات کے وصول کنندہ نے موضوع بدلا اور اس مسئلہ پر گفتگو کرنے لگا جس کی خاطر اس نے دماغی امراض کے ہسپتال کا دورہ کیا تھا یعنی وہ یہ معلوم کرنے کے لیے یہاں آیا تھا کہ سعید قنوطرجائی کون شخص ہے۔

عملہ والوں نے قیام مملکت کے وقت سے لے کر اب تک یہاں داخل ہونے والے سارے مریضوں کا ریکارڈ چیک کر ڈالا۔ پھر انہوں نے اس طرح پڑتال کی کہ اس نام سے ملتا جلتا کوئی نام ہے۔ ایک نام ایسا ملا جس پر تھوڑا شک گزرتا تھا۔ یہ کوئی شخص سعدی الخس تھا جو ابوالشوم کے نام سے معروف تھا۔ بعض نے اس کا تلفظ ابوالشوم کر رکھا تھا، پھر انہیں یاد آیا کہ ابھی پچھلے دنوں ایک نوجوان خاتون ہسپتال آئی تھی اور اس شخص کے متعلق پوچھ رہی تھی، کہتی تھی کہ وہ اس کی رشتہ دار ہے اور بیروت سے پل کے راستے آئی ہے اور انہوں نے اس خاتون کو مطلع کیا تھا کہ وہ شخص ایک سال ہوا، اللہ کو پیارا ہو گیا۔ اس پر وہ کہنے لگی "تو اب اسے آرام آ گیا۔ باقیوں کی بے آرامی بھی ختم ہوئی۔" اور اس کے بعد پل ہی کے راستہ واپس چلی گئی۔

اور پھر ان عجیب غریب خطوط کا وصول کنندہ یہاں سے واپس ہو گیا۔

اب یہ شخص آپ سے یہ توقع رکھتا ہے کہ آپ سعید کی تلاش میں اس کی مدد کریں گے مگر اسے کوئی کہاں تلاش کرے۔

اگر آپ داستان کو مان لیں کہ اسے اہالیان عالمِ بالا کے دامن میں پناہ ملی اور پھر آپ اسے عکرہ کے پرانے تہہ خانوں میں تلاش کریں تو آپ کی مثال اس وکیل کی سی ہوگی جو ایک دیوانے کے کہنے میں آ کر ایک درخت تلے دبا ہوا خزانہ تلاش کرنے پر مستعد ہو گیا۔ کہانی اس طرح ہے کہ اس وکیل نے درخت کے چاروں طرف کھدائی شروع کر دی، مشرق کی سمت میں، مغرب کی سمت میں، شمال کی سمت میں، جنوب کی سمت میں۔ آخر کو یہ ہوا کہ درخت جڑ سے اکھڑ ہو گیا۔ خزانہ نہ ملتا تھا، نہیں ملا۔

اس سارے عرصے میں وہ دیوانہ ایک دیوار پر نقش و نگار بنانے میں جتا رہا۔ برش بالٹی میں جس کی پیندی غائب تھی، ڈبوتا اور نقش بنانے لگتا۔ جب وکیل واپس آیا تو وہ پسینہ میں شرابور تھا، دیوانے نے برجستہ پوچھا "حضرت، آپ نے درخت کو جڑ سے اکھاڑ پھینکا؟"

''جی حضرت، اکھاڑ پھینکا۔ میں نے اس کی ساری جڑ کھود ڈالی لیکن کوئی خزانہ برآمد نہیں ہوا۔''

دیوانے نے مشورہ دیا ''ایک بارش اور ایک بے پیندے کی بالٹی لو اور پھر میرے برابر کھڑے ہو کر تھوڑے نقش و نگار بنا ڈالو۔''

صاحبو! نکتہ یہ ہے کہ آپ اس شخص سے جا ٹکرائیں، تب کی بات اور ہے ورنہ آپ اسے کیسے ڈھونڈ پائیں گے۔

◆◆◆◆◆

مترجم کی وضاحتیں

(1) دو قدیم عربی قبیلے جن کا ذکر قرآن میں اس حوالے سے آیا ہے کہ اللہ تعالیٰ نے انہیں نیست و نابود کر دیا۔ قدیم عربی ادب میں ان کا حوالہ انسانی طاقت کی ناپائیداری کی دلیل کے طور پر اکثر آتا ہے۔

(2) مصر کا ایک مملوک سلطان (متوفی 1260ء) جس نے منگولوں کو پے در پے شکستیں دیں۔ 1260ء میں عین جالوت کے مقام پر شکست دے کر اس نے پورے شام پر اپنا تسلط قائم کر لیا لیکن اسی سال اس کی فوجوں کے سپہ سالار بیبارس نے اسے قتل کر دیا۔

(3) ایک قدیم عوامی رزمیہ کا ہیرو اس رزمیہ میں قبیلہ بنو ہلال کی ان مہمات کا ذکر ملتا ہے جو اس نے عرب اور شمالی افریقہ میں انجام دیں۔ اگرچہ عوام میں ان مہمات کو اب بھی مقبولیت حاصل ہے لیکن نظار قبانی اور جبیبی جیسے عرب دانشوروں نے اس قسم کے ہیرو ازم کا جس کا ابوزید نمائندہ ہے، بہت مذاق اڑایا ہے۔ یہ دانشور ایسے ہیرو ازم کا تقاضا کرتے ہیں جس میں واقعیت کا رنگ ہو۔

(4) صلیبی جنگوں کے زمانے کا ایک مملوک سپہ سالار جو آگے چل کر مصر کا سلطان بنا۔ اس نے اہل صلیب کو جو شکستیں دیں اور اپنے اندرونی دشمنوں اور سازش کرنے والوں کے خلاف جو کامیابیاں حاصل کیں، انہیں عربی کی ایک رزمیہ میں بہت رومانوی رنگ میں پیش کیا گیا ہے۔ یہاں حوالہ اس واقعہ کا ہے کہ قدوس (دیکھو وضاحت 2) کو جس سپہ سالار نے قتل کیا، اس کو توقع یہ تھی کہ اس نے عین جالوت کے مقام سے جو فتح حاصل کی ہے۔ اس کے انعام میں سلطان اسے الیپو کی گورنری کے عہدے سے سرفراز

کرے گا۔ جب یہ توقع پوری نہ ہوئی تو اس نے اسے جان سے مارنے کی سازش کی۔ ایک موقع پر سلطان کے حضور پیش ہو کر ایک اسیر منگول عورت کے بارے میں فرمائش کی کہ وہ اسے عطا کر دی جائے۔ سلطان نے اس فرمائش کو شرف قبولیت بخشا، سپہ سالار نے جھک کر سلطان کے دستِ مبارک کو بوسہ دیا لیکن اس نے اپنے ساتھیوں کو پہلے سے یہ سمجھا دیا تھا کہ جب وہ سلطان کے ہاتھ کو بوسہ دینے کے لیے جھکے تو تم اس پر حملہ کر دینا، انہوں نے ایسا ہی کیا اور سلطان کو قتل کر دیا۔

(5) چنگیز خاں کی اولاد میں سے ایک جنگجو (1336ء تا 1404ء) جس نے ایشیا کو فتح کیا۔ دشمن علاقوں پر جو اس نے یورشیں کیں وہ مورخوں کے بیان کے مطابق ظلم و بربریت میں اپنی مثال آپ ہیں، کہتے ہیں کہ وہ مقتولوں کی کھوپڑیوں کے مینار کھڑے کر دیتا تھا۔

(6) عبرانی میں اس نام کا مطلب ہے۔

(7) یہ نام مصنف کی اختراع ہے۔ اس کا مطلب ہے ''واپس آئے گا'' عربی کے روزمرہ میں اس کے معنی ہیں ''پھر'' اور ایک دفعہ اور یہاں یہ نام ذو معنی ہے۔

(8) صلاح الدین (1138ء۔1193ء) جو کرد نژاد تھا اور جو مصر اور شام کا حاکم بنا۔ عربوں کی تاریخ میں اس کا اس اعتبار سے بڑا مقام سمجھا گیا ہے کہ اس نے عربوں کے مختلف علاقوں کو اہلِ صلیب کے پنجہ سے رہائی دلائی (شیر دل) رچرڈ اول سے جو اس کی معرکہ آرائیاں ہوئی ہیں، وہ عرب داستانوں کا مقبول موضوع رہی ہیں۔

(9) ایک اندلسی جغرافیہ داں، اہل قلم اور شاعر (1145ء۔ 1217ء) اس نے مشرقی ممالک میں بہت سیاحت کی۔ سفر نامہ ابن جبیر، ایسے ہی ایک سفر کی روئداد ہے۔ یہ سفر نامہ 1185ء میں لکھا گیا۔

(10) جن دیہات کا اس بیان میں ذکر آیا ہے ان میں سے ایمنشیہ (المنشیا) اردیاس (رواس) اکریت (عقریت) ادمون (الدمون) میر (معیار) اور اہلِ گبسیہ (الغابش) تو تباہ و برباد ہو گئے۔ کویکت (کویکات) الکبری، سائس (ساعس) بیرم (کفر بیرم) اور فراز (فرازی) البروہ (بردہ) دیرلکزی (دائر القاضی) ساہمت (سہمت) ازیب (الزیب) صف صف (الصّف صف) ایلباس (الباسا) اور کوفرانین (کفر عنان) یہودیوں کی نجی ملکیت بن گئے۔ صرف المرزعہ (مزرعہ) اور

شائب (شاب) کی حیثیت عرب بستیوں والی ہے۔ اس ناول میں جن بستیوں کا حوالہ آیا ہے ان پہ کیا گزری اس کی تفصیلات کے لیے اسرائیل شہاک کی واشنگٹن میں شائع شدہ شہاک رپورٹ جو 1973ء میں پہلی بار اسرائیل سے شائع ہوئی تھی اور انیس صایغ کی بلدانیات فلسطین المحتلد (1948ء۔1967ء) (مقبوضہ فلسطین کے موجود قریے اور شہر) جو بیروت سے 1968ء میں شائع ہوئی اور اسرائیل کا اٹلس جو یروشلم کی وزارت محنت کی طرف سے 1970ء میں شائع ہوئی، ان بستیوں کے ناموں کے ہجے وہ دیئے گئے جو شہاک رپورٹ میں درج ہیں۔ بریکٹ میں وہ ہجے درج کیے گئے ہیں جو یہاں استعمال کیے گئے ہیں۔

(11) مصر و شام کا مملوک سلطان (1223ء۔1290ء) جس نے پہلے شام پر منگلوں کی یلغاروں کا تدارک کیا۔ پھر صلیبوں پر چڑھائی کی اور 1289ء میں تریپولی کو جس کی حیثیت بندرگاہ کی تھی اور جس کی بہت قلعہ بندی کی گئی تھی، فتح کرلیا۔ وہ جب عکرہ پر حملے کی تیاری کررہا تھا کہ پیغام اجل آ گیا۔ پھر اس کے بیٹے الما لک الاشرف نے جو اس کا جانشین ہوا، باقی مقبوضہ شہروں کو تسخیر کیا۔ آخرکار مئی 1291ء میں اس نے یروشلم کے مقام پر یورپی فوج کو شکست دی۔ بس اس کے ساتھ ہی شام اور فلسطین میں صلیبیوں کی قوت کا خاتمہ ہوگیا۔

(12) منگو خاں (1208ء۔1259ء) کو 1251ء میں خانِ اعظم چنا گیا اور اس طرح وہ وسیع و عریض منگول سلطنت کا وارث بنا۔ چین پر یلغار کے دوران وہ بیمار پڑا اور مر گیا۔

(13) منگو خاں کا بھائی اور چنگیز خاں کا پوتا ہلاکو (1217ء۔1267ء) جسے ایران اور عرب مما لک کی تسخیر کے لیے تعینات کیا گیا تھا۔ اس نے تیزی سے یلغار کی جہاں ایرانی اسماعیلیوں نے سر اٹھا رکھا تھا۔ ان کی سرکوبی کی۔ 1258ء میں بغداد کا محاصرہ کیا اور پھر تباہ و برباد کیا۔ پھر شام کی طرف پیش قدمی کی۔ اس مہم میں الیپو کو فتح کیا اور دمشق سے ہتھیار ڈلوائے۔ منگو خاں کے انتقال کر جانے پر وہ واپس منگولیا آ گیا۔ پیچھے جن فوجوں کو چھوڑ آیا تھا، ان پر عین الجالوت کے مقام پر مصری سلطان قدوس کی فوجوں نے بیبائرس کی سرکردگی میں ہلہ بول دیا۔

(14) یہ ایک افواہ کی طرف اشارہ ہے کہ شاہ فیصل اول کی موت پر پوری عرب دنیا میں یہ افواہ پھیل گئی تھی کہ شاہ کو زہر دیا گیا ہے۔

(15) محی الدین ابن العربی (1165ء۔1240ء) کو دنیائے اسلام کا سب سے بڑا صوفی تصور کرنا چاہیے۔ اس صوفی کا تصور یہ تھا کہ خدائے تعالیٰ صفات سے مبرا ہے۔ وہ وحدت الوجود کا ماننے والا تھا اور اندلس میں پیدا ہوا۔ زندگی کے آخری ایام دمشق میں بسر کیے وہیں دفن ہوا متعدد تصانیف اس سے یادگار ہیں۔

(16) اندلسی عالم، شاعر اور موجد ابن فرناس (متوفی 887ء) بتایا جاتا ہے کہ بلور (Crystal) اسی کے ایجاد خیز ذہن کا کرشمہ ہے۔ کہتے ہیں کہ اس نے ہوا میں اڑنے کا تجربہ بھی کیا تھا۔ پروں والا لباس پہنا جس میں شہپر لگے ہوئے تھے۔ اس کی مدد سے اس نے ایک چھوٹی سی پرواز کا تجربہ کیا۔

(17) عربی میں اس کا نام ابن رشد ہے۔ یورپ والے (Averroes) ایویروس (1058ء۔1126ء) کہتے ہیں۔ اندلس کا عالم تھا، طبیعات، طب، حیاتیات اور علم النجوم کے ساتھ ساتھ دینیات کا عالم اور فلسفی بھی تھا۔

(18) البتانی الحرانی (متوفی:929ء) مغرب والے البتگنی کہتے ہیں۔ مشہور ماہر علم النجوم تھا جس نے شمسی قمری نظاموں کے سلسلہ میں مختلف تحقیقی کارنامے انجام دیئے۔

(19) اسلام کے قرون وسطیٰ میں البیرونی (متوفی:1078ء) کا شمار عظیم ترین علما میں ہوتا ہے۔ انہوں نے علم ہندسہ، نجوم، جغرافیہ، تاریخ اور علم السنہ کے شعبوں میں علمی کارنامے انجام دیئے۔

(20) الہیثم (996ء۔1039ء) بصرہ کا ایک ماہر انجینئر تھا جس نے علم ہندسہ، طبیعات، طب اور فلسفہ کے موضوعات پر کام کیا اور کتابیں لکھیں۔

(21) عربی میں اس لفظ کا مطلب ہے ہرنی۔

(22) شعرائے ماقبل اسلام میں اس کی شہرت سب سے بڑھ کر ہے۔ وہ ایک یمنی حکمران کا بیٹا تھا۔ ان اشعار میں اس واقعہ کی طرف اشارہ کیا گیا ہے کہ اس نے قسطنطنیہ جا کر جسٹینین اول کے دربار میں حاضری دی اور اس سے ایرانیوں کے خلاف امداد کی درخواست کی۔ یہاں قیصر سے مراد جسٹینین ہے۔

(23) لیفٹیننٹ جنرل سر جان باگٹ گلب (پیدائش 1897ء) برٹش رائل ملٹری کالج سے گریجوایٹ کرنے کے بعد اور پہلی جنگِ عظیم کے دوران فرانس میں فوجی خدمات انجام دینے کے بعد عراق میں جہاں نئی نئی بادشاہت قائم ہوئی تھی، 1920ء سے 1930ء تک فوجی خدمات انجام دیں۔ 1930ء میں مشرق اردن میں تبادلہ ہو گیا جہاں وہ عرب لیجن کا 1939ء۔ 1956ء تک چیف آف جنرل اسٹاف رہا۔ عرب قوم پرستوں کے احتجاج پر شاہ حسین نے اسے اس عہدے سے سبکدوش کر دیا۔ یہاں اس بات کی طرف اشارہ کیا گیا ہے جو عربوں میں عام طور پر پایا جاتا ہے کہ 1948ء میں لے دے کے ایک ہی منظّم عرب فوج تھی اور وہ عرب لیجن تھی جس کا کمانڈر گلب تھا۔ اس نے 48ء کی لڑائی میں یہودیوں کو فلسطین پر قبضہ کرنے کی سہولت فراہم کی لیکن گلب نے اپنی کتاب سولجر وِد دی عرب (مطبوعہ لندن، 1957ء) اور اس کے علاوہ دوسرے مقامات پر بھی خیال ظاہر کیا ہے کہ اگر اسرائیل زیادہ علاقے پر قبضہ نہ کر سکا، خاص طور پر مغربی کنارے پر تو اس کی وجہ عرب لیجن ہی تھی جس کی وہ کمان کر رہا تھا۔

(24) غالباً یہ اشارہ اس واقعہ کی طرف ہے کہ مارچ 1799ء میں نپولین بوناپارٹ نے عکرہ پر قبضہ کرنے کی کوشش کی تھی لیکن اس کی مہم ناکام ہوئی اور اس مہم میں اسے بہت نقصان اٹھانا پڑا۔

(25) یہ اشارہ ہے 1956ء کی جنگ سویز کی طرف۔ اس وقت برطانیہ اور فرانس اس اندیشہ سے کہ صدر ناصر سویز کو قومی ملکیت میں نہ لے لیں، اس پر متفق ہو گئے تھے کہ اسرائیل سنائی پر قبضہ کر لے۔ اس سے انہیں موقع مل جائے گا کہ دونوں میں لڑائی بند کرانے کے بہانے نہر پر قبضہ کر لیں۔

(26) شنلر یروشلم میں ایک اسکول تھا جسے جرمن چلا رہے تھے۔

(27) عربی میں اس لفظ کے معنی ہیں سارجنٹ۔

(28) عربی میں اس نام کا مطلب ہے باقی رہنے والا۔

(29) ابن جبیر کے سلسلے میں وضاحت نمبر 9 ملاحظہ کریں۔

(30) المتنبی (915ء۔965ء) کا شمار عرب کے عظیم ترین مقبول شعرا میں ہوتا ہے۔

(31) اسماعیلی شیعہ فرقے کی ایک شاخ ہے جسے آٹھویں صدی کے وسط میں فروغ حاصل ہوا۔

(32) بغداد کی گیارہویں صدی کے زمانے کی ایک خفیہ معاشرت جن کی کوشش تھی کہ یونانی فلسفہ اور اسلام کے اصولوں میں امتزاج کی کوئی صورت پیدا ہو۔

(33) ابورقومہ نے مصر کے فاطمی خلیفہ کے خلاف بغاوت کی تھی۔ اس کا دعویٰ تھا کہ اس بغاوت کے لیے وہ اللہ تعالیٰ کی طرف سے مامور ہوا ہے۔ آخر میں فاطمی خلیفہ کے ہاتھوں قتل ہوا۔

(34) تنتورہ سے جب عرب آبادی نکل گئی تو وہ یہودیوں کی نجی ملکیت بن گیا۔ اب اس کا نام ڈوو ہے۔

(35) ان قریوں کی حیثیت اب بدل چکی ہے۔ نمبر 10 کی وضاحت بھی ملاحظہ کریں۔

(36) علی ابن ابی طالب (600ء۔661ء) حضرت محمد صلی اللہ علیہ وآلہ وسلم کے داماد اور چچازاد بھائی ہیں جو 656ء۔661ء تک خلافتِ راشدہ پر فائز رہے۔

(37) ایک فلسطینی وکیل اور خطیب۔ عرب لیگ نے پہلے اسی شخص کو فلسطین کی تحریک آزادی کو منظّم کرنے پر 1961ء میں مامور کیا تھا۔ بعد میں یاسر عرفات نے اس کی جگہ لے لی۔

(38) مصنف نے یہ نام رکھنے میں شاید ماقبل اسلام کے زمانے کے شاعر السیک ابن السلخ (متوفی 605ء) کے نام کو ملحوظ رکھا ہے۔ کہتے ہیں کہ وہ آوارہ مزاج شاعر عرب کے پیدل راستوں سے بڑی واقفیت رکھتا تھا اور اس کے طور طریقے کچھ رابن ہڈ کے سے تھے جس کی وجہ سے حکام اس کو پکڑنے میں ہمیشہ ناکام رہے۔

●◆●◆●